KU-496-873

Carlo
Levi

# Cristo
# si è fermato
# a Eboli

Arnoldo
Mondadori
Editore

© *Giulio Einaudi Editore 1945*
*Edizione su licenza della Giulio Einaudi Editore*
*I edizione B.M.M. aprile 1958*
*I edizione Oscar Mondadori ottobre 1968*
*XXII ristampa Oscar narrativa aprile 1987*

Oscar narrativa

Amelia M. F. Holley
Siena
July 1989.

Carlo
Levi
**Cristo**
**si è fermato**
**a Eboli**

Giulio
Einaudi
Editore

## Carlo Levi

### Cenni biografici

Carlo Levi, per la coerenza delle sue idee e l'assoluta unità delle sue diverse attività, è un esempio raro nella vita artistica e culturale del nostro paese. Nato a Torino, vi trascorre l'adolescenza e la giovinezza: intimo amico di Piero Gobetti e dei giovani chc, attorno a Rivoluzione Liberale, andavano scoprendo insieme se stessi e i problemi fondamentali di libertà della vita italiana. Si laurea in medicina nello stesso anno in cui espone per la prima volta alla Biennale di Venezia, e partecipa ai primi gruppi di resistenza contro il fascismo. È uno del Gruppo dei sei pittori di Torino che, contro la retorica servile dell'arte ufficiale, la falsa modernità del futurismo e il conformismo del Novecento, affermano alla pittura il valore di espressione della libertà. Intanto dà vita alle prime organizzazioni clandestine; è tra i fondatori di Giustizia e Libertà. Piú volte incarcerato, nel 1935 viene confinato in Lucania. Nel 1939 espatria in Francia; ritorna in Italia nel 1941; arrestato di nuovo nel 1943, partecipa attivamente alla resistenza come membro del Comitato di Liberazione della Toscana, di cui dirige il quotidiano "La Nazione del Popolo". È morto a Roma il 4 gennaio 1975.

### Le opere

*Cristo si è fermato a Eboli* fu scritto a Firenze dal Natale 1943 alla fine di luglio del 1944, nel momento piú drammatico della guerra, quando la chiusura clandestina, la presenza della morte, e la comunità di esperienza con gli uomini che prendevano coscienza di sé nell'azione, riportava l'autore a rivivere ancora una volta quei valori umani fondamentali che egli aveva trovato negli anni del suo confino in Lucania. Il libro fu pubblicato nel 1945, con un successo immediato e duraturo in Italia e all'estero, sí da essere considerato ormai come un classico della nostra letteratura. Prima di *Cristo si è fermato a Eboli* Carlo Levi aveva scritto, nell'autunno del '39, in Francia, *Paura della libertà*, pubblicato nel 1946, che è la radice e la chiave di tutto il pensiero di Levi, sviluppato poi e specificato in tutte le opere successive. *L'Orologio*, scritto nel 1948-'49 e pubblicato nel 1950, ritrova, nella Roma dell'immediato dopoguerra, il mondo popolare del "Cristo" nel suo primo tempo di liberazione e di movimento, in quel breve periodo di libertà naturale, quando tutte le strutture erano cadute. Ne *Le parole sono pietre*, del 1955, ritroviamo, in Sicilia, quello stesso mondo che si affaccia per la prima volta all'esistenza e alla storia e ne diventa drammaticamente consapevole. È ancora questo nascere e formarsi della libertà il contenuto di *Il futuro ha un cuore antico* che narra la riscoperta rivoluzionaria della storia nella Russia di oggi. Nella *Doppia notte dei tigli* del 1959 si scende nel doppio vuoto della Germania. Con *Tutto il miele è finito*, del 1964, ritorniamo, in Sardegna, a quel mondo arcaico da cui eravamo partiti, e al dramma della sua crisi. In un certo senso tutti i libri di Carlo Levi costituiscono un'opera unica in continuo sviluppo e arricchimento, legati da un'unità fondamentale che va al di là dei singoli racconti e dei particolari problemi, e che, come la sua grande opera di pittore, si rivolge alle radici stesse dell'uomo.

**« Cristo si è fermato a Eboli »**

Quando questo libro apparve, subito dopo la Liberazione, nel 1945, nella sua veste eroicamente dimessa di carta grigia, portava, in uno dei risvolti di quella sua copertina, diventata poi famosa nelle innumerevoli edizioni degli anni successivi, con il bambino dolente e la testina di capretto scuoiata, una definizione che lo presentava come "un libro di guerra" dell'Italia nuova, un libro "della guerra civile che continua ancora" e "della pace ogni giorno conquistata". Era chiaro che cosa significasse questa frase sommaria, in quel tempo, che sembra remoto, ma a cui dopo un cosí lungo intervallo torniamo oggi a poterci riferire, di ideali creativi, di rivoluzione, di utopia positiva e presente. Un libro "di guerra" non di letteratura (era uscito in una collezione di "saggi" – non essendoci una collezione di poesia – per volontario rifiuto della tradizionale e arcadica narrativa ornamentale) di verità operante, non di evasione; o, come scrisse poi Rocco Scotellaro "il piú appassionante e crudele memoriale dei nostri paesi"... dove "ci sono morti e lamenti da far impallidire i santi martiri per la forza di verità"... e dove "le nostre terre si muovono da parere fiumi e i morti, tutti i morti, i bambini e i vecchi, vivono sulle nude terre tremanti e nei boschi. E i vivi...". Un libro dunque di una nuova guerra, che ne segnava l'inizio, e anticipava la pace, mai raggiunta; e che oggi ancora si pone come fatto presente, ragione di avvenire. Un libro di guerra lo è ancora, e lo sarà sempre, finché la scoperta della autonomia e della libertà sarà prova e ragione di esistenza.

L'altro risvolto di quella prima copertina della prima edizione diceva altre cose, piú specificate: "Questo libro racconta, come in un viaggio al principio del tempo, la scoperta di una diversa civiltà. È quella dei contadini del Mezzogiorno: fuori della Storia e della Ragione progressiva, antichissima sapienza e paziente dolore. (...) Vi si esprime una visione complessa, nella quale gli infiniti punti di vista sono legati insieme (...) riuniti nel *consenso* delle cose. (...) Il lettore può trovarvi insieme una ragione di poesia, un modo di linguaggio, uno specchio dell'anima, e la chiave di problemi storici, economici, politici e sociali altrimenti incomprensibili".

Anche questa nota iniziale, dopo un quarto di secolo (che ha cosí radicalmente mutato tutti i valori), rimane vera, forse piú chiaramente vera di quando fu scritta. Il carattere di complessità, di contemporaneità, di totalità in ogni semplice momento particolare, la possibilità di leggere il libro in tutti i possibili sensi (poetico, linguistico, strutturale, politico, sociale, psicologico, analitico, storico, saggistico, pittorico, ecc.) ci riporta alla definizione stessa dell'opera d'arte, che essendo scoperta o invenzione (per la prima volta) della verità, essendo realtà nel suo farsi, esistenza nel suo rivelarsi, non può non comprendere nello stesso tempo tutte le verità, le realtà, le esistenze, e tutti i modi della ve-

rità, della realtà, dell'esistenza.
In questo senso, anticipando i risultati di un processo di crisi storica e poetica non ancora oggi risolta, *Cristo si è fermato a Eboli* è un libro del futuro. Forse è qui la ragione del persistere e dell'accrescersi del suo successo negli anni, in tutti i paesi del mondo. E forse è qui il motivo dell'insufficienza e della inutile falsità di tutte le analisi e le interpretazioni che non tengano conto del carattere di fondamentale molteplicità dell'opera, e ne isolino un solo aspetto, sia esso il suo contenuto sociale e politico, o quello specificatamente formale e letterario; o, peggio, che cerchino di costringere a forza il libro in uno schema (come neorealismo, o arte impegnata, o romanzo saggistico, o autobiografia, o libro di viaggio; o populismo o meridionalismo, o razionalismo o irrazionalismo, o saggio etnografico o storico o mitologico, e cosí via): in uno schema cioè, per sua natura astratto e privo di verità. Questi schemi, queste definizioni parziali, letterarie o sociologiche che siano, non spiegherebbero, del resto, la diffusione universale, la reale popolarità (fuori di ogni strumento di industria culturale) del libro in tutti i diversi paesi, dove i nostri problemi particolari sono ignoti o indifferenti, dalla Cina alla Francia, dagli Stati Uniti all'Unione Sovietica, dall'Islanda alla Grecia, all'Inghilterra, al Giappone, all'America latina, a tutti i paesi di antica o di nuova e diversa cultura. Vi deve essere qualcosa che tocca il cuore degli uomini, in un momento precedente a quello dei singoli problemi, dei particolari linguaggi, delle differenti tradizioni letterarie. È forse il modo, qui espresso, di essere nel mondo come nel luogo di tutti i rapporti (cioè nella realtà come libertà); e la qualità del rapporto con le cose, che è un rapporto di amore e perciò, insieme, di totale identificazione e di totale distacco. È forse la singolare fortuna di essere, quest'opera poetica, nel suo primo farsi e esprimersi e parlare e oggettivarsi, in un mondo che è a sua volta nel momento primo del farsi, esprimersi e parlare e esistere. È dunque il suo carattere giovanile, di pura e assoluta potenza, la sua continua invenzione di libertà, che dà a questo racconto, che tutti possono intendere nel modo piú semplice e diretto, un valore, per tutti, rinnovatore e creativo di esistenza.

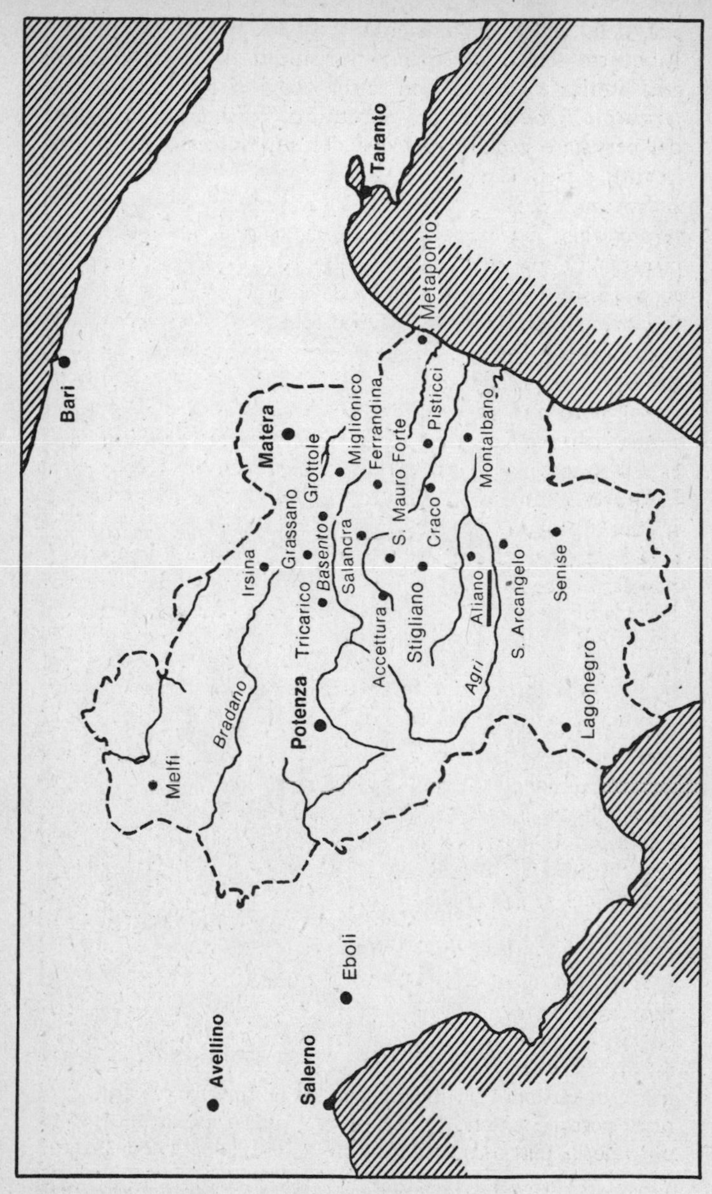


Cartina della Lucania. Aliano è il paese, indicato
nel testo con il nome di fantasia di Gagliano, dove Levi, confinato
durante il fascismo, ha ambientato "Cristo si è fermato a Eboli".

Il desolato paesaggio nelle vicinanze di Aliano.
"... e d'ognintorno altra argilla bianca, senz'alberi e senz'erba,
scavata dalle acque in buche, coni,
piagge di aspetto maligno, come un paesaggio lunare..."

Lo scosceso burrone tufaceo sul quale sorge Aliano.
"... e da ogni parte non c'erano che precipizi di argilla bianca,
su cui le case stavano come librate nell'aria..."

Interno di una casa lucana preparata per il "battesimo magico" di un bambino. Per la cerimonia, che di solito segue quella in chiesa, si dispongono intorno alla culla con il neonato sette sedie, una bacinella piena d'acqua e un asciugamano.

# Cristo si è fermato a Eboli

Sono passati molti anni, pieni di guerra, e di quello che si usa chiamare la Storia. Spinto qua e là alla ventura, non ho potuto finora mantenere la promessa fatta, lasciandoli, ai miei contadini, di tornare fra loro, e non so davvero se e quando potrò mai mantenerla. Ma, chiuso in una stanza, e in un mondo chiuso, mi è grato riandare con la memoria a quell'altro mondo, serrato nel dolore e negli usi, negato alla Storia e allo Stato, eternamente paziente; a quella mia terra senza conforto e dolcezza, dove il contadino vive, nella miseria e nella lontananza, la sua immobile civiltà, su un suolo arido, nella presenza della morte.

— Noi non siamo cristiani, — essi dicono, — Cristo si è fermato a Eboli —. Cristiano vuol dire, nel loro linguaggio, uomo: e la frase proverbiale che ho sentito tante volte ripetere, nelle loro bocche non è forse nulla piú che l'espressione di uno sconsolato complesso di inferiorità. Noi non siamo cristiani, non siamo uomini, non siamo considerati come uomini, ma bestie, bestie da soma, e ancora meno che le bestie, i fruschi, i frusculicchi, che vivono la loro libera vita diabolica o angelica, perché noi dobbiamo invece subire il mondo dei cristiani, che sono di là dall'orizzonte, e sopportarne il peso e il confronto. Ma la frase ha un senso molto piú profondo, che, come sempre, nei modi simbolici, è quello letterale. Cristo si è davvero fermato a Eboli, dove la strada e il treno abbandonano la costa di Salerno e il mare, e si addentrano nelle desolate terre di Lucania. Cristo non è mai arrivato qui, né vi è arrivato il tempo, né l'anima individuale, né la speranza, né il legame tra le cause e gli effetti, la ragione e la Storia. Cristo non è arrivato, come non erano arrivati i romani, che presidiavano le grandi strade e non entravano fra i monti e nelle foreste, né i greci, che fiorivano sul mare di Metaponto e di Sibari. nessuno degli arditi uomini di occidente ha portato quaggiú il suo senso del tempo che si muove, né la sua teocrazia statale, né la sua perenne attività che cresce su se stessa. Nessuno ha toccato questa terra se non come un conquistatore o un nemico o un visitatore incomprensivo. Le stagioni scorrono sulla fatica contadina, oggi come tremila anni prima di Cristo: nessun messaggio umano o divino si è rivolto a questa povertà refrattaria. Parliamo un diverso linguaggio: la nostra lingua è qui incomprensibile. I grandi viaggiatori non sono andati di là dai confini del proprio mondo; e hanno percorso i sentieri della propria anima e quelli del bene e del male, della moralità e della redenzione. Cristo è sceso nell'inferno sotterraneo del moralismo ebraico per romperne le porte nel tempo e sigillarle nell'eternità. Ma in questa terra oscura, senza peccato e senza redenzione, dove il male non è morale, ma è un dolore terrestre, che sta per sempre nelle cose, Cristo non è disceso. Cristo si è fermato a Eboli.

Sono arrivato a Gagliano un pomeriggio di agosto, portato in una piccola automobile sgangherata. Avevo le mani impedite, ed ero accompagnato da due robusti rappresentanti dello Stato, dalle bande rosse ai pantaloni e dalle facce inespressive. Ci venivo malvolentieri, preparato a veder tutto brutto, perché avevo dovuto lasciare, per un ordine improvviso, Grassano, dove abitavo prima, e dove avevo imparato a conoscere la Lucania. Era stato faticoso dapprincipio. Grassano, come tutti i paesi di qui, è bianco in cima ad un alto colle desolato, come una piccola Gerusalemme immaginaria nella solitudine di un deserto. Amavo salire in cima al paese, alla chiesa battuta dal vento, donde l'occhio spazia in ogni direzione su un orizzonte sterminato, identico in tutto il suo cerchio. Si è come in mezzo a un mare di terra biancastra, monotona e senz'alberi: bianchi e lontani i paesi, ciascuno in vetta al suo colle, Irsina, Craco, Montalbano, Salandra, Pisticci, Grottole, Ferrandina, le terre e le grotte dei briganti, fin laggiú dove c'è forse il mare, e Metaponto e Taranto Mi pareva di aver intuita l'oscura virtú di questa terra spoglia, e avevo cominciato ad amarla; e mi dispiaceva di cambiare. È nella mia natura sentire dolorosi i distacchi, perciò ero mal disposto verso il nuovo paese dove dovevo acconciarmi a vivere. Mi rallegrava invece il viaggio, la possibilità di vedere quei luoghi di cui avevo tanto sentito favoleggiare e che fingevo nella immaginazione, di là dai monti che chiudono la valle del Basento. Passammo sopra il burrone dove era precipitata, l'anno prima, la banda di Grassano, che tornava a tarda sera dopo aver suonato nella piazza di Accettura. Da allora i morti suonatori si ritrovano a mezzanotte, in fondo al burrone, e suonano le loro trombe; e i pastori evitano quei paraggi, presi da un reverenziale terrore. Ma quando ci passammo era giorno chiaro, il sole brillava, il vento africano bruciava la terra, e nessun suono saliva dalle argille.

A San Mauro Forte, poco piú in alto sul monte, avrei ancora veduto, all'ingresso del paese, i pali a cui furono infisse per anni le teste dei briganti, e poi saremmo entrati nel bosco di Accettura, uno dei pochi rimasti dell'antica foresta che copriva tutto il paese di Lucania. *Lucus a non lucendo*, veramente, oggi: la Lucania, la terra dei boschi, è tutta brulla; e il rivedere finalmente degli alberi, e il fresco del sottobosco, e l'erba verde, e il profumo delle foglie, era per me come un viaggio nel paese delle fate. Questo era il regno dei banditi, e ancor oggi, per il solo e lontano ricordo, lo si attraversa con curioso timore; ma è un regno assai piccolo, e lo si abbandona ben presto per salire a Stigliano, dove il vecchissimo corvo Marco sta da secoli sulla piazza, come un dio locale, e svolazza nero sulle pietre. Dopo Stigliano si scende alla valle del Sauro, con il suo grande letto di sassi bianchi, e il bell'uliveto del principe Colonna nell'isola dove un battaglione di bersaglieri fu sterminato dai briganti di Boryes che marciavano su Potenza. Qui, arrivati a un bivio, si lascia la strada che porta alla valle dell'Agri, e si prende a sinistra, per una straducola fatta da pochi anni.

Addio Grassano, addio terre vedute di lontano o immaginate! Siamo dall'altra parte dei monti e si sale a balzelloni a Gagliano, che non conosceva, fino a poco fa, la ruota. A Gagliano la strada finisce. Tutto mi era sgradevole: il paese, a prima vista, non sembra un paese, ma un piccolo insieme di casette sparse, bianche, con una certa pretesa nella loro miseria. Non è in vetta al monte, come tutti gli altri, ma in una specie di sella irregolare in mezzo a profondi burroni pittoreschi; e non ha, a prima vista, l'aspetto severo e terribile di tutti gli altri paesi di qui. C'è, dalla parte da cui si arriva, qualche albero, un po' di verde; ma proprio questa mancanza di carattere mi dispiaceva. Ero avvezzo ormai alla serietà nuda e drammatica di Grassano, ai suoi intonaci di calce cadente, e al suo triste raccoglimento misterioso; e mi pareva che quell'aria di campagna con cui mi appariva Gagliano, suonasse falso in questa terra che non è, mai, una campagna. E poi, forse è vanità, ma mi pareva stonato che il luogo dove ero costretto a vivere non avesse in sé un'aria di costrizione, ma fosse sparso e quasi accogliente; cosí come al prigioniero è di maggior conforto una cella con inferriate esuberanti e retoriche piuttosto che una che assomigli apparentemente a una camera normale. Ma la mia prima impressione era soltanto parzialmente fondata.

Scaricato e consegnato al segretario comunale, un uomo magro e secco, duro d'orecchio, con dei baffi neri a punta sul viso giallo, e la giacca da cacciatore, presentato al podestà e al brigadiere dei carabinieri, salutati i miei custodi che si affrettavano a ripartire, rimasi solo in mezzo alla strada. Mi accorsi allora che il paese non si vedeva arrivando, perché scendeva e si snodava come un verme attorno ad un'unica strada in forte discesa, sullo stretto ciglione di due burroni, e poi risaliva e ridiscendeva tra due altri burroni, e terminava sul vuoto. La campagna che mi pareva di aver visto arrivando, non si vedeva piú; e da ogni parte non c'erano che precipizi di argilla bianca, su cui le case stavano come librate nell'aria; e d'ognintorno altra argilla bianca, senz'alberi e senz'erba, scavata dalle acque in buche, coni, piagge di aspetto maligno, come un paesaggio lunare. Le porte di quasi tutte le case, che parevano in bilico sull'abisso, pronte a crollare e piene di fenditure, erano curiosamente incorniciate di stendardi neri, alcuni nuovi, altri stinti dal sole e dalla pioggia, sí che tutto il paese sembrava a lutto, o imbandierato per una festa della Morte. Seppi poi che è usanza porre questi stendardi sulle porte delle case dove qualcuno muore, e che non si usa toglierli fino a che il tempo non li abbia sbiancati.

In paese non ci sono veri negozi, né albergo. Ero stato

indirizzato dal segretario, in attesa di trovare una casa, ad una sua cognata vedova, che aveva una camera per i rari viandanti di passaggio, e che mi avrebbe anche dato da mangiare. Erano pochi passi dal municipio, una delle prime case del paese. Cosí, prima di dare una occhiata piú approfondita alla mia nuova residenza, entrai dalla vedova, per una delle porte a lutto, con le mie valige ed il mio cane Barone, e mi sedetti in cucina. Migliaia di mosche anneravano l'aria e coprivano le pareti: un vecchio cane giallo stava sdraiato in terra, pieno di una noia secolare. La stessa noia, e un'aria di disgusto, di ingiustizia subíta e di orrore, stavano sul viso pallido della vedova, una donna di mezza età, che non portava il costume, ma l'abito comune delle persone di condizione civile, soltanto con un velo nero sul capo. Il marito era morto tre anni prima, di una brutta morte. Era stato attratto da una strega contadina con dei filtri d'amore, ed era diventato il suo amante. Era nata una bambina; e poiché egli, a questo punto, aveva voluto troncare la relazione peccaminosa, la strega gli aveva dato un filtro per farlo morire. La malattia era stata lunga e misteriosa, i medici non sapevano che nome darle. L'uomo aveva perse le forze, ed era diventato scuro nel volto, finché la sua pelle divenne colore del bronzo, sempre piú nera, ed egli morí. La moglie, una signora, era rimasta sola, con un ragazzo di dieci anni, e poco denaro, con cui doveva ingegnarsi a vivere. Per questo affittava la stanza: la sua condizione era cosí intermedia tra quella dei galantuomini e quella dei contadini; aveva insieme, degli uni e degli altri, le maniere e la povertà. Il ragazzo era stato messo in collegio dai preti, a Potenza; e ora era in casa per le vacanze; silenzioso, ubbidiente e mite, già segnato dall'educazione religiosa, con i capelli rasi e il vestitino grigio del collegio abbottonato fino al collo.

Ero da poco nella cucina della vedova e le chiedevo le prime notizie del paese, quando si batté alla porta, e alcuni contadini chiesero timidamente di entrare. Erano sette o otto, vestiti di nero, con i cappelli neri in capo, gli occhi neri pieni di una particolare gravità. — Tu sei il dottore che è arrivato ora? — mi chiesero. — Vieni, che c'è uno che sta male —. Avevano saputo subito in Municipio del mio arrivo, e avevano sentito che io ero dottore. Dissi che ero dottore, ma da molti anni non esercitavo; che certamente esisteva un medico nel paese, che chiamassero quello; e che perciò non sarei venuto. Mi risposero che in paese non c'erano medici, che il loro compagno stava morendo. — Possibile che non ci sia un medico? — Non ce ne sono —. Ero molto imbarazzato: non sapevo davvero se sarei stato in grado, dopo tanti anni che non mi ero occupato di medicina, di essere di qualche utilità. Ma come resistere alle loro preghiere? Uno di essi, un vecchio dai capelli bianchi, mi si avvicinò e mi prese la mano per baciarla. Credo di essermi tratto indietro, e di essere arrossito di vergogna, questa prima volta come tutte le altre poi, nel corso dell'anno, in cui qualche altro contadino ripeté lo stesso gesto. Era implorazione, o un resto di omaggio feudale? Mi alzai, e li seguii dal malato.

La casa era poco discosta. Il malato era sdraiato in terra vicino all'uscio, su una specie di barella, tutto vestito, con le scarpe e il cappello. La stanza era buia, a malapena potevo discernere, nella penombra, delle contadine che si lamentavano e piangevano: una piccola folla di uomini, di donne e di bambini erano sulla strada, e tutti entrarono in casa e mi si fecero attorno. Capii dai loro racconti interrotti che il malato era stato portato in casa da pochi minuti, che arrivava da Stigliano, a venticinque chilometri di distanza, dove era stato condotto sull'asino per consultare i medici di là, che c'erano sí dei medici a Gagliano, ma non si consultavano perché erano medicaciucci, non medici cristiani; che il dottore di Stigliano gli aveva detto soltanto di tornare a morire a casa sua; ed eccolo a casa, e che io cercassi di salvarlo. Ma non c'era piú nulla da fare: l'uomo stava morendo. Inutili le fiale trovate a casa della vedova, con cui, per solo scrupolo di coscienza, ma senza nessuna speranza, cercai di rianimarlo. Era un attacco di malaria perniciosa, la febbre passava i limiti delle febbri piú alte, l'organismo non reagiva piú. Terreo, stava supino sulla barella, respirando a fatica, senza parlare, circondato dai lamenti dei compagni. Poco dopo era morto. Mi fecero largo; e me ne andai, solo, sulla piazza, donde la vista si allarga per i burroni e le valli, verso Sant'Arcangelo. Era l'ora del tramonto, il sole calava dietro i monti di Calabria e, inseguiti dall'ombra, i contadini, piccoli nella distanza, si affrettavano per i sentieri lontani nelle argille, verso le loro case.

La piazza non è veramente che uno slargo dell'unica strada del paese, in un punto piú piano, dove finisce Gagliano di Sopra, la parte alta. Di qui si risale un altro po', e si ridiscende poi, attraversando un'altra piazzetta, a Gagliano di Sotto, che termina sulla frana. La piazza ha case da una parte sola; dall'altra c'è un muretto basso sopra un precipizio, la Fossa del Bersagliere, cosí chiamata per esservi stato buttato un bersagliere piemontese, sperdutosi in questi monti al tempo del brigantaggio e fatto prigioniero dai briganti.

Era il crepuscolo, nel cielo volavano i corvi, e nella piazza arrivavano per la conversazione serale i signori del paese. Essi passeggiano qui ogni sera, si fermano a sedere sul muretto, e, voltando la schiena all'ultimo sole, aspettano il fresco accendendo le loro sigarette economiche. Dall'altra parte, addossati alle case, stanno i contadini, tornati dai campi, e non si sentono le loro voci.

Il podestà mi riconosce e mi chiama. È un giovanotto alto, grosso e grasso, con un ciuffo di capelli neri e unti che gli piovono in disordine sulla fronte, un viso giallo e imberbe da luna piena, e degli occhietti neri e maligni, pieni di falsità e di soddisfazione. Porta gli stivaloni, un paio di brache a quadretti da cavallerizzo, una giacchetta corta, e giocherella con un frustino. È il professor Magalone Luigi: ma non è professore. È il maestro delle scuole elementari di Gagliano; ma il suo compito principale è quello di sorvegliare i confinati del paese. In quest'opera egli pone (avrò poi modo di constatarlo) tutta la sua attività e il suo zelo. Non è egli forse stato definito da S. E. il Prefetto, come subito trova modo di dirmi con una vocetta acuta da castrato, che esce sottile e compiaciuta da quel suo corpaccione, il piú giovane e il piú fascista fra i podestà della provincia di Matera? Non posso fare a meno di compiacermene con il professore. E il professore mi da subito notizie sul paese, e sul modo con cui mi conviene comportarmi. Ci sono qui alcuni confinati, una diecina in tutto. Non devo vederli, perché è proibito. Del resto sono gentaglia, operai, robetta. Io invece sono un signore, si vede subito. Mi accorgo che il professore è orgoglioso di potere, per la prima volta, esercitare la sua autorità su un signore, un pittore, un dottore, un uomo di cultura. Anch'egli è un uomo colto, ci tiene a farmelo sapere. Con me egli vuol essere gentile, siamo dello stesso rango. Ma come mai mi sono fatto mandare al confino? E proprio in quest'anno, che la Patria diventa cosí grande. (Ma c'è un po' di timore nella sua affermazione. La guerra d'Africa è appena all'inizio. Speriamo che tutto vada bene. Speriamo.) Ad ogni modo qui mi troverò bene. Il paese è salubre e ricco. Un po' di malaria, cosa da nulla. I contadini sono quasi tutti piccoli proprietari, nell'elenco dei poveri non c'è quasi nessuno. È uno dei paesi piú ricchi della provincia. Soltanto devo stare attento, perché c'è molta gente cattiva. Bisogna diffidare di tutti. Intanto io non frequenti nessuno. Egli ha molti nemici. Ha saputo che ho curato quel contadino. È una fortuna che io sia arrivato, e che possa fare il medico. Preferisco di no? Devo farlo assolutamente. Egli ne sarà davvero molto lieto. Ecco che arriva, in fondo alla piazza, suo zio, il vecchio dottor Milillo, medico condotto. Non devo aver paura, ci penserà lui a fare sí che suo zio non si dispiaccia della mia concorrenza. Del resto, suo zio non conta. Quanto all'altro medico che vedo passeggiare solitario laggiú, debbo fare attenzione: è capace di tutto: ma se potrò togliergli tutta la clientela sarà una cosa ben fatta, e il professore mi difenderà.

Il dottor Milillo si avvicina a piccoli passettini. Ha una settantina d'anni o poco meno. Ha le guance cascanti e gli occhi lagrimosi e bonari di un vecchio cane da caccia. È imbarazzato e lento nei movimenti, piú per natura che per l'età. Le mani gli tremano, le parole gli escono balbettanti, tra un labbro superiore enormemente lungo, e uno inferiore cadente. La prima impressione è di un buon uomo, completamente rimbecillito. È chiaro che egli non è molto lieto del mio arrivo: ma io cerco di rassicurarlo. Non intendo fare il medico. Sono andato oggi dal malato soltanto perché era un caso d'urgenza e ignoravo l'esistenza dei medici del paese. Il dottore è contento di sentirmi parlare cosí, e anch'egli, come il nipote, si sente obbligato a mostrarmi la sua cultura, cercando negli angoli bui della memoria qualche antico termine medico rimasto là dagli anni dell'Università, come un trofeo d'armi dimenticato in soffitta. Ma attraverso il suo balbettío capisco una cosa sola: che egli di medicina non sa piú nulla, se pure ne ha mai saputo qualcosa. I gloriosi insegnamenti della celebre Scuola Napoletana si sono dileguati nella sua mente, e confusi nella monotonia di una lunga, quotidiana indifferenza. I rottami delle perdute conoscenze galleggiano senza piú senso, in un naufragio di noia, su un mare di chinino, medicina unica per tutti i mali. Lo traggo dal terreno pericoloso della scienza, e gli chiedo del paese, degli abitanti, della vita di qui.

— Buona gente ma primitiva. Si guardi soprattutto dalle donne. Lei è un giovanotto, un bel giovanotto. Non accetti nulla da una donna. Né vino, né caffè, nulla da bere o da mangiare. Certamente ci metterebbero un filtro. Lei piacerà di sicuro alle donne di qui. Tutte le faranno dei filtri. Non accetti mai nulla dalle contadine —. Anche il podestà è dello stesso parere. Questi filtri sono pericolosi. Berli non è piacevole. Disgustoso anzi. — Vuol sapere di che cosa li fanno? — E il dottore mi si china all'orecchio, balbettando a bassa voce, felice di aver ricordato finalmente un termine scientifico esatto. — Sangue, sa, sangue cata-meniale, — mentre il podestà ride di un suo riso di gola, come una gallina. — Ci mettono anche delle erbe, e pronunciano delle formule, ma l'essenziale è quello. Son gente ignorante. Lo mettono dappertutto, nelle bevande, nella cioccolata, nei sanguinacci, magari anche nel pane. Catameniale. Stia attento —. Quanti filtri, ahimè, avrò bevuto senza saperlo, nel corso dell'anno? Certamente non ho seguito i consigli dello zio e del nipote, e ho affrontato ogni giorno il vino e il caffè dei contadini, anche se chi me lo preparava era una donna. Se c'erano dei filtri, forse si sono vicendevolmente neutralizzati. Certo non mi hanno fatto male; forse mi hanno, in qualche modo misterioso, aiutato a penetrare in quel mondo chiuso, velato di veli neri, sanguigno e terrestre, nell'altro mondo dei contadini, dove non si entra senza una chiave di magía.

Scende su di noi, dal monte Pollino, l'ombra della sera. I contadini sono ormai tutti rientrati in paese, si accendono i fuochi nelle case, giungono da ogni parte voci, rumore di asini e di capre. La piazza è ormai piena di tutti i signori del luogo. Il nemico del podestà, il medico che passeggia solitario, ha certo una grande curiosità di conoscermi. Egli ci gira intorno in cerchi sempre piú stretti, come un nero can barbone diabolico. È un uomo anziano, grosso, panciuto, impettito, con una barba grigia a punta e dei baffi che piovono su una bocca larghissima, piena zeppa di denti gialli e irregolari. L'espressione del suo viso è quella di una diffidenza astiosa, e di un'ira continua e mal repressa. Porta gli occhiali, una specie di cilindro nero in capo, una *redingote* nera spelacchiata, e dei vecchi pantaloni neri lisi e consumati. Brandisce un grosso ombrello nero di cotone, quell'ombrello che gli vedrò poi portare sempre aperto, con sussiego, in modo perfettamente verticale, estate e inverno, con la pioggia e col sole, come il sacro baldacchino sul tabernacolo della propria autorità. Il dottor Gibilisco è furente. La sua autorità, ahimè, pare assai scossa. — I contadini non ci dànno retta. Non ci chiamano quando sono malati, — mi dice con l'aria velenosa e collerica di un pontefice che stigmatizzi un'eresia. — Oppure non vogliono pagare. Vogliono essere curati, ma pagare, niente. Ma se ne accorgeranno. Ha visto oggi, quel tale, che non ci aveva chiamati. È andata a Stigliano. Ha chiamato lei. È morto e gli sta bene —. Su questo punto, per quanto con piú moderazione, era d'accordo anche il dottor Milillo, che confermava: — Sono ostinati come muli. Eh! Eh! Vogliono fare di testa propria. Si dà il chinino, si dà il chinino, ma non lo vogliono prendere. Non c'è nulla da fare —. Cerco di rassicurare anche Gibilisco sulle mie intenzioni di non fargli concorrenza: ma i suoi occhi sono pieni di diffidenza e di sospetto, e la sua ira non è sbollita. — Non si fidano di noi: non si fidano della farmacia. Si sa, non ci può esser tutto; ma si può sopperire. Se manca la morfina, si può usare l'apomorfina —. Anche Gibilisco, come Milillo, ci tiene a mostrarmi la sua sapienza. Ma mi accorgo presto che la sua ignoranza è molto peggiore di quella del vecchio. Egli non sa assolutamente nulla, e parla a caso. Una sola cosa egli sa, che i contadini esistono unicamente perché Gibilisco li visiti, e si faccia dare denaro e cibo per le visite; e quelli che gli capitano sotto devono pagarla per gli altri che gli sfuggono. L'arte medica per lui non è che un diritto, un diritto feudale di vita e di morte sui cafoni; e perché i poveri pazienti si sottraggono volentieri a questo *jus necationis*, un continuo furore, un odio di bestia feroce contro il povero gregge contadino. Se le conseguenze non sono spesso mortali, non è certo mancanza di buone intenzioni, ma soltanto il fatto che, per uccidere con arte un cristiano, ci vuol pure una qualche briciola di scienza. Usare questa o quella medicina gli è indifferente: egli non ne conosce e non si cura di conoscerne nessuna, esse sono per lui null'altro che le armi del suo diritto: un guerriero può cingersi, per farsi rispettare, a suo solo arbitrio, di archi o di spadoni o di scimitarre o di pistolacci o magari di *kriss* malesi. Il diritto di Gibilisco è ereditario: suo padre era medico, suo nonno anche. Suo fratello, morto l'anno prima, era, naturalmente, farmacista. La farmacia non ha trovato successori e avrebbe dovuto esser chiusa; ma è stato ottenuto attraverso qualche amico alla Prefettura di Matera che essa possa continuare a funzionare, per il bene della popolazione, fino a esaurimento delle scorte, ad opera delle due figlie del farmacista, che non hanno fatto studi e non potrebbero perciò essere autorizzate alla vendita dei veleni. Le scorte, naturalmente, non finiranno mai; un po' di qualche polvere indifferente viene messa nei barattoli mezzi vuoti: cosí si diminuisce il pericolo degli errori nelle pesate. Ma i contadini sono ostinati e diffidenti. Non vanno dal medico, non vanno alla farmacia, non riconoscono il diritto. E la malaria, giustamente, li ammazza.

Mi faccio dare qualche indicazione sui signori che passeggiano o siedono in gruppi silenziosi sul muretto. Ecco passare corrusco il brigadiere dei carabinieri. È un bel giovane bruno, un pugliese, dai capelli impomatati, con un viso cattivo; stretto in un'elegante uniforme attillata, dalla vita sottile; con stivali lucenti, profumato, frettoloso e sprezzante. Con lui dirò pochissime parole; egli mi guarda in distanza come un delinquente da tenere a bada. È qui da tre anni, e ha già messo da parte, mi dicono, quarantamila lire, frutto, a dieci lire per volta, dell'uso sagace dell'autorità sui contadini. È l'amante della levatrice, una donna alta e secca e un po' storta, dagli occhioni romantici, lucidi e pieni di languore, con un lungo viso da cavallo; mal vestita, indaffarata, con dei gesti e degli accenti sentimentali ed eccessivi, come una diva da caffè-concerto di provincia. Il brigadiere si ferma un momento a parlare sottovoce col podestà: è il suo braccio secolare, e li vedrò poi sempre confabulare a lungo in tono misterioso, forse sui mezzi migliori per tener l'ordine e aumentare il prestigio dell'autorità. Ma già si allontana, e squadrandoci dall'alto, senza salutare, si avvia alla porticina della sua amica, là in fondo. O non andrà forse invece, come si sussurra, dalla bella mafiosa, la confinata siciliana che abita dietro la casa della levatrice, una splendida creatura nera e rosa, che nessuno vede mai perché tiene celato in casa, secondo gli usi del suo paese, il mistero della sua bellezza, e ha ottenuto, per meglio salvare la sua ritrosía, di non andare che una volta sola alla settimana, anziché tutti i giorni, a firmare il registro del Municipio? Pare che il brigadiere le faccia una corte altrettanto galante quanto minacciosa. Per quanto la pudica siciliana abbia fama d'essere inattaccabile, e si dica che laggiú nell'isola ci siano parecchi uomini pronti a vendicarne l'onore, sarà difficile che la sua grazia velata possa a lungo resistere alla potenza incarnata della legge. Questi tre signori vestiti di nero, con panciotti a doppia fila di bottoni, a foggia antica, che fumano in silenzio vicino a noi, sono tre proprietari pieni di sussiego e di tristezza. Ma quell'altro che sta solo in disparte, quel vecchio sottile dal viso intelligente, è l'uomo piú ricco del paese, l'avvocato S. È un uomo buono e triste, pieno di sfiducia e di disprezzo per il mondo dove gli tocca vivere. L'anno scorso gli è morto l'unico figlio maschio, e le sue due belle figlie, Concetta e Maria, da allora non sono mai piú uscite di casa, neppure per andare a messa. È l'usanza di qui, almeno tra i signori: se muore il padre le figlie restano tre anni recluse, un anno se muore il fratello. Quel vecchio dalla lunga barba bianca che gli scende sul petto, che fuma vicino all'avvocato, è l'ex ricevitore postale a riposo compare di San Giovanni del dottor Gibilisco. Si chiama Poerio, l'unico resto di un ramo gaglianese della famosa famiglia di patrioti. È sordo e malato. Non può orinare, e si è fatto magrissimo. Morirà certamente tra poco.

Queste notizie mi venivano date dall'avvocato P., un giovanotto allegro che si era unito al nostro gruppo. Come mi raccontò subito, si era laureato qualche anno prima a Bologna. Non che avesse nessuna tendenza agli studi, né ambizione professionale, tutt'altro. Uno zio gli aveva lasciato in eredità tutti i suoi poderi e la sua casa in paese, a condizione che lui prendesse una laurea: perciò lui era andato a Bologna. La vita goliardica di quegli anni era stata la sua grande avventura. Laureatosi e tornato in paese a godersi in pace l'eredità, aveva sposato una donna piú vecchia di lui, e non aveva piú potuto ripartire. Non faceva assolutamente nulla, se non cercare di continuare, nell'ambiente paesano, la sua vita di studente. Come passare tutte le ore del giorno, tutti i giorni dell'anno? La passatella, il gioco delle carte, qualche chiacchierata sulla piazza; e le sere trascinate qua e là nelle grotte del vino. L'eredità dello zio l'aveva in buona parte perduta al gioco, a Bologna, prima ancora di esserne entrato in possesso; ora i poderi erano tutti ipotecati, le entrate erano magre, la famiglia cresceva. Ma il buon ragazzo era pur sempre uno studente di Bologna, allegro e scapigliato. Quello che fa tanto chiasso dall'altra parte della piazza, è un suo compagno di bevute e di passatella, maestro supplente alla scuola elementare. È ubriaco questa sera, come quasi sempre, fin dal mattino. Ma ha il vino cattivo, e diventa feroce, collerico, rissoso. I suoi urli, quando fa scuola, si sentono fino in fondo al paese.

Tutti si alzano d'un tratto, e si muovono verso la posta. Si vede infatti arrivare, in cima alla strada, la vecchia procaccia con il sacco dei giornali e della corrispondenza, che ogni giorno un mulo va a prendere al bivio sul Sauro, al passaggio dell'autobus sgangherato che porta i disgraziati viaggiatori, attraverso migliaia di giravolte e di traballoni, dalla lontanissima Matera alla valle dell'Agri. Tutti corrono all'ufficio postale e aspettano che don Cosimino, un gobbetto dal viso arguto, abbia aperto i pacchi e fatto lo spoglio. È la cerimonia serale a cui nessuno manca, e a cui anch'io parteciperò poi, ogni giorno, per tutto l'anno. Tutti restano fuori dell'ufficio, in attesa: ma il podestà e il brigadiere entrano, e, con la scusa della posta d'ufficio, controllano curiosamente le lettere di tutti. Ma questa sera la posta è in ritardo, cala la notte e non mi è lecito restare ancora all'aperto. Vedo arrivare zoppicante l'Arciprete, piccolo e magro, col grande pendaglio rosso sul cappello: nessuno lo saluta. Io debbo ormai partire. Fischio al mio cane Barone, che mi precede a grandi balzi, estasiato dei nuovi odori, dei nuovi cani e pecore e capre ed uccelli di questo suo nuovo paese, e mi avvio lentamente, per la salita, alla casa della vedova.

La Fossa del Bersagliere è piena d'ombre, e l'ombra avvolge i monti viola e neri che stringono d'ognintorno l'orizzonte. Brillano le prime stelle, scintillano di là dall'Agri i lumi di Sant'Arcangelo, e piú lontano, appena visibili, quelli di qualche altro paese ignoto, Noepoli forse, o Senise. La strada è stretta, sulle porte stanno seduti i contadini, nel buio che sale. Dalla casa del morto giungono i lamenti delle donne. Un brusío indistinto mi gira attorno in grandi cerchi, e di là c'è un profondo silenzio. Mi par d'essere caduto dal cielo, come una pietra in uno stagno.

« Questo è dunque un paese di galantuomini! » pensavo attendendo la cena nella casa della vedova. Il fuoco era acceso sotto la pentola perché la buona donna aveva immaginato che io fossi stanco del viaggio e che mi abbisognasse qualcosa di caldo. Di solito non si fa fuoco, la sera, neppure nelle case dei ricchi, dove bastano gli avanzi del mattino, un po' di pane e formaggio, qualche oliva, e i soliti fichi secchi. Quanto ai poveri, essi mangiano pan solo, tutto l'anno, condito qualche volta con un pomodoro crudo spiaccicato con cura, o con un po' d'aglio e olio, o con un peperone spagnolo, di quelli che bruciano, un *diavolesco*. « Questo è un paese di galantuomini! » Non potevo ancora precisare le mie impressioni, né penetrare ancora tutti i segreti della politica e delle passioni paesane; ma mi avevano colpito il sussiego, le maniere dei signori sulla piazza, e piú ancora il tono generale di astio, disprezzo e diffidenza reciproca nella conversazione a cui avevo assistito, la facilità con cui si manifestavano degli odî elementari, senza il naturale ritegno verso un forestiero appena arrivato, che aveva fatto sí che io fossi messo subito al corrente dei vizi o delle debolezze degli altri. Per quanto non potessi ancora determinarlo con esattezza, era chiaro che anche qui, come a Grassano, gli odî reciproci di tutti contro tutti si cristallizzavano in due partiti. Qui, come a Grassano, come in tutti gli altri paesi della Lucania, dove i galantuomini che non hanno potuto, per incapacità o povertà, o matrimoni precoci, o interessi da tutelare, o per una qualunque necessità del destino, emigrare ai paradisi di Napoli o di Roma, trasformano la propria delusione e la propria noia mortale in un furore generico, in un odio senza soste, in un perenne risorgere di sentimenti antichi, e in una lotta continua per affermare, contro tutti, il loro potere nel piccolo angolo di terra dove sono costretti a vivere. Gagliano è un piccolissimo paese, e lontano dalle strade e dagli uomini: le passioni vi sono perciò piú elementari, piú semplici, ma non meno intense che altrove; e non sarà difficile, immaginavo, averne presto la chiave.

Grassano è invece piuttosto grande, su una via di passaggio, non lontano dal capoluogo della provincia: non c'è, come qui, il contatto continuo di tutti con tutti; le passioni possono perciò essere piú nascoste, prendere una forma piú mediata, vestirsi di aspetti piú complessi. I segreti di Grassano mi erano stati rivelati fin dai primi giorni del mio arrivo da uno dei loro piú appassionati protagonisti. Quelli di Gagliano, come li conoscerò? A Gagliano dovrò passare tre anni, un tempo infinito. Il mondo è chiuso: gli odî e le guerre dei signori sono il solo avvenimento quotidiano: e ho già visto sui loro volti come esse siano radicate e violente, miserabili ma intense come quelle di una tragedia greca. Bisognerà pure che, come un eroe di Stendhal, io faccia i miei piani, e non commetta errori. A Grassano, il mio informatore era stato il capo della Milizia, il tenente Decunto. Chi lo sarà quaggiú?

Quando il tenente Decunto, capo della Milizia di Grassano, mi aveva mandato a chiamare con un ordine perentorio, il giorno dopo il mio arrivo da Regina Coelì, quando non mi ero ancora ambientato, né avevo ancora saputo precisamente che cosa capitasse nel mondo, né che umori ci fossero in paese per la prossima guerra d'Africa, avevo temuto qualche nuova noia. Avevo invece trovato, in una stanzetta che gli serviva di ufficio, un piccolo giovane biondo, gentile, con una bocca amara e degli occhietti azzurro-chiari, sfuggenti, dagli sguardi che si posavano di fianco alle cose, ritrosi, piú che per paura, per una specie di vergogna o di ribrezzo. Mi aveva chiamato perché io ero ufficiale in congedo, e lo era anche lui, e voleva fare la mia conoscenza. Ci teneva subito a dirmi che lui comandava la Milizia, ma non aveva nulla a che fare né con la questura, né coi carabinieri, né con il podestà, né con il segretario del fascio. Quest'ultimo, soprattutto, era un delinquente; e tutti gli altri, una banda degna di lui. La vita a Grassano era impossibile, e non c'era rimedio. Tutti ambiziosi, ladri, disonesti, violenti. Egli doveva assolutamente togliersi di qui: si moriva. Perciò aveva fatto domanda di andare volontario in Africa; e pazienza se tutto andrà in rovina. C'è poco da rimpiangere. — Giochiamo il tutto per il tutto, — mi disse, guardando lontano di fianco a me. — Questa è la fine, mi capisce? La fine. Se vincessimo, forse si potrà cambiare qualcosa, chissà? Ma l'Inghilterra non lo permetterà. Ci spaccheremo la testa. Questa è la nostra ultima carta. E se ci va male... E qui un gesto, come a dire: è la fine del mondo. — Andrà male, vedrà. Ma non importa. Cosí non si può continuare. Lei resterà qui qualche tempo. Lei è straniero alle nostre questioni, e potrà giudicare. Quando avrà visto che cos'è la vita in questo paese, mi dirà che avevo ragione —. Io tacevo, perché diffidavo. Ma dovevo poi riconoscere, nei giorni seguenti, che il tenente Decunto, anche se forse mi sorvegliava, era tuttavia sincero, e il suo pessimismo non era una finzione. Mi aveva preso in simpatia perché ero forestiero, e con me poteva sfogare i suoi risentimenti. Ogni volta che io salivo alla chiesa, in cima al paese, e mi fermavo, nel vento, a contemplare il paesaggio desolato, me lo vedevo comparire vicino, biondo e grigiastro come uno spettro, e senza guardarmi, mi parlava. Egli non era che l'ultimo anello di una catena di odî che risalivano per le generazioni: cent'anni, di piú, duecento, chissà, forse sempre. Egli partecipava di questa passione ereditaria. Non c'era nulla da fare, e se ne rodeva. Si erano odiati per secoli qui, e sempre si odieranno, fra queste stesse case, davanti agli stessi sassi bianchi del Basento e alle stesse grotte di Irsina. Oggi erano tutti fascisti, si sa. Ma questo non voleva dir nulla. Prima erano nittiani o salandrini, e risalendo nel tempo, giolittiani o antigiolittiani, della Destra o della Sinistra, per i briganti o contro i briganti, borbonici o liberali, e prima ancora, chissà. Ma questa era la vera origine: c'erano i galantuomini e c'erano i briganti, i figli dei galantuomini e i figli dei briganti. Il fascismo non aveva cambiato le cose. Anzi, prima, con i partiti, la gente per bene poteva stare tutta da una parte, sotto una bandiera particolare, e distinguersi dagli altri e lottare sotto una veste politica. Ora non ci resta che le lettere anonime, e le pressioni e le corruzioni in Prefettura. Perché nel fascismo ci stanno tutti. — Io, vede, sono di una famiglia di liberali. I miei bisnonni sono stati in prigione, sotto i Borboni. Ma il segretario del fascio, sa chi è? È il figlio di un brigante. Proprio il figlio di un brigante. E tutti gli altri che gli tengono bordone, e che adesso comandano il paese, sono tutti della stessa risma. E a Matera è la stessa cosa. Il consigliere nazionale N., di qui, è di una famiglia che teneva mano ai briganti. Anche il barone di Collefusco, il padrone di tutte le terre qui attorno, il proprietario del palazzo sulla piazza, chi è? Lui sta a Napoli, si sa, e da queste parti non ci viene mai. Non lo conosce? I baroni di Collefusco sono stati, di nascosto, i veri capi del brigantaggio, nel '60, da queste parti. Erano loro che li pagavano, che li armavano —. Gli occhietti azzurri scintillavano d'odio. — Lei spesso si siede, l'ho visto tante volte, sulla panchina di pietra che è davanti al palazzo del barone. Cent'anni fa, anzi piú di cent'anni fa, su quella stessa panchina si sedeva ogni sera, come fa ora lei, a prendere il fresco, il bisnonno del barone di adesso, e usava tenere in braccio un suo bambino di pochi anni. Proprio quel bambino fu poi il nonno del barone, e deputato, e manutengolo dei briganti. Su quella panchina il vecchio fu ammazzato, da un parente dei miei bisnonni. Era un farmacista, fratello di un dottore, Palese. Noi Decunto, qui a Grassano, siamo della stessa famiglia. A Potenza ci sono ancora parecchi nipoti del dottore. Ecco come fu. C'era in quel tempo, qui da noi, una vendita carbonara, e ne facevano parte i due fratelli Palese un Lasala, degli stessi Lasala del falegname che lei conosce, un Ruggiero, un Bonelli, e molti altri; e con loro c'era anche il barone di Collefusco, che faceva il liberale. Ma il barone era una spia; ci si era messo in mezzo per denunciarli tutti. Infatti un bel giorno fanno una seduta, per non so quale azione da farsi di lí a poco. Appena finita, il barone va al palazzo, chiama un servitore fidato, gli fa sellare il miglior cavallo, e gli dà un biglietto, con l'elenco di tutti i cospiratori, da portare al Governatore di Potenza. Ma la partenza del servo non passa inosservata. Si aveva già qualche sospetto: che cosa andava a fare quel servo sulla strada di Potenza, a quell'ora, col miglior cavallo del paese? Non bisognava perder tempo; inseguirlo, fermarlo, appurare il tradimento. Quattro carbonari partono a cavallo: ma il cavallo del barone era migliore dei loro, ed era in vantaggio di un'ora. I quattro si buttano per le scorciatoie e i sentieri, e tanto corrono tutta la notte che riescono a raggiungere il servo proprio alle porte di Potenza, sul margine di un bosco. Tirano da lontano, galoppando, sul cavallo, e il cavallo cade; prendono il servo, lo legano a un albero, lo frugano e gli trovano il biglietto del barone. Lo lasciano là legato, senza ucciderlo; e tornano a briglia sciolta a Grassano. Bisogna punire il traditore: i carbonari si radunano e tirano a sorte chi debba uccidere il barone. Tocca al dottor Palese, ma suo fratello il farmacista è miglior tiratore, è scapolo, e chiede e ottiene di sostituirlo. Allora, di fronte al palazzo, non c'erano case come ora, ma cominciava la campagna e c'era una grossa quercia. Era sera. Il farmacista si nascose col suo fucile dietro la quercia, e aspettò che il barone uscisse a prendere il fresco. C'era la luna piena. Il barone uscí, ma aveva in braccio il bambino e si sedette sulla panchina di pietra a farlo saltare sulle ginocchia. Il farmacista aspettò a tirare, non voleva colpire l'innocente: ma poiché quello non accennava a rimandare il ragazzo, dovette decidersi. Era un ottimo tiratore, e non sbagliò. Lo colse in mezzo alla fronte, proprio mentre il bambino lo abbracciava. Naturalmente tutti i liberali si nascosero, ma furono arrestati e condannati. Il farmacista morí in prigione a Potenza; il dottore ci restò molti anni, e sarebbe morto anche lui, se non fosse avvenuto che la moglie del Governatore, che aveva un parto difficile, non riusciva a sgravarsi e correva pericolo di vita. Nessuno dei medici di Potenza era capace di giovarle, quando a qualcuno venne in mente di chiamare il dottore che era in prigione. Egli venne, e salvò la Governatrice, che ebbe un bel bambino, e che, appena rimessa, corse a Napoli e si buttò ai piedi della Regina. Il dottore ebbe la grazia, ma non tornò piú a Grassano. Rimase a Potenza, e i suoi discendenti ci sono ancora. Quel ragazzo, che il farmacista risparmiò con tanta cura, fu poi come le ho detto, il primo deputato di Grassano al parlamento italiano, e faceva il liberale, ma nello stesso tempo era lui che teneva mano ai briganti; e il nipote, quello di adesso, qui non si vede mai, ma sotto sotto è lui che protegge da Roma la banda che comanda in paese: tutti figli di briganti —. Non ho mai potuto appurare se fossero veri tutti i particolari di questa storia, che nobilita in certo qual modo gli odî reciproci dei signori di Grassano, trasportandoli in un tempo lontano, e legandoli a motivi almeno in parte ideali. Ma la cosa non ha importanza. La lotta dei signori tra loro non ha nulla a che fare con una « vendetta » tramandata di padre in figlio; né si tratta di una lotta politica reale, fra conservatori e progressisti, anche quando, per caso, prende quest'ultima forma. Naturalmente ciascuno dei due partiti accusa l'altro dei peggiori delitti; e gli stessi racconti del tenente Decunto, ma rovesciati come tono sentimentale, mi venivano fatti dai membri del gruppo attualmente al potere. La verità è che questa continua guerra dei signori si trova nelle stesse forme, in tutti i paesi della Lucania. La piccola borghesia non ha mezzi sufficienti per vivere col decoro necessario, per fare la vita del galantuomo. Tutti i giovani di qualche valore, e quelli appena capaci di fare la propria strada, lasciano il paese. I piú avventurati vanno in America, come i cafoni; gli altri a Napoli o a Roma; e in paese non tornano piú. In paese ci restano invece gli scarti, coloro che non sanno far nulla, i difettosi nel corpo, gli inetti, gli oziosi: la noia e l'avidità li rendono malvagi. Questa classe degenerata deve, per vivere (i piccoli poderi non rendono quasi nulla), poter dominare i contadini, e assicurarsi, in paese, i posti remunerati di maestro, di farmacista, di prete, di maresciallo dei carabinieri, e cosí via. È dunque questione di vita o di morte avere personalmente in mano il potere; essere noi o i nostri parenti o compari ai posti di comando. Di qui la lotta continua per arraffare il potere tanto necessario e desiderato, e toglierlo agli altri; lotta che la ristrettezza dell'ambiente, l'ozio, l'associarsi di motivi privati o politici rende continua e feroce. Ogni giorno partono da tutti i paesi di Lucania lettere anonime alla Prefettura. E la Prefettura non ne è malcontenta, anche se affetta il contrario. — A Matera fanno finta di voler appianare le nostre liti, — mi diceva il tenente Decunto, — ma in verità fanno il possibile per fomentarle. Hanno istruzioni in questo senso da Roma. Cosí tengono in mano tutti, con la minaccia o la speranza. Ma che abbiamo da sperare? — e qui il gesto caratteristico della mano, che vuol dire: niente. — Qui non si può vivere. Bisogna andarsene. Ora andiamo in Africa. È la nostra ultima carta.

Il viso del tenente della Milizia si faceva grigio, quando cosí mi parlava, e gli occhi sfuggenti gli si sbiancavano di impotente furore, disperati e cattivi. Egli apparteneva tutto a quella gente, a quegli odî, a quelle passioni; era uno dei loro, e se ne rodeva. Un principio di coscienza e di vergogna era in lui. Credeva anche lui, come tutti gli altri, all'impresa d'Africa, allo « spazio vitale » necessario a una piccola borghesia degenerata, ma nello stesso tempo si rendeva conto, sia pure in modo rudimentale e puramente sentimentale, di questa degenerazione e miseria, e la guerra diventava una fuga, la fuga in un mondo di distruzione. In fondo, quello che lo attraeva di piú nell'impresa, era proprio l'eventualità della sconfitta e dell'annientamento. Lo si vedeva dal tono con cui ripeteva: È la nostra ultima carta —. Il piccolo lume di coscienza che era in lui, e che lo differenziava dai suoi concittadini, non si manifestava altrimenti che con un profondo, vergognoso disprezzo di sé. All'odio reciproco dei signori egli aggiungeva l'odio di sé: e questo lo rendeva, era chiaro a chi l'osservasse, ancora piú maligno e amaro degli altri, capace di ogni azione malvagia. Egli avrebbe potuto, senza contraddire il suo ingenuo semplicismo di giovane ragazzo di buona famiglia, uccidere, rubare, fare la spia, e forse anche morire come un eroe, per la sua elementare disperazione. Tutto questo era per lui la guerra d'Africa. Se andava male, che cosa importava? Il mondo intero poteva andare in rovina per seppellire anche il ricordo di Grassano, bianco sul colle e immutabile, con i signori e i briganti.

5

« Ma il piccolo e funesto lume di coscienza del tenente Decunto, — pensavo, attendendo la cena nella cucina della vedova, — è cosa rara, forse unica ». Esso non mi era apparso in nessuna delle facce ottuse, maligne e avidamente soddisfatte delle mie nuove conoscenze, sulla piazza. Le loro passioni, era evidente, non risalivano nella storia, non uscivano dal paese stretto dalle argille malariche, crescevano nel piccolo recinto fra quattro case, avevano l'urgenza e la miseria del bisogno quotidiano del cibo e del denaro, si rivestivano, senza nascondersi, del formalismo dei galantuomini, gonfiavano nello spazio costretto delle anime piccole e del paesaggio desolato, fino a premere violente, come il vapore del brodo lungo della vedova sotto il coperchio della pentola di terra, che sentivo brontolare e soffiare su un povero fuoco di stecchi, là nel camino. Guardavo il fuoco, pensando alla serie infinita di giorni che mi si stendevano innanzi, e nei quali, anche per me, l'orizzonte del mondo degli uomini sarebbe stato il cerchio di queste oscure passioni; e la vedova intanto disponeva sul tavolo il pane e la brocca dell'acqua. Era il pane nero di qui, fatto di grano duro, in grandi forme di tre o di cinque chili, che durano una settimana, cibo quasi unico del povero e del ricco; rotonde come un sole, o come una messicana pietra del tempo. Cominciai ad affettarlo, con il gesto che avevo ormai appreso, stringendolo e appoggiandolo al petto, e traendo verso di me, attento a non tagliarmi il mento, il coltello affilato. La brocca, come quelle di Grassano, e tutte quelle che, là e qui, le donne portano in capo, era un'anfora di Ferrandina, di terra giallorosata, a stretture e rigonfi, come una immagine femminile arcaica, dalla vita sottile, dal petto e dai fianchi rotondi, con le piccole braccia ad ansa. Ero solo al tavolo, davanti alla tovaglia pesante, di tela di casa: ma la stanza non era vuota. La porta di strada ogni tanto si apriva, ed entravano delle donne, le vicine, le conoscenti, le comari della vedova. Venivano con vari pretesti, a portar acqua o a chiedere se dovessero lavare per lei, domattina al fiume: si fermavano lontane dal mio tavolo, vicino all'uscio; stavano l'una vicina all'altra, e parlavano tutte insieme, come uccelli. Fingevano di non guardarmi: ma ogni tanto, sotto i veli, i loro occhi neri si voltavano rapidi e curiosi dalla mia parte, e subito fuggivano, come animali del bosco. Non ancora avvezzo al costume (un povero residuo di costume, che non ha nulla a che fare con quelli famosi di Pietragalla o di Pisticci), mi parevano tutte eguali, col viso incorniciato dal velo piú volte ripiegato che ricade sulla schiena, con le semplici camicette di cotone, le larghe sottane scure, a campana, lunghe a mezza gamba, e gli stivaletti alti. Stavano ritte, col portamento solenne di chi è avvezzo a portare in equilibrio i pesi sul capo, e i volti avevano tutti un'espressione di selvatica gravità. Gravi e senza grazia femminile erano i loro gesti, come le occhiate pesanti dei neri occhi curiosi. Non mi parevano donne, ma soldati di uno strano esercito, o piuttosto una flottiglia di barche tondeggianti e oscure, pronte a prendere tutte insieme il vento nelle piccole vele bianche. Le guardavo e cercavo di capire i loro discorsi nel dialetto per me nuovo, quando si batté all'uscio, le donne presero congedo con un grande ondeggiare di sottane e di veli, e un nuovo personaggio entrò nella cucina.

Era un giovane con dei minuscoli baffetti rossi, che portava un astuccio allungato di pelle marrone. Era mal vestito, aveva le scarpe impolverate, ma aveva il colletto e la cravatta, e portava in capo un curioso berretto alto e tondo, con una visiera di tela cerata, sul tipo di quelli che un tempo avevano gli accademisti, dove sul fondo grigio, spiccavano fiammanti su tutta l'altezza due grandi lettere ritagliate e cucite, di panno vermiglio: « U. E. » — Ufficiale Esattoriale, — mi disse, quando gli chiesi che cosa significassero quell'*U.* e quell'*E.* giganteschi. E intanto, posato con riguardo l'astuccio, si sedette al mio tavolo, tirò fuori di tasca un pacchetto di pane e formaggio, ordinò alla vedova un bicchiere di vino, e cominciò a mangiare. Era l'Ufficiale Esattoriale di Stigliano: veniva spesso a Gagliano per i doveri del suo ufficio: oggi aveva fatto tardi e avrebbe dovuto fermarsi a dormire dalla vedova. Aveva lavoro a Gagliano anche per l'indomani. Non parlava volentieri del suo mestiere: invece, con molta soddisfazione, mi mostrò subito il contenuto del suo astuccio. Era un clarinetto. Non se ne separava mai: lo portava sempre con sé nei suoi viaggi alla caccia del denaro dei contadini. Aveva trovato quell'impiego, bisogna pur vivere: ma la sua ambizione era un'altra, era la musica. Non era ancora perfetto, studiava il clarino soltanto da un anno, ma si esercitava continuamente. Sí, poteva darmene un saggio, poiché io, si vedeva, ero un intenditore: ma un pezzo solo, perché voleva ancora uscire a far visita a un suo compare, ed era tardi. Il pane e il formaggio erano finiti, e non c'era altro da mangiare. Il clarinetto soffiava, indeciso e fragile, le note di una canzonetta; i cani l'accompagnavano brontolando.

Appena il musicista esattore fu uscito, e rimanemmo soli, la vedova si profferse in scuse per essere costretta a darmelo per compagno di stanza. Non si poteva fare diversamente. — Ma è un giovane per bene: è pulito; non è un contadino —. L'assicurai che mi sarei adattato volentieri alla sua compagnia. Ero ormai avvezzo a questi casuali compagni di una notte. A Grassano, quando abitavo alla locanda di Prisco, quasi ogni sera dovevo accogliere gente nuova nella mia camera. Le camere là erano due, ma quando una era piena, si doveva ricorrere alla mia; e c'erano spesso forestieri di passaggio, perché Grassano è sulla grande strada, e la locanda di Prisco è rinomata come la migliore della provincia, al punto che i viaggiatori che vanno per i loro affari a Tricarico preferiscono tornare la sera fino a Grassano, piuttosto che fermarsi nella misera taverna di quella sede vescovile.

Erano dunque passati da me viaggiatori di commercio pugliesi, mercanti di pere napoletani, carrettieri, conducenti di automobili, le genti piú diverse. Una notte, era già tardi ed io ero già a letto, sentii il rombo inabituale di una motocicletta, e mi vidi capitare in camera il motociclista, con il casco coperto di polvere. Era il barone Nicola Rotunno, di Avellino, uno dei piú ricchi proprietari della provincia. Possedeva, con un suo fratello avvocato, terre sconfinate a Grassano, a Tricarico, a Grottole, in non so quanti altri comuni del Materese, e girava in motocicletta per raccogliere dai fattori i denari dei raccolti, ed esigere dai contadini il pagamento dei debiti, di quei debiti che essi contraggono nel corso dell'anno per poter campare, e che di solito, superando l'intero guadagno dell'annata, si accumulano ad inghiottire ogni speranza di stagione benigna. Il barone, un giovane magro, sbarbato, con gli occhiali a *pince-nez*, aveva fama, a Grassano, di essere, come suo fratello, particolarmente spietato nei suoi interessi, capace di cacciare un contadino per un debito di poche lire, astuto negli affari e poco chiaro, abile nello scegliere dei fattori devoti al suo interesse, durissimo con tutti. Era un uomo di chiesa, e portava all'occhiello della giacchetta, invece del solito distintivo fascista, quello rotondo dell'Azione Cattolica. Con me fu gentilissimo. Saputo che io, suo vicino di letto, ero un confinato, si offerse subito di farmi liberare, cosa per lui facilissima, mi disse, perché era amico di un'amica carissima del Senatore Bocchini, Capo della Polizia; una signora, come lui, di Avellino, e come lui particolarmente devota a una Madonna che si adora in un celebre santuario nei dintorni di quella città. Il discorso cadde cosí sui santuari e sui santi, e sul san Rocco di Tolve, un santo di cui io stesso ho potuto conoscere, per prove e favori personali, la particolare virtú. Tolve è un villaggio vicino a Potenza, e c'era stato in quei giorni un pellegrinaggio, come tutti gli anni, al principio di agosto. Uomini, donne e bambini vi concorrono da tutte le province circostanti, a piedi, o sugli asini, camminando il giorno e la notte. San Rocco li aspetta, librato nell'aria, sopra la chiesa. « Tolve è mia, e io la proteggo », dice san Rocco nella stampa popolare che lo rappresenta, vestito di marrone, con la sua aureola d'oro, nel cielo azzurro del paese.

Ma anche il santo di Grassano è un buon santo: un san Maurizio splendente di colori, laggiú nella chiesa, armato di tutto punto, un glorioso guerriero di cartapesta, di quelli che si fanno ancora oggi, con tanta arte, a Bari. Da san

Maurizio passammo al suo compagno di guerra e di beatitudine, e ad altri santi, e a sant'Agostino, e alla Città di Dio, e a discorsi sui Vangeli. Il barone mostrava di essere stupito e compiaciuto della mia competenza su questo argomento, che non supponeva che io potessi conoscere. S'era cosí fatto molto tardi, gli occhi mi si chiudevano dal sonno, quando vidi il barone rizzarsi improvvisamente sul letto, prendere gli occhiali di sul comodino e inforcarli sul naso, balzare in terra con un salto, e avvicinarsi silenzioso al mio letto, avvolto, come uno spettro, in una lunga camicia da notte bianca, che gli scendeva quasi ai piedi nudi. Quando mi fu vicino, fece con la mano un grande segno di croce su di me e disse, con voce solenne e commossa: — Ti benedico, in nome di Gesú Bambino, buona notte —. Replicato il segno di croce, tornò fra le lenzuola e spense il lume. Protetto dalla inattesa benedizione del barone possidente, non tardai ad addormentarmi, per risvegliarmi, come sempre all'alba, al suono angelico delle campanelle dei greggi che partivano per i campi, e ai clamori diabolici di Prisco, che, come ogni mattina, chiamava con voci stentoree i figli insonnoliti.

La camera della vedova, che dovevo, quella notte, spartire con l'esattore, era assai piú triste di quella di Prisco. Era una stanza buia, lunga e stretta, con una finestrucola in fondo, le pareti dipinte a calce, grige, sporche e scrostate. C'erano tre lettucci; un catino di ferro smaltato in un angolo, con una brocca, e un canterano zoppo in faccia ai letti. Una lampadina, sporca di antichi nerumi di mosche, mandava una sbiadita luce giallastra. Le mosche volavano a sciami nel caldo soffocante. La finestra era chiusa, perché non entrassero le zanzare; ma ero appena con la testa sul cuscino che già sentivo, da tutti i lati, il loro sibilo, pauroso in questi paesi di malaria.

Intanto era arrivato il mio compagno, aveva attaccato il berretto ad un chiodo, in faccia al mio letto, posato l'astuccio del clarinetto sul canterano, e si era spogliato. Gli chiesi come andava il suo lavoro, qui a Gagliano. — Male, — mi disse. — Oggi sono venuto per fare dei pignoramenti. Le tasse non le pagano. Si viene a pignorare, e non si trova nulla. Sono stato in tre case: mobili non ne hanno: non c'è che il letto, e quello non si può prendere. Dovrò accontentarmi di una capra e di qualche piccione. Non c'è neppure da pagare le spese della trasferta. Domattina devo andare da due altri: speriamo mi vada meglio. Ma è una miseria: i contadini non vogliono pagare. Sono quasi tutti proprietari, qui a Gagliano: hanno tutti il loro piccolo pezzo di terra, magari lontano dal paese, a due o tre ore di strada; e certe volte, sí, è terra cattiva, e rende poco. Le tasse sono forti, per dire la verità: ma questo non mi riguarda: non siamo noi che le mettiamo: noi dobbiamo soltanto farle pagare. E lei sa come sono i contadini: per loro tutte le annate sono cattive. Sono pieni di debiti, hanno la malaria, non hanno da mangiare. Ma staremmo freschi se dovessimo dar retta a loro: noi dobbiamo fare il nostro dovere. Non pagano, e dobbiamo accontentarci di portar via quel poco che si trova, roba che non val nulla. Certe volte ho dovuto fare il viaggio per qualche bottiglia d'olio e un po' di farina. E ancora ci guardano male, con odio. A Missanello, due anni fa, hanno anche sparato. È un brutto mestiere. Ma bisogna pur vivere.

Vedevo che l'argomento lo disgustava, e per confortarlo portai il discorso sulla musica. Sperava di poter scrivere delle canzonette, di vincere qualche concorso, qualche premio: in questo caso avrebbe lasciato l'esattoria. Intanto suonava il clarinetto nella banda di Stigliano. Gli chiesi com'erano le canzoni popolari di queste parti, e se avesse potuto insegnarmene qualcuna, e magari, poiché egli era cosí abile, trascrivermela. Mi disse se volevo la musica di « Faccetta nera » o di qualche altra canzonetta in voga. No, non era questo, volevo le canzoni dei contadini. Rimase un po' a riflettere, come ad un argomento per lui nuovo, a cui non avesse mai pensato. Scrivermi le note di una canzone avrebbe potuto, cercandole ad una ad una sul clarinetto. Ma non gli veniva fatto di ricordarsi di nessuna canzone cantata dai contadini. A Viggiano cantavano e suonavano. Ma da queste parti, no. C'era forse qualche canto di chiesa, si sarebbe informato. Altro non conosceva. Anch'io avevo notato, a Grassano, la stessa cosa. Né il mattino quando partono per il lavoro, né il pomeriggio sotto il sole, né la sera, nelle lunghe file nere che tornano, con gli asini e le capre; verso le case sul monte, nessuna voce rompe il silenzio della terra. Soltanto una volta avevo sentito, verso il Basento, il lamento d' un flauto di canna, a cui un altro flauto rispondeva dalla collina di faccia: erano due pastori forestieri che andavano col gregge di paese in paese, e si richiamavano di lontano. I contadini non cantano.

Il mio compagno non rispondeva piú: sentivo il suo respiro regolare e fischiante, nel ronzío continuato delle mosche eccitate dal caldo. Un tenue chiarore veniva, attraverso i vetri chiusi, da un cielo pallido per una falce di luna: sul muro, in faccia a me, distinguevo a quel barlume, sul berretto appeso al chiodo, le grandi lettere rosse: « U. E. ». Le fissavo nell'oscurità, finché mi si chiusero gli occhi, e mi addormentai.

6

Non mi svegliarono, di primo mattino, le campanelle dei greggi, come a Grassano, perché qui non vi sono pastori, né pascoli, né erba; ma il rumore continuato degli zoccoli degli asini sulle pietre della strada, e il belar delle capre. È l'emigrazione quotidiana: i contadini si levano a buio, perché devono fare chi due, chi tre, chi quattro ore di strada per raggiungere il loro campo, verso i greti malsani dell'Agri e del Sauro, o sulle pendici dei monti lontani. La stanza era piena di luce: il berretto con le iniziali non c'era piú. Il mio compagno doveva essere uscito all'alba, per portare i conforti della Legge nelle case dei contadini, prima che quelli partissero per la campagna; e a quest'ora forse già correva, col cappello sfavillante sotto il sole, e il clarinetto, e una capra al guinzaglio, sulla strada di Stigliano. Dall'uscio mi giungeva un suono di voci femminili e un pianto di bambino. Una diecina di donne, con i bimbi in collo o per mano, aspettavano, pazienti, la mia levata. Volevano mostrarmi i loro figli, perché li curassi. Erano tutti pallidi, magri, con dei grandi occhi neri e tristi nei visi cerei, con le pance gonfie e tese come tamburi sulle gambette storte e sottili. La malaria, che qui non risparmia nessuno, si era già insediata nei loro corpi denutriti e rachitici.

Io avrei voluto evitare di occuparmi di malati, perché non era il mio mestiere, perché conoscevo la mia poca competenza, e sapevo che, facendolo, sarei entrato, e la cosa non mi sorrideva, nel mondo stabilito e geloso degli interessi dei signori del paese. Ma capii subito che non avrei potuto resistere a lungo nel mio proposito. Si ripeté la scena del giorno precedente. Le donne mi pregavano, mi benedivano, mi baciavano le mani. Una speranza, una fiducia assoluta era in loro. Mi chiedevo che cosa avesse potuto generarle. Il malato di ieri era morto, e io non avevo potuto far nulla per evitarne la morte: ma le donne dicevano che avevano visto che io non ero, come gli altri, un medicaciucci, ma ero un cristiano bono e avrei guarito i loro figliuoli. Era forse il prestigio naturale del forestiero che viene da lontano, e che è perciò come un dio; o piuttosto si erano accorte che, nella mia impotenza, mi ero tuttavia sforzato di far qualcosa per il moribondo e l'avevo guardato con interesse, e con reale dispiacere? Ero stupito e vergognoso di questa fiducia, tanto piena quanto immeritata. Congedai le donne con qualche consiglio, ed uscii, dietro a loro, dalla stanza ombrosa nella luce abbagliante del mattino. Le ombre delle case erano nere e ferme, il vento caldo che saliva dai burroni sollevava nuvole di polvere: nella polvere si spidocchiavano i cani.

Volevo riconoscere i miei confini, che erano strettamente quelli dell'abitato: fare un primo viaggio di circumnavigazione della mia isola: le terre, attorno, dovevano restare, per me, uno sfondo non raggiungibile oltre le colonne d'Ercole podestarili. La casa della vedova è all'estremità alta del paese su uno slargo che termina, in fondo, alla chiesa, una piccola chiesetta bianca, appena piú grande delle case. Sull'uscio stava l'Arciprete, occupato a minacciare con un bastone un gruppo di ragazzi che, a qualche passo di distanza, gli facevano boccacce e sberleffi, e si chinavano a terra, nell'atto di volergli gettare delle pietre. Al mio arrivo i ragazzi scapparono come passeri; il prete li seguí con lo sguardo corrucciato, brandendo il bastone e gridando: — Maledetti, eretici, scomunicati! È un paese senza grazia di Dio, questo, — disse poi, rivolgendosi a me. — In chiesa ci vengono i ragazzi, per giocare. Ha visto? Se no, non ci viene nessuno. La messa la dico ai banchi. Neppure battezzati, sono. E i frutti di quelle poche terre, non c'è verso di farseli pagare. Non ho ancora avuti quelli dell'anno passato. Sono tutti fior di galantuomini, davvero, in questo paese, se ne accorgerà.

Era un vecchio piccolo e magro, con degli occhiali di ferro a stanghetta su un naso affilato, all'ombra del pendaglio rosso che scendeva dal cappello, e dietro agli occhiali degli occhietti pungenti, che passavano rapidamente da una fissità ossessionata a un brillare brusco di arguzia. La bocca sottile gli cascava in una piega di abituale amarezza. Sotto all'abito sporco e sdruscito, pieno di frittelle e sbottonato, spuntavano gli stivali scalcagnati e pieni di polvere. Da tutto il suo aspetto spirava un'aria stanca di miseria mal sopportata; come le rovine di una catapecchia incendiata, nera e piena di erbacce. Don Giuseppe Trajella non era amato da nessuno in paese, e dai signori del luogo, l'avevo sentito la sera prima nella loro conversazione, era addirittura esecrato. Gli facevano ogni sorta di villanie, gli aizzavano contro i ragazzi, si lagnavano di lui col prefetto e col Vescovo. — L'Arciprete, se ne guardi, — mi aveva detto il podestà. — È una disgrazia per il nostro paese: una profanazione della casa di Dio. È sempre ubriaco. Non ci è ancora stato possibile liberarcene, ma speriamo di poterlo presto cacciar via. Almeno a Gaglianello, la frazione che è la sua vera sede. È qui da parecchi anni, per punizione. Lo hanno mandato a Gaglianello, lui che era professore di Seminario, per castigo. Si permetteva certe libertà con gli allievi, lei mi capisce. A Gagliano ci sta per abuso, perché non ce n'è un altro. Ma è un castigo per noi —. Povero don Trajella! Se anche il diavolo lo aveva tentato nei suoi giovani anni, questa era ormai una cosa antica e dimenticata. Ora egli non si reggeva quasi in piedi, non era che un povero vecchio perseguitato e inasprito, una pecora nera e malata in un gregge di lupi. Ma, lo si capiva anche nella sua decadenza, ai bei tempi in cui insegnava teologia al Seminario di Melfi e a quello di Napoli, don Giuseppe Trajella da Tricarico doveva essere stato un uomo buono, intelligente, pieno di spirito e di risorse. Scriveva vite di santi, dipingeva, scolpiva, si occupava vivacemente delle cose del mondo. L'improvvisa disgrazia lo aveva colpito, lo aveva staccato da tutto e l'aveva buttato, come un relitto, su quella lontana spiaggia inospitale. Egli si era lasciato cadere a picco, godendo amaramente di fare piú grande la propria miseria. Non aveva piú toccato un libro né un pennello. Gli anni erano passati, e di tutte le antiche passioni una sola era rimasta, e aveva preso il carattere della fissazione: il rancore. Trajella odiava il mondo, perché il mondo lo perseguitava. Si era ridotto a vivere solo, senza parlare con nessuno, nella sola compagnia di sua madre, una vecchia di novant'anni, inebetita e impotente. Il suo solo conforto (oltre alla bottiglia, forse) era di passare il giorno a scrivere epigrammi latini contro il podestà, i carabinieri, le autorità e i contadini. — È un paese di asini, questo, non di cristiani, — mi disse, invitandomi a entrare con lui nella chiesa. — Lei sa il latino, vero?

*Gallianus, Gallianellus*
*Asinus et asellus*
*Nihil aliud in sella*
*Nisi Joseph Trajella.*

La chiesa non era che uno stanzone imbiancato a calce, sporco e trasandato, con in fondo un altare disadorno su un palco di legno, e un piccolo pulpito addossato a una parete. I muri, pieni di crepe, erano ricoperti da vecchi quadri secenteschi dalle tele scrostate e piene di strappi, malamente appesi in disordine in parecchie file.

— Questi vengono dalla vecchia chiesa: sono le uniche cose che abbiamo potuto salvare. Li guardi, lei che è pittore. Ma non valgono molto. Questa d'ora non era che una cappella. La vera chiesa, la Madonna degli Angeli, era in basso, all'altra estremità del paese, dove c'è la frana. La chiesa è crollata improvvisamente, è cascata nel burrone, tre anni fa. Per fortuna era notte, l'abbiamo scampata bella. Qui ci sono continuamente le frane. Quando piove, la terra cede e scivola, e le case precipitano. Ne va giú qualcuna tutti gli anni. Mi fanno ridere con i loro muretti di sostegno. Fra qualche anno questo paese non esisterà piú. Sarà tutto in fondo al precipizio. Pioveva da tre giorni quando è caduta la chiesa. Ma tutti gli inverni è la stessa cosa: qualche disastro, piccolo o grosso avviene tutti gli anni, qui come in tutti gli altri paesi della provincia. Non ci sono alberi né rocce, e l'argilla si scioglie, scorre in basso come un torrente, con tutto quello che c'è sopra. Vedrà quest'inverno, anche lei. Ma le auguro di non essere piú qui allora. La gente è peggio della terra. *Profanum vulgus* —. Gli occhi dell'Arciprete brillavano dietro gli occhiali. — Abbiamo dovuto accontentarci di questa vecchia cappella. Non c'è campanile, la campana è fuori, attaccata a un sostegno. Bisognerebbe anche rifare il tetto, ci piove. S'è dovuto anche puntellarla. Vede che crepe nei muri? Ma i denari, chi me li dà? La chiesa è povera, e il paese è poverissimo: e poi non sono cristiani, non hanno religione. Non mi portano nemmeno i regalucci d'uso, figuriamoci per fare il campanile. E il podestà, don Luigi, e gli altri, sono d'accordo a non lasciar far nulla. Loro fanno i farmacisti. Vedrà, vedrà, le loro opere pubbliche!

Il mio cane Barone, inconsapevole della maestà del luogo, si affacciava all'uscio, stanco di aspettarmi, abbaiando allegro, e non mi riusciva di scacciarlo o di farlo tacere. Presi allora congedo da don Trajella e mi avviai, per la stessa strada a sinistra della chiesa che avevo percorso il giorno prima arrivando, verso le prime case del paese. Era questa la zona che mi era apparsa, il giorno avanti, passando rapido in automobile, accogliente e quasi gentile di alberi e di verde. Ma ora, sotto il sole crudo del mattino, pareva che il verde si fosse dissolto nel grigio abbagliante dei muri e della terra. Era un gruppo di case costruite in disordine ai lati della strada, con attorno degli orticelli stenti e qualche magro olivo. Quasi tutte le case erano costituite da una sola stanza, senza finestre, che prendeva luce dalla porta. Le porte erano sbarrate, poiché i contadini erano nei campi: a qualche soglia stavano sedute delle donne con i bambini in grembo, o delle vecchie che filavano la lana; e tutte mi salutavano con un gesto, e mi seguivano con i grandi occhi spalancati. Qua e là alcune case avevano invece un primo piano, e un balcone; e la porta di strada, invece di essere di vecchio legno nero e consumato, brillava pretensiosamente di vernice, e si adornava di una maniglia di ottone. Erano le case degli «americani». In mezzo alle catapecchie contadine stava una casetta lunga e stretta, a un piano, costruita da poco nello stile cosiddetto moderno, quello dei sobborghi delle città: era la caserma dei carabinieri. Sulla strada e attorno alle case, nei mucchi di spazzature e di rifiuti, le scrofe, circondate dalle loro famiglie di maialini, dal viso di vecchietti avidi e libidinosi, grufolavano diffidenti e feroci, e Barone ringhiava rinculando, sollevando il labbro sulle gengive, coi peli ritti di uno strano orrore.

Dopo l'ultima casa del paese, dove la strada, superata una selletta, comincia a scendere verso il Sauro, c'era un breve spiazzo di terra disuguale, coperta a tratti di un'erba gialla e intristita. Era il campo sportivo, opera del podestà Magalone. Qui dovevano esercitarsi i ragazzi della Gil, e si dovevano fare le adunate di popolo. A sinistra un sentiero saliva ancora su un poggio poco distante coperto di ulivi e terminava a un cancelletto di ferro, aperto tra due pilastrini che si continuavano in un muretto basso di mattoni. Dietro il muretto spuntavano due sottili cipressi; attraverso il cancello si vedevano le tombe, bianche sotto il sole. Il cimitero era il limite estremo, in alto, del terreno che mi era concesso. La vista di lassú era piú larga che da ogni altro punto, e meno squallida. Non si vedeva tutto Gagliano, che sta nascosto come un lungo serpente acquattato fra le pietre; ma i tetti rossi-gialli della parte alta apparivano fra le fronde grige degli ulivi mosse dal vento, fuori della consueta immobilità, come cose vive; e, dietro questo primo piano colorato, le grandi distese desolate delle argille sembravano ondulare nell'aria calda come sospese al cielo, e sopra il loro monotono biancore passava l'ombra mutevole delle nubi estive. Le lucertole stavano immobili sul muro assolato; una, due cicale si rispondevano a tratti, come provando un canto, e poi tacevano improvvise.

Poiché di qui mi era vietato continuare, mi volsi al ritorno, scendendo rapido al paese per la strada percorsa; ripassai davanti alla chiesa, alla casa della vedova, e, giú per la discesa, arrivai all'ufficio postale, e al muretto della Fossa del Bersagliere. Il podestà, maestro di scuola, era in quel momento nell'esercizio delle sue funzioni di insegnante. Stava seduto al balcone della sua classe, e fumava guardando la gente sulla piazza, e interpellando democraticamente tutti i passanti. Aveva in mano delle lunghe canne, con le quali, ogni tanto, ristabiliva l'ordine senza muoversi dalla seggiola attraverso la finestra aperta, colpendo, con un colpetto abilissimo e ben aggiustato, la testa o le mani dei ragazzi che, lasciati soli, facevano troppo chiasso.

— Bella giornata, dottore! — mi gridò dal suo arengo, quando mi vide comparire sulla piazza. Di lassú, con le sue bacchette in mano, egli si sentiva veramente il padrone del paese, un padrone affabile, popolare e giusto; e nulla poteva sfuggire alla sua vista. — Non l'avevo ancora veduto, stamattina. Dov'è stato? A passeggiare? Su, fino al cimitero? Bravo, bravo, passeggi, passeggi! Si diverta. E si trovi qua in piazza dopo colazione, alle cinque e mezzo. Prima dormirà, credo. Le voglio far conoscere mia sorella. Dove va? A Gagliano di Sotto? A cercare alloggio? Mia sorella glielo troverà, non si preoccupi. Per un uomo come lei non ci vuole una casa di contadini. Ma le troveremo meglio, dottore! E buona passeggiata!

Dopo la piazza, la strada risaliva, superava un costone, e ridiscendeva in un'altra minuscola piazzetta, circondata di case basse. In mezzo alla piazza si ergeva uno strano monumento, alto quasi quanto le case, e, nell'angustia del luogo, solenne ed enorme. Era un pisciatoio: il piú moderno, sontuoso, monumentale pisciatoio che si potesse immaginare; uno di quelli di cemento armato, a quattro posti, con il tetto robusto e sporgente, che si sono costruiti soltanto in questi ultimi anni nelle grandi città. Sulla sua parete spiccava come una epigrafe un nome familiare ai cuori dei cittadini: « Ditta Renzi-Torino ». Quale bizzarra circostanza, o quale incantatore o quale fata poteva aver portato per l'aria, dai lontani paesi del nord, quel meraviglioso oggetto, e averlo lasciato cadere, come un meteorite, nel bel mezzo della piazza di questo villaggio, in una terra dove non c'è acqua né impianti igienici di nessuna specie, per centinaia di chilometri tutto attorno? Era l'opera del regime, del podestà Magalone. Doveva essere costato, a giudicare dalla sua mole, le entrate di parecchi anni del comune di Gagliano. Mi affacciai al suo interno: da un lato un maiale stava bevendo l'acqua ferma nel fondo del vaso, dall'altra due ragazzi ci buttavano barche di carta. Nel corso di tutto l'anno non lo vidi mai adibito ad altra funzione, né abitato da altri che non fossero maiali, cani, galline, o bambini; se non la sera della festa della Madonna di settembre, in cui alcuni contadini si arrampicarono sul suo tetto per meglio godere, da quell'altezza, lo spettacolo dei fuochi artificiali. Una sola persona lo usò spesso per l'uso per cui era stato costruito; e quella persona ero io: e non l'usavo, debbo confessarlo, spinto dal bisogno, ma mosso dalla nostalgia.

A un angolo della piazzetta, dove quasi giungeva l'ombra lunga del monumento, uno zoppo, vestito di nero, con un viso secco, serio, sacerdotale, sottile come quello di una faina, soffiava come un mantice nel corpo di una capra morta. Mi fermai a guardarlo. La capra era stata ammazzata poco prima, lí sulla piazzetta, e sdraiata sopra un tavolaccio di legno su due cavalletti. Lo zoppo, senza tagliarne altrove la pelle, aveva fatto una piccola incisione in una delle zampe di dietro, vicino al piede, e all'incisione aveva posto la bocca, e a forza di polmoni andava gonfiando la capra, staccandone la pelle dalla carne. A vederlo cosí attaccato all'animale, che andava a mano a mano mutando e crescendo, mentre l'uomo, senza mutare contegno, pareva assottigliarsi e svuotarsi di tutto il suo fiato, sembrava di assistere a una strana metamorfosi, dove l'uomo si versasse, a poco a poco, nella bestia. Quando la capra fu gonfia come una mongolfiera, lo zoppo, stringendo con una mano la zampa, staccò finalmente la bocca dal piede dell'animale, e se la pulí con la manica; poi, rapidamente, si pose a rovesciare la pelle della capra, come un guanto che si sfili, fino a che la pelle, intera, fu tutta sgusciata, e la capra, nuda e spelata come un santo, rimase sola sul tavolaccio a guardare il cielo.

— Cosí non si sciupa, si possono farne degli orci, — mi spiegò lo zoppo, pieno di sussiego, mentre un ragazzo docile e taciturno, suo nipote, lo aiutava a squartare la bestia. — Quest'anno c'è parecchio lavoro. I contadini ammazzano tutte le capre. Per forza. La tassa chi può pagarla? — Pare infatti che il governo avesse da poco scoperto che la capra è un animale dannoso all'agricoltura, poiché mangia i germogli e i rami teneri delle piante: e aveva perciò fatto un decreto valido ugualmente per tutti i comuni del Regno, senza eccezione, che imponeva una forte imposta su ogni capo, del valore all'incirca della bestia. Cosí, colpendo le capre, si salvavano gli alberi. Ma a Gagliano non ci sono alberi, e la capra è la sola ricchezza del contadino, perché campa di nulla, salta per le argille deserte e dirupate, bruca i cespugli di spine, e vive dove, per mancanza di prati, non si possono tenere né pecore né vitelli. La tassa sulle capre era dunque una sventura: e, poiché non c'era il denaro per pagarla, una sventura senza rimedio. Bisognava uccidere le capre, e restare senza latte e senza formaggio. Lo zoppo era un proprietario decaduto, ma fiero tuttavia della sua posizione sociale, che per campare faceva molti mestieri; e fra l'altro era suo compito il sacrificio delle capre. Grazie al provvido decreto ministeriale potei, quell'anno, trovar spesso da lui della carne: negli anni precedenti, mi disse, mi sarei dovuto accontentare di mangiarla molto di rado. Egli si occupava anche di amministrare i beni di qualche proprietario che non abitava in paese, sorvegliava i contadini, faceva da sensale nelle vendite, metteva mano ai matrimoni, conosceva tutto e tutti; e non c'era avvenimento o fatterello dove non si vedesse comparire silenziosamente la sua gamba zoppa, il suo abito nero e il suo viso volpino. Era curiosissimo, ma, nelle parole, riservato: le sue frasi si fermavano a mezzo, a lasciare intendere che egli sapeva molto piú che non dicesse; e sempre con un che di solenne e dignitoso, e terribilmente serio, quasi a smentire il suo cognome, Carnovale. Come seppe che cercavo un alloggio e possibilmente abbastanza grande e luminoso da poterci dipingere, rifletté un poco, con aria concentrata, e mi disse che c'era il palazzo dei suoi cugini che io forse conoscevo, perché erano dei grandi dottori di Napoli. Avrei forse potuto averne una parte, due o tre stanze: avrebbe subito scritto in città: sarebbe stata per me una fortuna, era la sola casa che potesse convenirmi. Era vuota, ma un letto e gli altri mobili necessari me li avrebbe potuti affittare lui. Se intanto volevo visitarlo, mi avrebbe subito fatto accompagnare dal nipote con le chiavi. Mi avviai col ragazzo, anche lui nero, triste e compassato come lo zio. La strada scendeva ancora dopo la piazzetta, finché arrivava ad un punto dove i due burroni di destra e di sinistra non lasciavano piú posto per le case, e lí scorreva sullo stretto ciglione fra due muretti bassi, al di là dei quali l'occhio si perdeva nel vuoto. Era un intervallo di un centinaio di metri fra Gagliano alta e Gagliano bassa; e qui, fra le due gole, il vento soffiava violento in perpetuità. Verso il mezzo di questo intervallo, in un punto dove il ciglione si allarga un poco, c'era una delle due sole fontanelle del paese: l'altra l'avevo vista in alto, vicino alla chiesa. La fontanella, che dava l'acqua per tutta Gagliano di Sotto e per buona metà di Gagliano di Sopra, era allora affollata di donne, come la vidi poi sempre, in tutte le ore del giorno. Stavano in gruppo, attorno alla fontana, alcune in piedi, altre sedute per terra, giovani e vecchie, tutte con una botticella di legno sul capo, e la brocca di terra di Ferrandina. Ad una ad una si avvicinavano alla fontana, e aspettavano pazienti che l'esile filo d'acqua riempisse gorgogliando la botte: l'attesa era lunga. Il vento muoveva i veli bianchi sui loro dorsi diritti, tesi con naturalezza nell'equilibrio del peso. Stavano immobili nel sole, come un gregge alla pastura; e di un gregge avevano l'odore. Mi giungeva il suono confuso e continuo delle voci, un sussurrare ininterrotto. Al mio passaggio nessuna si mosse, ma mi sentii colpito da diecine di sguardi neri, che mi seguirono fermi e intensi, finché, superato l'intervallo, ricominciai a salire per giungere alle case di Gagliano di Sotto che ridiscende poi fino alla chiesa diroccata e al precipizio. Giungemmo in breve al palazzo: e davvero era la sola costruzione, in paese, che potesse portare questo nome. Di fuori aveva un aspetto tetro con i suoi muri nerastri e le piccole finestre ferrate, e i segni di un secolare abbandono. Era la vecchia dimora di una famiglia nobile che da molto tempo aveva emigrato. Era stata poi adibita a caserma dei carabinieri, che l'avevano lasciata per la nuova sede modernizzante. Del passaggio dei militi serbava nell'interno i ricordi, nella sporcizia e nello squallore delle pareti. C'erano ancora le celle di sicurezza, ricavate dividendo un salone, buie, con le bocche di lupo alle finestrelle e i grandi catenacci alle porte. Ma le porte, gonfiate dall'acqua e dai geli, non chiudevano piú; i vetri delle finestre erano tutti rotti, uno spesso strato di polvere, portata dal vento, copriva ogni cosa. Dal soffitto, dorato e dipinto, pendevano lembi di pittura e di ragnatele; i pavimenti di pietra bianca e nera a disegno erano sconnessi, e qualche grigio filo d'erba cresceva negli interstizi. Al nostro ingresso nelle sale eravamo accolti da un rumore rapido e furtivo, come di animali che corressero impauriti nei loro nascondigli Spalancai una porta-finestra, mi affacciai a un balcone, dalla pericolante ringhiera settecentesca di ferro, e, venendo dall'ombra dell'interno, rimasi quasi accecato dall'improvviso biancore abbagliante. Sotto di me c'era il burrone; davanti, senza che nulla si frapponesse allo sguardo, l'infinita distesa delle argille aride, senza un segno di vita umana, ondulanti nel sole a perdita d'occhio, fin dove, lontanissime, parevano sciogliersi nel cielo bianco. Nessun'ombra svariava questo immobile mare di terra, divorato da un sole a picco. Era mezzogiorno, ora di rientrare.

Come avrei potuto vivere in questa rovina nobiliare? Tuttavia il luogo aveva un suo triste incanto: avrei potuto passeggiare sulle pietre sconnesse dei saloni, e preferivo, per compagnia delle mie notti, i pipistrelli agli ufficiali esattoriali e alle cimici della vedova. Forse, pensavo, avrei potuto far rimettere i vetri, farmi arrivare da Torino una zanzariera per proteggermi dalla malaria, e ridar vita ai muri arcigni e cadenti del palazzo. Dissi allo zoppo che mi aspettava sulla piazzetta con la sua capra squartata, che scrivesse a Napoli, e risalii verso casa.

Arrivato al muretto della Fossa del Bersagliere, sulla piazza, vidi un giovane biondo, alto e aitante, con una camicia cittadina dalle maniche corte, uscire dall'usciolo di una catapecchia portando in mano un piatto di spaghetti fumanti, traversare la piazza, posare il piatto sul muretto lanciando un fischio di richiamo, e rientrare poi rapidamente di dove era venuto. Mi fermai incuriosito a guardare di lontano quella pastasciutta abbandonata. Subito, da una casa di faccia, uscí un giovane alto, bruno questo, e bellissimo, con un viso pallido e malinconico, vestito di un abito grigio di taglio elegante. Andò al muretto, prese il piatto degli spaghetti e ritornò sui suoi passi. Giunto sulla soglia, lanciò un'occhiata circospetta alle finestre e alla piazza deserta, si volse verso di me, sorrise, mi fece con la mano un amichevole cenno di saluto, e subito, chinandosi per passare nella porticina bassa, scomparve in casa. Don Cosimino, il gobbetto della posta, stava chiudendo il suo ufficio, e dal suo angolo nascosto aveva visto tutto come me. Si accorse del mio stupore, e mi fece col capo un cenno d'intesa; io lessi la simpatia nei suoi occhi tristi e arguti. — Questa scena, — mi disse, — avviene tutti i giorni a quest'ora. Sono due confinati come lei. Quello biondo è un muratore comunista di Ancona, un ottimo ragazzo. L'altro è uno studente di scienze politiche di Pisa. Era ufficiale della Milizia, e comunista anche lui. È di famiglia modesta, ma non gli dànno il sussidio perché sua madre e sua sorella sono maestre, e perciò, dicono, hanno i mezzi per mantenerlo. Prima i confinati potevano stare assieme, ma da qualche mese don Luigi Magalone ha dato l'ordine che non debbano neppure vedersi. Quei due, che facevano cucina comune per economia, ora sono costretti a preparare il pranzo a turno, un giorno per uno, e a portare i piatti sul muretto, dove l'altro li va a prendere quando il primo è già rientrato in casa. Se no, se si incontrassero, chissà che pericolo per lo Stato! — C'eravamo incamminati insieme su per la salita: don Cosimino abitava non lontano dalla casa della vedova, con la moglie e parecchi bambini. — Don Luigi ci bada molto a queste cose. Lui è per la disciplina. Le pensano insieme, lui e il brigadiere. Con lei spero sarà diverso. Ma ad ogni modo non se la prenda, dottore! — Don Cosimino mi guardava di sotto in su, consolatore. — Hanno la manía di fare i poliziotti, e vogliono saper tutto. Il muratore ha avuto anche delle noie. Parlava con dei contadini, e cercava di spiegare le teorie di Darwin, che l'uomo deriva dalla scimmia. Io già non sono darwinista, — e don Cosimino sorrideva arguto, — ma non ci vedo nulla di male, se qualcuno ci crede. Don Luigi lo è venuto a sapere, naturalmente. E ha fatto una scenata terribile. Lo avesse sentito gridare! Ha detto al muratore che le teorie di Darwin sono contro la religione cattolica, che il cattolicismo e il fascismo sono una cosa sola, e che perciò parlare di Darwin è fare dell'antifascismo. E ha scritto anche a Matera, alla questura, che il muratore faceva propaganda sovversiva. Ma i contadini gli vogliono bene. E' gentile e sa far di tutto —. Eravamo arrivati a casa sua. — Stia di buon umore, — mi disse. — Lei è appena arrivato, e si deve abituare Ma tutto questo passerà.

Quasi timoroso di aver detto troppo, questo angelo gobbo mi salutò bruscamente e mi lasciò.

Il podestà era sulla piazza, il pomeriggio, per condurmi dalla sorella. Donna Caterina Magalone Cuscianna ci aspettava, aveva preparato il caffè e dei dolci di farina fatti con le sue mani. Mi accolse con grande cordialità sull'uscio, mi condusse in salotto, una stanza dai mobiletti modesti, piena di ninnoli a buon mercato, di cuscini con il Pierro e di bamboline di panno, si informò della mia famiglia, commiserò la mia solitudine, mi assicurò che avrebbe fatto il possibile per rendere meno sgradevole il mio soggiorno fu, insomma, l'amabilità in persona. Era una donna di una trentina d'anni, piccola e grassoccia. Di viso assomigliava al fratello, ma con un aspetto piú volontario e appassionato. Gli occhi aveva nerissimi, come i capelli; la pelle lucida e giallastra e i denti guasti le davano un aspetto malsano. Era vestita da donna di casa in faccende, con gli abiti in disordine per il lavoro e per il caldo. Parlava con una voce alta, stridula, sempre tesa e esagerata. — Vedrà, dottore, qui si troverà bene. Per la casa me ne occuperò subito. Ora non ce ne sono, ma presto se ne faranno delle libere. Lei deve avere un buon alloggio, e una stanza per ricevere i malati. Le troverò anche una serva. Assaggi queste focacce, lei sarà abituato a cose piú fini. La sua mamma ne farà di migliori. Queste sono all'uso del paese. Ma come mai l'hanno mandato al confino? Certamente è stato uno sbaglio. Mussolini non può essere informato di tutto, c'è chi magari crede di far bene, e fa delle cose ingiuste. E poi, in città, si possono avere dei nemici. Da queste parti ci sono anche dei fascisti confinati. C'è Arpinati, il federale di Bologna, in un paese qua vicino: lui però può viaggiare come gli pare. Ora avremo la guerra. Mio marito è andato volontario. Capisce, con la sua carica, doveva dare l'esempio. Non importano le idee, ma la Patria. Anche lei è per l'Italia, non è vero? Certo, l'hanno mandata qui per errore. Ma per noi è una grande fortuna che lei sia arrivato! — Don Luigi, con l'aria di chi non si vuol compromettere, taceva; e di lí a poco, dicendo che aveva da fare, se ne andò. Rimasti soli, donna Caterina, mentre mi versava il caffè nella tazzina giapponese, e mi invitava ad assaggiare una marmellata di cotogne fatta in casa, continuava, sullo stesso tono eccessivo, a lodarmi e a promettermi il suo aiuto in quanto potesse occorrermi. Era cordialità naturale, o gusto femminile e materno di protezione, o piacere di mostrare la sua autorità nel paese e la sua abilità di donna di casa a un signore del nord? C'era tutto questo, c'era la cordialità, c'era la maternità, c'era l'autorità politica, c'era l'abilità di cucina: donna Caterina sapeva fare veramente bene le marmellate, le conserve, le torte, le olive al forno, i fichi secchi con le mandorle e le salsicce col peperone spagnolo. Ma, si sentiva, c'era anche dell'altro: una passione piú precisa e personale, nella quale il mio arrivo inaspettato si inseriva e prendeva posto; una passione che il mio arrivo rinforzava, come un vento improvviso, un fuoco sopito. — È una grande fortuna averla qui con noi! Deve starci tre anni? Capisco che lei vorrà andarsene prima, e glielo auguro, ma per noi vorrei che lei restasse. È un buon paese, tutti buoni italiani e fascisti, e poi, Luigino è podestà; mio marito era segretario del fascio, e nella sua assenza sono io che ne faccio le veci: non c'è molto da fare. Lei sarà come in famiglia. Finalmente avremo un medico, non ci toccherà piú fare un viaggio ogni volta che siamo malati. A proposito, le farò vedere mio suocero che sta qui con me. Lo zio Giuseppe, il dottor Milillo, è vecchio e si deve ritirare. E quell'altro, che avvelena tutto il paese con la farmacia delle sue nipoti, non avvelenerà piú nessuno, lui e quelle donnacce, lui e quelle puttane!

La voce di donna Caterina era ad un tratto arrivata al massimo dell'acutezza e dell'esasperazione: la passione sotterranea, e che non riusciva a nascondersi, non c'era dubbio, era l'odio; un odio concentrato, continuo come una fissazione, e, nell'ozio di ogni altro sentimento, e nell'animo di una donna, pratico, creativo, combinatorio. Donna Caterina odiava quelle «donnacce» della farmacia, odiava il loro zio, il dottor Concetto Gibilisco, odiava tutto il partito di parenti e di compari di San Giovanni che faceva capo a lui, odiava quelli che a Matera lo proteggevano. Io ero stato mandato dalla Provvidenza, e non importava quale fosse il pretesto politico del mio arrivo, unicamente perché potessi servire di strumento al suo odio. Io dovevo ridurre Gibilisco sul lastrico, e far chiudere la farmacia, o farla togliere alle sue nipoti. Donna Caterina era una donna attiva e immaginativa. Era la vera padrona del paese. Molto piú intelligente del fratello, e piú volontaria, sapeva di poter fare di lui quello che voleva, pur di lasciargli l'apparenza dell'autorità. Che cosa fosse il fascio e il fascismo, non le interessava e non lo sapeva. Per lei, essere segretario del fascio era un mezzo qualunque per comandare. Appena saputo del mio arrivo, aveva subito immaginato un piano d'azione, lo aveva imposto al fratello e aveva ottenuto, per quanto con maggiore difficoltà, di farlo tollerare al vecchio zio. Essa supponeva che io ci tenessi a fare il medico, e a cavarne il massimo guadagno possibile: bisognava incoraggiarmi in questo proposito, e assicurarmi che, grazie alla loro autorità, non me ne sarebbero venute delle noie; farmi capire che dipendeva da loro riuscire nel mio intento. Bisognava subito usarmi ogni cortesia e insieme farmi conoscere la sua potenza, per evitare che io potessi, magari inconsapevolmente, accordarmi in qualche modo con i loro nemici. Don Luigino, abituato a molto rigore con i confinati, temeva di compromettersi trattandomi con gentilezza, e non voleva invitarmi a casa sua: i suoi nemici avrebbero potuto denunciarlo; sarebbe stata dunque lei stessa ad agire, e a cercare di trarmi dalla loro parte. Questo suo odio era un aspetto dell'odio tradizionale fra i due gruppi di famiglie dominanti il paese; e forse anche qui, come a Grassano, si sarebbe potuto risalire molto addietro. Si può supporre che i Gibilisco, famiglia di medici, fossero un secolo fa dei liberali, e i Magalone, di estrazione piú popolare e piú recente, avessero avuto a che fare coi borbonici e coi briganti; non potei mai appurare le cose. Ma è certo che, oltre alla inimicizia tradizionale, una ragione piú particolare e privata muoveva il cuore di donna Caterina, e non tardai, dai suoi accenni non abbastanza reticenti e dalle chiacchiere delle donne in paese, a conoscerla. Il marito di donna Caterina, un grosso uomo dalla faccia militarescamente burbanzosa e ottusa, la cui fotografia in divisa da capitano troneggiava nel salotto, il maestro di scuola Nicola Cuscianna, segretario del fascio di Gagliano e braccio destro di suo cognato e di sua moglie nel dominio sul paese, era stato stregato dai begli occhi neri, dall'alto corpo flessuoso, dalla bianca carnagione della bella figlia del farmacista, che pure apparteneva alla famiglia nemica. Se fossero davvero amanti o se la cosa non fosse che una esagerazione di male lingue, non l'ho mai potuto sapere, ma donna Caterina ne era convinta. Donna Caterina non era piú giovane, i vent'anni e la bellezza della sua rivale non potevano non farla tremare. I due supposti amanti non potevano mai vedersi, in un paese cosí piccolo con mille occhi attenti su di loro, e con quelli vivi e sempre aperti di donna Caterina, che non li perdeva di vista un minuto. Non c'era che un mezzo per poter soddisfare l'irresistibile passione, secondo quanto immaginava, nella sua gelosia, la moglie tradita: donna Caterina doveva scomparire; ed essi cosí avrebbero potuto sposarsi. La bruna incantatrice e la sua bionda e insignificante sorella erano le padrone incontrollate e incompetenti della farmacia paterna, affidata illegalmente alla loro gestione; e tutto il paese mormorava e temeva gli effetti della loro eccessiva disinvoltura nel pesare le medicine. Il mezzo per la soppressione di donna Caterina era dunque a portata di mano: il veleno. E il veleno avrebbe operato senza pericolo di scoperta: dei due medici del paese, l'uno era lo zio dell'avvelenatrice, e certamente complice; l'altro, vecchio e rimbambito, non era in grado di accorgersi di nulla. Donna Caterina sarebbe morta, e i due amanti, impuniti e felici, avrebbero riso insieme sulla sua tomba.

Quale verità stava sotto questa immaginazione delittuosa? Quali indizi segreti, quali biglietti d'amore carpiti, quali velati accenni nella convivenza quotidiana avevano generato in quell'animo geloso e violento, il dubbio prima, e poi una specie di ossessionata certezza? Lo ignoro: ma donna Caterina credeva al prodotto della sua fantasia; e del progettato delitto riversava la colpa non tanto sul marito, che era stato stregato, quanto sulla rivale, e su tutti coloro che avevano, in qualunque modo, a che fare con lei. L'odio tradizionale, la lotta personale per il potere in paese, alimentata da queste nuove ragioni, si fece violenta e feroce. L'avvelenatrice e tutti i suoi dovevano pagar caro il loro delitto.

Quanto al marito, donna Caterina sapeva come trattarlo. Non si doveva fare scandali, nessuno doveva sospettare di nulla. Donna Caterina gli rinfacciò ogni giorno, fra le pareti domestiche, le sue colpe, lo accusò di adulterio e di assassinio, e gli vietò l'accesso al letto coniugale. L'autorevole e temuto segretario del fascio di Gagliano perdeva, entrando in casa sua, ogni burbanza: sotto gli occhi neri e fiammanti della moglie egli era l'ultimo dei reprobi, un peccatore senza possibilità di perdono; e doveva acconciarsi a dormire solo, su un sofà nel salotto. Questa triste vita durò sei mesi; finché apparve la sola possibilità di salvezza e di redenzione: la guerra d'Africa. Il delinquente umiliato chiese di andare volontario, pensando che avrebbe cosí espiato le sue colpe, si sarebbe riconciliato, al ritorno, con la moglie, e intanto avrebbe preso lo stipendio di capitano, assai superiore a quello di maestro di scuola; e partí. Il suo esempio, purtroppo, non fu seguito da nessuno. Il capitano Cuscianna e il tenente Decunto di Grassano di cui ho parlato furono i soli volontari in questi due paesi. Ma, seppure a pochi, anche le guerre servono a qualche cosa. Il capitano Cuscianna era dunque un eroe, donna Caterina la moglie di un eroe, e nessuno del partito avverso poteva vantare, a Matera, simile benemerenza. E ora io ero arrivato, mandato evidentemente da Dio, per aiutare donna Caterina a compiere le sue vendette.

— Anche Luigino voleva andare volontario, con mio marito. Si vogliono bene come due fratelli. Sempre assieme, sempre l'uno per l'altro. Ma Luigino ha poca salute, è sempre malato. Fortuna che ora c'è lei. E poi, chi sarebbe rimasto in paese, per tenere un po' d'ordine e fare della propaganda? — mi diceva la donna, mentre, attirato dall'odore delle focaccine, faceva il suo ingresso nella stanza, a passettini cortissimi, lenti e impacciati, avvolto in una palandrana, con una papalina ricamata in capo e la pipa nella bocca sdentata, don Pasquale Cuscianna, suo suocero. Era un vecchio grasso, pesante e sordo, goloso e avidissimo come un enorme baco da seta. Era anche lui, come suo figlio e don Luigi Magalone, maestro elementare: da parecchi anni in pensione. Gagliano, come l'Italia, era in quel tempo in mano ai maestri di scuola. Onorato da tutti, stava in casa tutto il giorno mangiando o dormendo, o si sedeva sul muretto della piazza a fumare. Era malato, mi disse subito la nuora, aveva un restringimento uretrale, e forse un po' di diabete. Questo non gli impedí di buttarsi, appena arrivato, a divorare con straordinaria voracità le focaccette avanzate. Si sdraiò poi, con dei grugniti di soddisfazione, su una sedia a sdraio, fece mostra di partecipare alla conversazione, di cui non sentiva nulla per la sordità, con qualche borbottío, e, bofonchiando e soffiando a tratti, non tardò ad addormentarsi.

Stavo per prendere congedo, quando si precipitarono nella stanza strillando, saltando, gesticolando, stupefacendosi, esclamando, levando le braccia al cielo, abbracciando donna Caterina due ragazze sui venticinque anni, età, in questi paesi, già rispettabile per una *guagnedda vacantía*, per una fanciulla da marito. Erano tarchiate, grassotte, esuberanti, nere come sacchi di carbone, con neri capelli corti arricciolati e svolazzanti, neri occhi che lanciavano fiamme, neri baffi sulle grandi bocche carnose e neri peli sulle braccia e sulle gambe in perpetuo movimento. Erano le due figlie del dottor Milillo, Margherita e Maria. Donna Caterina le aveva mandate a chiamare per presentarmele; le due fanciulle si erano tinte le labbra per l'occasione, con spessi strati di rossetto stridente, si erano infarinate il viso con una cipria candida, avevano infilate delle scarpe col tacco, ed erano accorse. Erano delle gran buone ragazze, senza un pensiero in mente, di una meravigliosa ingenuità e ignoranza. Tutto le stupiva, di tutto facevano le meraviglie, del mio cane, del mio vestito, della mia pittura, con degli urti di voce acutissimi, il frinire e i salti di due nere cavallette. Si misero subito a parlare di focacce, di torte e di cucina. Donna Caterina non finiva di farmi il loro elogio: erano due ottime massaie. Probabilmente anche Margherita e Maria entravano nei calcoli appassionati di donna Caterina: erano insieme il mezzo, nella sua immaginazione, per persuadere lo zio a farmi buon viso, e per attrarmi, e forse legarmi, al suo partito: chi infatti avrei potuto desiderare di meglio, in un paese, che una figlia di dottore? Donna Caterina mi aveva chiesto se non ero fidanzato, e avrebbe poi, con comodo, potuto controllare la mia risposta negativa con la censura postale fatta di nascosto da don Luigino.

Le due povere fanciulle, come me strumenti inconsapevoli di una superiore Provvidenza, erano accompagnate da un ragazzotto sui diciott'anni mal vestito, con un viso giallo e storto, dagli occhi ebeti, e un grande labbrone penzolante, che rimaneva, zitto e intontito, in un angolo della stanza. Era il loro fratello, l'unico maschio di casa Milillo. Il vecchio dottore, che intanto era arrivato, mi confidò che il ragazzo, che era buonissimo, gli dava però pensiero, perché avendo avuto una cefalopatia, era rimasto un po' arretrato, e non c'era verso di farlo studiare. Lo aveva mandato al ginnasio, e in non so quali altre scuole, ma senza successo. Aveva provato a fargli studiare agraria, e non c'era riuscito. Il ragazzo voleva entrare ora al corso per sottufficiale dei carabinieri, e sarebbe partito tra poco. Non sognava che la divisa. Non era questo l'avvenire che il padre aveva sperato per lui, ma era tuttavia una buona posizione. Io non potevo dargli torto: sarebbe stato, il povero demente, un brigadiere inoffensivo.

Donna Caterina riportò il discorso, ad intenzione dello zio, sulla mia arte medica. Avevo un bello sforzarmi a farle intendere che io desideravo soltanto di fare il pittore: essa non mi ascoltava. E il dottore, col suo abituale imbarazzato balbettio, mi raccomandò che, ad ogni modo, se avessi visitato dei malati, badassi a non lasciarmi ingannare da una malintesa generosità o dal buon cuore, perché tutti cercavano di non pagare, ma invece le tariffe nazionali erano obbligatorie, che si era tenuti a rispettarle per solidarietà professionale, per il decoro a cui non si poteva mancare, o che so io. Il vecchio medico non apparteneva se non passivamente al partito dei suoi nipoti, e non partecipava se non per obbligo di parentela alle loro passioni. Era «troppo buono», come dicevano donna Caterina e don Luigino. Antico nittiano, arrivava anche a disapprovare in privato il fascismo del podestà e a criticare la sua fanfaronaggine, le sue arie di autorità e i suoi gusti polizieschi, ma finiva per adattarvisi, per amor di pace, e per trovarci il suo tornaconto. Si sarebbe acconciato, sotto la spinta dei nipoti, e fors'anche per l'interesse delle figlie, a non mettermi i bastoni nelle ruote; ma non voleva apparire come un vecchio di cui non si dovesse tener conto e che si potesse manovrare a piacimento. Aveva il suo decoro e il suo puntiglio. Perciò dovetti subirmi da lui delle lunghissime, complicate spiegazioni e un mucchio di paterni e interessati consigli. Badassi a farmi pagare, rispettassi le tariffe, non credessi alle chiacchiere dei contadini, che sono bugiardi e ignoranti, e quanto piú sono beneficiati, tanto piú sono sconoscenti e ingrati. Egli era in paese da piú di quarant'anni, li aveva curati tutti, li aveva beneficati in tutti i modi, e quelli lo ripagavano dicendo che era rimbambito e incapace. Ma egli era tutt'altro che rimbambito. Era doloroso vedere l'ingratitudine dei contadini. E le loro superstizioni. E la loro ostinazione. E cosí via, all'infinito.

Quando potei finalmente liberarmi dai balbettii senili del dottore, dagli strilli entusiastici delle figlie, dai grugniti di don Pasquale e dai sorrisi d'intesa di donna Caterina, era il crepuscolo. I contadini risalivano le strade con i loro animali e rifluivano alle loro case, come ogni sera, con la monotonia di una eterna marea, in un loro oscuro, misterioso mondo senza speranza. Gli altri, i signori, li avevo ormai fin troppo conosciuti, e sentivo con ribrezzo il contatto attaccaticcio della assurda tela di ragno della loro vita quotidiana; polveroso nodo senza mistero, di interessi, di passioni miserabili, di noia, di avida impotenza, e di miseria. Ora, come domani e sempre, ripassando per l'unica strada del paese, avrei dovuto ancora rivederli sulla piazza, e riascoltare senza fine i loro astiosi lamenti. Che cosa ero venuto a fare quaggiú?

Il cielo era rosa verde e viola, gli incantevoli colori delle terre malariche, e pareva lontanissimo.

Rimasi in casa della vedova per una ventina di giorni, in attesa di trovare altro alloggio. L'estate splendeva nel suo ardore funesto: il sole pareva fermarsi in mezzo al cielo, le argille si spaccavano per l'arsura. Nelle fessure della terra assetata si annidavano le serpi, le vipere corte e tozze di qui, che i contadini chiamano cortopassi, dal veleno mortale. «Cortopassi cortopassi, ove te trova, là te lassi». Un vento continuo faceva asciugare anche i corpi degli uomini: le giornate passavano in una luce senza pietà, monotone nell'attesa del tramonto e del fresco della sera. Stavo seduto nella cucina, e contemplavo il volo delle mosche, unico segno di vita nell'immobile silenzio della canicola. Le imposte di legno, tinte di azzurro verdastro, ne erano coperte: migliaia di punti neri, fermi nel sole, vagamente sussurranti, su cui l'occhio si fissava, oziosamente incantato. A un tratto uno dei punti neri scompariva, col brusío di un volo subitaneo e invisibile, e al suo posto appariva come una piccola stella, un punto luminosissimo bianco coi bordi dorati, che si spegneva a poco a poco. E un'altra mosca si alzava per l'aria, e un'altra stella appariva sull'azzurro dell'imposta; e cosí via, finché Barone, che sonnecchiava ai miei piedi, mugolando a qualche suo bizzarro sogno infantile, non balzava, risvegliato d'improvviso, e afferrava a volo un insetto, rompendo il silenzio col violento battere delle mascelle.

Dalle ringhiere del balcone pendevano e dondolavano pigre al vento le trecce di fichi, nere di mosche che correvano a sorbirne gli ultimi umori, prima che la vampa del sole li avesse tutti succhiati. Davanti all'uscio, sulla strada, sotto agli stendardi neri seccavano al sole, su tavole dai bordi sporgenti, liquide distese color del sangue di conserva di pomodoro. Sciami di mosche passeggiavano a piede asciutto sulle parti già solidificate, innumerevoli come il popolo di Mosè; altri sciami precipitavano e s'impegolavano nelle zone bagnate di quel Mar Rosso, e vi annegavano come eserciti di Faraone, impazienti di preda. Il grande silenzio della campagna pesava nella cucina, e il mormorío continuato delle mosche segnava il passare delle ore, come la musica senza fine del tempo vuoto. Ma, a un tratto, dalla chiesa vicina, cominciava a suonare la campana, per qualche santo ignoto, o per qualche funzione deserta, e il suono riempiva lamentoso la stanza. Il campanaro, un ragazzotto sui diciott'anni, cencioso e scalzo, con un ipocrita sorriso ladresco, seguiva, nel suonare, una sua triste fantasia interminabile: per tutte le occasioni, era sempre la campana a morto. Il mio cane, sensibile alla presenza degli spiriti, non poteva tollerare quel rumore funebre; e al primo rintocco cominciava ad ululare, con un'angoscia straziante, come se la morte passasse attorno a noi. O forse era in lui una qualche natura diabolica, che si arrovellava a quel sacro concerto? Ad ogni modo, dovevo alzarmi e per calmarlo uscire con lui nel sole. Sui selciati bianchi saltavano le pulci, delle grosse pulci affamate, in cerca d'albergo; le zecche pendevano in agguato dai fili d'erba. Il paese pareva deserto di uomini. I contadini erano nei campi, le donne si celavano dietro le porte semichiuse. L'unica strada correva giú tra le case e i burroni, fino alla frana, senza un riposo d'ombra. Risalivo lentamente, in cerca degli olivi magri e dei cipressi, verso il cimitero.

Un incanto animalesco pareva stendersi sul paese abbandonato. Nel silenzio meridiano, un rumore improvviso rivelava una scrofa che si rotolava nelle immondizie: poi gli echi venivano svegliati dallo scroscio irresistibile di un raglio, piú sonoro della campana, nella sua fallica grottesca angoscia. I galli cantavano, con quel loro canto del pomeriggio che non ha la gloriosa petulanza del saluto mattinale, ma la tristezza senza fondo della campagna desolata. Il cielo era pieno del volo nero dei corvi, e, piú in alto, delle grandi ruote dei falchi: ci si sentiva guardati di fianco dai loro occhi immobili e rotondi. Invisibili presenze bestiali si manifestavano nell'aria, finché, di dietro a una casa, compariva, con un balzo delle sue gambe arcuate, la regina dei luoghi, una capra, e mi fissava con i suoi incomprensibili occhi gialli. Dietro alla capra correvano dei bambini, seminudi e cenciosi; e con loro veniva una minuscola monaca di quattro anni, con l'abitino e il soggolo e il velo; e un fraticello di cinque anni, con la tonaca e il cordone, cosí vestiti come dei monaci in miniatura o degli Infanti di Velasquez, come si usa spesso qui, per voto. I bambini volevano cavalcare sulla capra, il piccolo frate la prendeva per la barba e ne abbracciava il muso, la monachella si sforzava di salire sulla groppa, gli altri ragazzi la tenevano per le corna e per la coda; ed eccoli in sella, per un momento: poi la capra balzava d'un tratto, e si scrollava, e li buttava nella polvere, e si fermava a guardarli con un sorriso maligno. Quelli si rialzavano, la riacchiappavano e le rimontavano addosso, e la capra fuggiva saltando selvatica, finché tutti insieme scomparivano dietro la svolta.

I contadini dicono che la capra è un animale diabolico. Anche gli altri fruschi sono diabolici: ma la capra lo è piú di tutti. Questo non vuol dire che sia cattiva, né che abbia nulla a che fare coi diavoli cristiani, anche se talvolta essi scelgano il suo aspetto per mostrarsi. Essa è demoniaca come ogni altro essere vivente, e piú di ogni altro essere: poiché, nel suo aspetto animale, sta celata un'altra cosa, che è una potenza. Per il contadino essa è realmente quello che era un tempo il Satiro, un Satiro vero e vivo, magro e affamato, con le corna curve sul capo, e il naso arcuato, e le mammelle o il sesso penzolanti, peloso, un povero Satiro fraterno e selvatico in cerca d'erba spinosa sull'orlo dei precipizi.

Guardato da questi occhi né umani né divini, accompagnato da queste potenze misteriose, arrivavo lentamente verso il cimitero. Ma gli olivi non fanno ombra: il sole attraversa la loro frasca leggera, come un velo di tulle. Preferivo allora entrare, per il cancelletto sgangherato, nel piccolo recinto del cimitero: era il solo luogo chiuso, fresco e solitario di tutto il paese. Era anche, forse, il luogo meno triste. Seduto in terra, il biancore abbagliante delle argille scompariva, nascosto dal muro: i due cipressi ondeggiavano al vento, e tra le tombe nascevano, strani in questa terra senza fiori, dei cespugli di rose. Nel mezzo del cimitero si apriva una fossa, profonda qualche metro, con le pareti ben tagliate nella terra secca pronta per il prossimo morto. Una scaletta a pioli permetteva di entrarci e di risalire senza difficoltà. In quei giorni di calura avevo preso l'abitudine, nelle mie passeggiate al cimitero, di scendere nella fossa e di sdraiarmi nel fondo. Il terreno era asciutto e liscio, il sole non arrivava laggiú, e non lo arroventava. Non vedevo altro che un rettangolo di cielo chiaro, e qualche bianca nuvola vagante: nessun suono giungeva al mio orecchio. In quella solitudine, in quella libertà passavo delle ore. Quando il mio cane era stanco di rincorrere le lucertole sul muro assolato, si affacciava sull'orlo della fossa e mi guardava interrogativo, poi rotolava per la scaletta, si accucciava ai miei piedi, e non tardava ad addormentarsi. E anch'io, ascoltando il suo respiro, finivo per lasciar cadere di mano il libro, e chiudevo gli occhi.

Ci svegliava una strana voce senza sesso, né timbro, né età, che pronunciava parole incomprensibili. Un vecchio si sporgeva dal bordo della tomba, e mi parlava attraverso le sue gengive sdentate. Lo vedevo contro il cielo, alto e un po' curvo, con delle lunghissime braccia magre, come le ali di un mulino. Aveva quasi novant'anni, ma il suo viso era fuori del tempo, rugoso e sformato come una mela vizza: fra le pieghe della carne risecchita brillavano due occhi chiarissimi, azzurri e magnetici. Non un pelo di barba né di baffi gli cresceva, né gli era mai cresciuto, sul mento, e questo dava alla sua vecchia pelle un carattere bizzarro. Parlava un dialetto che non era quello di Gagliano, un miscuglio di linguaggi, perché aveva girato molti paesi, ma vi prevaleva la parlata di Pisticci, dove era nato in tempi remotissimi. Per questo, e per la mancanza dei denti che gli impastava le parole, e per il modo sentenzioso e rapido del suo discorso, dapprincipio mi riusciva oscuro: poi ci facevo l'orecchio, e si conversava a lungo. Ma non ho mai capito se egli veramente mi ascoltasse, o se seguisse soltanto il misterioso gomitolo dei suoi pensieri, che parevano uscire dalla indeterminata antichità di un mondo animalesco. Questo essere indefinibile indossava una camicia sudicia strappata, aperta sul petto, e anche qui non aveva peli, ma uno sterno sporgente come quello degli uccelli. Sul capo aveva un berretto rossastro, a visiera, che indicava forse una delle sue molte funzioni pubbliche: egli era insieme il becchino e il banditore comunale. Era lui che passava a tutte le ore per le vie del paese, suonando una trombetta e battendo su un tamburo che portava a tracolla, e con quella sua voce disumana annunciava le novità del giorno, il passaggio di un mercante, l'uccisione di una capra, gli ordini del podestà, l'ora di un funerale. Ed era lui che portava i morti al cimitero, che scavava le fosse e li seppelliva. Queste erano le sue attività normali, ma dietro ad esse c'era un'altra vita, piena di una oscura potenza impenetrabile. Le donne scherzavano con lui, quando passava, perché non aveva barba, e si diceva che in vita sua non avesse mai fatto all'amore. — Ci vieni stasera a letto con me? — gli dicevano dagli usci, e ridevano, nascondendo il viso dietro le mani. — Perché mi lasci dormire sola? — Scherzavano, ma ne avevano rispetto, e quasi paura. Perché quel vecchio aveva un potere arcano, era in rapporti con le forze sotterranee, conosceva gli spiriti, domava gli animali. Il suo antico mestiere, prima che gli anni e le vicende lo avessero fissato qui a Gagliano, era l'incantatore di lupi. Egli poteva, secondo che volesse, far scendere i lupi nei paesi, o allontanarli: quelle belve non potevano resistergli, e dovevano seguire la sua volontà. Si raccontava che, quando egli era giovane, girava per i paesi di queste montagne, seguito da mandre di lupi feroci. Perciò egli era temuto e onorato, e, negli inverni pieni di neve, i paesi lo chiamavano perché tenesse lontani gli abitatori dei boschi, che il gelo e la fame spingevano negli abitati. Ma anche tutte le altre bestie subivano il suo fascino, che non poteva rivolgersi alle donne; e non solo le bestie, ma gli elementi della natura e gli spiriti che sono nell'aria. Si sapeva che, nella sua gioventú, quand'egli falciava un campo di grano, faceva in un giorno il lavoro di cinquanta uomini: c'era qualcuno d'invisibile che lavorava per lui. Alla fine della giornata, quando gli altri contadini erano sporchi di sudore e di polvere, e avevano le schiene rotte dalla fatica e la testa rintronata dal sole, l'incantatore di lupi era piú fresco e riposato che al mattino.

Risalivo dalla mia fossa per parlare con lui: gli offrivo un mezzo toscano, che egli si affrettava ad accendere, infilandolo in un bocchino fatto dell'osso della gamba posteriore destra di un lepre maschio, annerito dagli anni. Si appoggiava alla vanga (egli scavava sempre nuove fosse) e si chinava a raccogliere, per terra, la scapola di un cristiano; la teneva un poco in mano, parlando, e poi la buttava in un canto. Il terreno era disseminato di ossa, che affioravano dalle vecchie tombe, che le acque e i soli avevano consumato; vecchie ossa bianche e calcinate. Per il vecchio le ossa, i morti, gli animali e i diavoli erano cose familiari, legate, come lo sono del resto, qui, per tutti, alla semplice vita di ogni giorno. — Il paese è fatto delle ossa dei morti, — mi diceva, nel suo gergo oscuro, gorgogliante come un'acqua sotterranea che esca improvvisamente fra le pietre; e faceva, con quel buco sdentato che gli serviva di bocca, una smorfia che forse era un sorriso. Se cercavo di fargli spiegare che cosa intendesse dire, non mi ascoltava, ma rideva, e ripeteva, senza mutarla, la stessa frase, rifiutando di aggiungere altro: — Proprio cosí, il paese è fatto delle ossa dei morti —. Aveva ragione, il vecchio, in tutti i modi, sia che lo si dovesse intendere in modo figurato e simbolico, sia che lo si dovesse prendere alla lettera. Quando, qualche tempo dopo, il podestà fece fare, non lontano dalla casa della vedova, uno scavo per porre le fondamenta di una casetta, opera del regime, da servire da sede dei balilla, a due palmi di profondità, invece di terra si trovarono ossa di morti, a migliaia, e per parecchi giorni il paese fu attraversato dai carretti carichi, che trasportavano le spoglie di quei nostri antichi parenti per buttarle alla rinfusa giú nella Fossa del Bersagliere. Piú recenti erano le ossa delle tombe sotto il pavimento della Madonna degli Angeli, la chiesa crollata; non ancor calcinate come quelle del cimitero; anzi molte portavano ancora attaccati dei brandelli secchi di carne o di pelle incartapecorita; e i cani le dissotterravano e se le disputavano, correndo con una tibia in bocca e abbaiando furiosi su per la via del paese. Qui, dove il tempo non scorre, è ben naturale che le ossa recenti, e meno recenti e antichissime, rimangano, ugualmente presenti, dinanzi al piede del passeggero. I morti della Madonna degli Angeli sono i piú infelici nei loro sepolcri rovinati. Non soltanto i cani e gli uccelli ne disperdono i resti, ma quella fossa paurosa e viscida dove sono scivolati sotto le macerie, è visitata da altre presenze, e piú spaventose. Una notte, non molto tempo prima, qualche mese o qualche anno, non potei farglielo precisare, poiché le misure del tempo erano, pel vecchio incantatore, indeterminate, egli tornava da Gaglianello, la frazione, e, giunto su un poggio, che è di fronte alla chiesa, il Timbone della Madonna degli Angeli, aveva sentito in tutto il corpo una strana stanchezza, e aveva dovuto sedersi in terra, sul gradino di una cappelletta. Gli era stato poi impossibile alzarsi e proseguire: qualcuno lo impediva. La notte era nera, e il vecchio non poteva discernere nulla nel buio: ma dal burrone una voce bestiale lo chiamava per nome. Era un diavolo, installato là tra i morti, che gli vietava il passaggio. Il vecchio si fece il segno della croce, e il demonio cominciò a digrignare i denti e a urlare di spasimo. Nell'ombra il vecchio distinse per un momento una capra sulle rovine della chiesa saltare spaventosa, e scomparire. Il diavolo fuggí nel precipizio, ululando. — Uh, uh! — gridava dileguandosi: e il vecchio si sentí ad un tratto libero e riposato, e in pochi passi ritornò in paese. Avventure di questo genere, del resto, glien'erano successe infinite, e me ne raccontava, se lo interrogavo, senza dare ad esse nessuna importanza. La sua vita era cosí lunga, che questi incontri non potevano non essere stati numerosi. Egli era cosí vecchio che al tempo dei briganti era già un giovanotto. Non potei mai sapere con certezza né fargli dire precisamente, se anch'egli fosse stato, come è probabile, uno dei loro: ma certo, aveva conosciuto il famoso Ninco Nanco, e mi descriveva come l'avesse vista ieri, la compagna di Ninco Nanco, la Bringatessa, Maria 'a Pastora, che come lui era di Pisticci. Questa Maria 'a Pastora era una donna bellissima, una contadina, e viveva con il suo amante, in giro per i boschi e le montagne depredando e combattendo, vestita da uomo, sempre a cavallo. La banda di Ninco Nanco era la piú crudele e la piú ardita della regione; Maria 'a Pastora partecipava a tutte le azioni, agli assalti alle cascine e ai paesi, alle imboscate, alle taglie, alle vendette. Quando Ninco Nanco strappava con le sue mani il cuore dal petto dei bersaglieri che aveva catturato, Maria 'a Pastora gli porgeva il coltello. Il vecchio affossatore la ricordava benissimo, e un'ombra di compiacenza passava nella sua strana voce quando mi diceva come essa era bella, grande, bianca e rosata come un fiore, con le grandi trecce nere lunghe fino ai piedi, ritta in arcione al suo cavallo. Ninco Nanco era stato ammazzato, ma il vecchio non mi sapeva dire come fosse finita Maria 'a Pastora, questa dea della guerra contadina. Non era morta e non l'avevano presa, mi diceva; era stata vista a Pisticci, tutta vestita di nero: poi era scomparsa, col suo cavallo, nel bosco, e non s'era mai piú saputo nulla di lei.

Nei dintorni del cimitero non andavo soltanto per ozio, in cerca di solitudine e di racconti. Era quello l'unico luogo, nello spazio consentito, dove non ci fossero case, e qualche albero variasse la geometria dei tuguri. Perciò lo scelsi come primo soggetto dei miei quadri: uscivo, quando il sole cominciava a declinare, con la tela e i colori, piantavo il mio cavalletto all'ombra di un tronco d'ulivo o dietro il muro del cimitero, e mi mettevo a dipingere. La prima volta, pochi giorni dopo il mio arrivo, questa mia occupazione parve sospetta al brigadiere, che ne avvertí subito il podestà, e mandò, ad ogni buon conto, uno dei suoi uomini a sorvegliarmi. Il carabiniere rimase impalato due passi dietro di me, a contemplare il mio lavoro, dalla prima all'ultima pennellata. È noioso dipingere con qualcuno dietro le spalle, anche quando non si temono le malvage influenze, come pare avvenisse a Cézanne: ma checché facessi, non ci fu verso di smuoverlo: aveva la sua consegna. Soltanto, il suo stupido viso mutò a poco a poco la sua espressione indagatoria in una sempre piú interessata; ed egli finí per chiedermi se sarei stato capace di fare un ingrandimento a olio della fotografia della sua mamma morta: che è, per un carabiniere, il massimo punto d'arrivo della pittura. Le ore passavano, il sole calava, le cose prendevano l'incanto del crepuscolo quando gli oggetti pare risplendano di luce propria, interna, non comunicata. Una grande luna esile, trasparente, irreale stava sopra gli ulivi grigi e le case, nell'aria rosata, come un osso di seppia corroso dal sale sulla riva del mare. Ero, in quel tempo, molto amico della luna, perché per molti mesi, chiuso in una cella, non avevo veduto la sua faccia, e il ritrovarla era per me un piacere nuovo. Perciò la dipinsi, in segno di saluto e di omaggio, rotonda e leggera in mezzo al cielo: con grande stupore del carabiniere. Ma già salivano, per controllare il mio lavoro, i dioscuri padroni del luogo, il brigadiere con la sciabola, azzimato e contegnoso, e il podestà, tutto sorrisi, cerimonie e affettata benevolenza. Don Luigino era, naturalmente, un intenditore, e desiderava che io me ne accorgessi, e non lesinò le sue lodi alla mia tecnica. Eppoi, il suo orgoglio patriottico era lusingato che io avessi trovato Gagliano, il suo paese, degno di essere dipinto. Approfittai del suo compiacimento per insinuargli che mi sarebbe stato necessario, perché potessi meglio ritrarre le bellezze del luogo, potermi allontanare un po' di piú dall'abitato. Il podestà e il brigadiere non volevano impegnarsi esplicitamente a questa infrazione ai regolamenti: ma a poco a poco, nelle settimane seguenti, si venne a una specie di tacito accordo, per cui avrei potuto, e soltanto per dipingere, dilungarmi di un due o trecento metri al di là delle case. Piú che il rispetto per l'arte, mi valsero queste concessioni gli intrighi e il desiderio di compiacermi di donna Caterina, e il terror panico delle malattie che si annidava continuamente nell'animo di don Luigino. Don Luigino stava benissimo. Se non si conti un certo squilibrio ormonico che si manifestava piú che altro nel carattere, insieme infantile e sadico, e che non gli portava altro inconveniente fisico che la voce di falsetto e una certa tendenza alla pinguedine, per il resto crepava di salute. Ma, per mia fortuna, egli era continuamente in preda alla fobía di essere malato: oggi aveva la tubercolosi, domani il mal di cuore, dopodomani l'ulcera di stomaco: si tastava il polso, si provava la temperatura, si guardava la lingua allo specchio, e per tutti questi mali, ogni volta che m'incontrava, aveva bisogno di essere rassicurato. Il malato immaginario aveva finalmente un medico a sua disposizione: andassi dunque, qualche volta, a dipingere un poco piú in là: ma non troppo spesso e non cosí lontano che non mi potessero vedere; di mia iniziativa e a mio rischio, perché egli aveva molti nemici che avrebbero potuto scrivere delle lettere anonime a Matera, mettendolo in cattiva luce per questa concessione. Quello che io guadagnavo, di spazio e di respiro, non era molto: perché il paese è tutto cinto di burroni, e ci se ne esce soltanto, oltre che dalla parte del cimitero (che non avrei potuto superare, perché al di là si scende sull'altro versante, e sarei uscito di vista), per due soli sentieri. L'uno è quello, in basso, che correndo sulla cresta delle forre, a saliscendi, conduce da Gagliano a Gaglianello, e su questo avrei potuto andare fino al Timbone della Madonna degli Angeli, al luogo dove il diavolo era apparso al vecchio becchino, poco lontano dalle ultime case del paese. Di qui si stacca, sulla destra, un sentieruolo largo pochi palmi, che scende a zig zag ripidissimi, nel fondo del precipizio, duecento metri piú in basso: questo è il passaggio obbligato e pericoloso che ogni giorno quasi tutti i contadini scendono, con l'asino e la capra, per raggiungere i loro campi là in basso, verso la valle dell'Agri, e risalgono la sera, con i loro carichi d'erbe e di legna, come dei dannati. L'altro sentiero è in alto, all'altro capo del paese. Parte a destra della chiesa, vicino alla casa della vedova, e conduce, in pochi passi, a una piccola sorgente, che fino a pochi anni fa era la sola risorsa del paese. Un filo d'acqua esce da un tubo arrugginito fra due pietre e cade in un trogolo di legno, dove le donne vanno talvolta a lavare; di qui trabocca, e, senza nessuno scarico, s'impantana nella terra, paradiso delle zanzare. Il sentiero continua per un breve tratto di campi di stoppie con qualche magro ulivo, e si perde in un complicato labirinto di monticciuoli e di buche di argilla bianca, che si rompe improvviso verso il Sauro, su un altro precipizio. Qui passeggiavo e dipingevo; e qui incontrai un giorno una vipera, avvertito in tempo dall'abbaiare furioso del mio cane.

Questa strana e scoscesa configurazione del terreno fa di Gagliano una specie di fortezza naturale, da cui non si esce che per vie obbligate. Di questo approfittava il podestà, in quei giorni di cosiddetta passione nazionale, per aver maggior folla alle adunate che gli piaceva di indire per sostenere, come egli diceva, il morale della popolazione, o per fare ascoltare, alla radio, i discorsi dei nostri governanti che preparavano la guerra d'Africa. Quando don Luigino aveva deciso di fare un'adunata, mandava, la sera, per le vie del paese, il vecchio banditore e becchino con il tamburo e la tromba; e si sentiva quella voce antica gridare cento volte, davanti a tutte le case, su una sola nota alta e astratta: — Domattina alle dieci, tutti nella piazza, davanti al municipio, per sentire la radio. Nessuno deve mancare. — Domattina dovremo alzarci due ore prima dell'alba, — dicevano i contadini, che non volevano perdere una giornata di lavoro, e che sapevano che don Luigino avrebbe messo, alle prime luci del giorno, i suoi avanguardisti e i carabinieri sulle strade, agli sbocchi del paese, con l'ordine di non lasciar uscire nessuno. La maggior parte riusciva a partire pei campi, nel buio, prima che arrivassero i sorveglianti; ma i ritardatari dovevano rassegnarsi ad andare, con le donne e i ragazzi della scuola, sulla piazza, sotto il balcone da cui scendeva l'eloquenza entusiastica ed uterina di Magalone. Stavano là, col cappello in capo, neri e diffidenti, e i discorsi passavano su di loro senza lasciar traccia.

I signori erano tutti iscritti al Partito, anche quei pochi, come il dottor Milillo, che la pensavano diversamente, soltanto perché il Partito era il Governo, era lo Stato, era il Potere, ed essi si sentivano naturalmente partecipi di questo potere. Nessuno dei contadini, per la ragione opposta, era iscritto, come del resto non sarebbero stati iscritti a nessun altro partito politico che potesse, per avventura, esistere. Non erano fascisti, come non sarebbero stati liberali o socialisti o che so io, perché queste faccende non li riguardavano, appartenevano a un altro mondo, e non avevano senso. Che cosa avevano essi a che fare con il Governo, con il Potere, con lo Stato? Lo Stato, qualunque sia, sono «quelli di Roma», e quelli di Roma, si sa, non vogliono che noi si viva da cristiani. C'è la grandine, le frane, la siccità, la malaria, e c'è lo Stato. Sono dei mali inevitabili, ci sono sempre stati e ci saranno sempre. Ci fanno ammazzare le capre, ci portano via i mobili di casa, e adesso ci manderanno a fare la guerra. Pazienza!

Per i contadini, lo Stato è piú lontano del cielo, e piú maligno, perché sta sempre dall'altra parte. Non importa quali siano le sue formule politiche, la sua struttura, i suoi programmi. I contadini non li capiscono, perché è un altro linguaggio dal loro, e non c'è davvero nessuna ragione perché li vogliano capire. La sola possibile difesa, contro lo Stato e contro la propaganda, è la rassegnazione, la stessa cupa rassegnazione, senza speranza di paradiso, che curva le loro schiene sotto i mali della natura.

Perciò essi, com'è giusto, non si rendono affatto conto di che cosa sia la lotta politica: è una questione personale di quelli di Roma. Non importa ad essi di sapere quali siano le opinioni dei confinati, e perché siano venuti quaggiú: ma li guardano benigni, e li considerano come propri fratelli, perché sono anch'essi, per motivi misteriosi, vittime del loro stesso destino. Quando, nei primi giorni, mi capitava d'incontrare sul sentiero, fuori del paese, qualche vecchio contadino che non mi conosceva ancora, egli si fermava, sul suo asino, per salutarmi, e mi chiedeva: — Chi sei? *Addò vades?* (Chi sei? Dove vai?) — Passeggio, — rispondevo, — sono un confinato. — Un esiliato? (I contadini di qui non dicono confinato, ma esiliato.) — Un esiliato? Peccato! Qualcuno a Roma ti ha voluto male —. E non aggiungeva altro, ma rimetteva in moto la sua cavalcatura, guardandomi con un sorriso di compassione fraterna.

Questa fraternità passiva, questo patire insieme, questa rassegnata, solidale, secolare pazienza è il profondo sentimento comune dei contadini, legame non religioso, ma naturale. Essi non hanno, né possono avere, quella che si usa chiamare coscienza politica, perché sono, in tutti i sensi del termine, pagani, non cittadini: gli dèi dello Stato e della città non possono aver culto fra queste argille, dove regna il lupo e l'antico, nero cinghiale, né alcun muro separa il mondo degli uomini da quello degli animali e degli spiriti, né le fronde degli alberi visibili dalle oscure radici sotterranee. Non possono avere neppure una vera coscienza individuale, dove tutto è legato da influenze reciproche, dove ogni cosa è un potere che agisce insensibilmente, dove non esistono limiti che non siano rotti da un influsso magico. Essi vivono immersi in un mondo che si continua senza determinazioni, dove l'uomo non si distingue dal suo sole, dalla sua bestia, dalla sua malaria: dove non possono esistere la felicità, vagheggiata dai letterati paganeggianti, né la speranza, che sono pur sempre dei sentimenti individuali, ma la cupa passività di una natura dolorosa. Ma in essi è vivo il senso umano di un comune destino, e di una comune accettazione. È un senso, non un atto di coscienza; non si esprime in discorsi o in parole, ma si porta con sé in tutti i momenti, in tutti i gesti della vita, in tutti i giorni uguali che si stendono su questi deserti.

— Peccato! Qualcuno ti ha voluto male —. Anche tu dunque sei soggetto al destino. Anche tu sei qui per il potere di una mala volontà, per un influsso malvagio, portato qua e là per opera ostile di magía. Anche tu dunque sei un uomo, anche tu sei dei nostri. Non importano i motivi che ti hanno spinto, né la politica, né le leggi, né le illusioni della ragione. Non c'è ragione né cause ed effetti, ma soltanto un cattivo Destino, una Volontà che vuole il male, che è il potere magico delle cose. Lo Stato è una delle forme di questo destino, come il vento che brucia i raccolti e la febbre che ci rode il sangue. La vita non può essere, verso la sorte, che pazienza e silenzio. A che cosa valgono le parole? E che cosa si può fare? Niente.

Corazzati dunque di silenzio e di pazienza, taciturni e impenetrabili, quei pochi contadini che non erano riusciti a fuggire nei campi stavano sulla piazza, all'adunata; ed era come se non udissero le fanfare ottimistiche della radio, che venivano di troppo lontano, da un paese di attiva facilità e di progresso, che aveva dimenticato la morte, al punto di evocarla per scherzo, con la leggerezza di chi non ci crede.

## 10

Ne conoscevo ormai molti, di questi contadini di Gagliano, che a prima vista parevano tutti uguali, piccoli, bruciati dal sole, con gli occhi neri che non brillano, e non sembra che guardino, come finestre vuote di una stanza buia. Alcuni li avevo incontrati nelle mie brevi passeggiate, o mi avevano salutato dall'uscio delle case, la sera; ma la maggior parte erano venuti a cercarmi perché li curassi. Mi ero dovuto rassegnare a questa nuova funzione di medico: ma soprattutto nei primi giorni, come avviene ai principianti, avevo grandissime preoccupazioni per la sorte dei miei malati e per il senso fastidioso della mia pochezza. La loro straordinaria, ingenua fiducia chiedeva un ricambio: mi avveniva, a mio malgrado, di assumere su di me i loro mali, di sentirli quasi come una mia colpa. Potevo, per fortuna, valermi di una sufficiente preparazione di studi, ma mi mancava la pratica, i mezzi di ricerca e di cura, ed ero, debbo confessarlo, lontanissimo dalla mentalità scientifica fatta di freddezza e di distacco. Vivevo, si può dire, in continue angoscie. Tanto piú cara e preziosa mi riuscí perciò una breve visita di mia sorella, donna di grande intelligenza e operosa bontà, e, per di piú, medico valentissimo, che mi portò dei libri, dei trattati sulla malaria, delle riviste, degli strumenti, delle medicine, e mi incoraggiò e consigliò nelle mie incertezze. Avevo saputo della sua venuta inaspettata da un telegramma, giunto appena in tempo perché mandassi l'automobile a prenderla alla fermata dell'autobus, al bivio sul Sauro. Era, questa macchina, l'unica esistente a Gagliano, una vecchia 509 sgangherata. Apparteneva a un meccanico, un « americano », un uomo grande, grosso e biondo, con un berretto da ciclista, noto in paese per una sua gigantesca particolarità anatomica, simile a quella attribuita dalla leggenda, in Francia, al Presidente Herriot, che rendeva forse desiderabili, ma certamente pericolosi alle donne i contatti con lui. Nonostante questo, o forse appunto per questo, gli si attribuivano molti successi nella sua lista di don Giovanni paesano: ed era difficile alle sue disgraziate amanti tener a lungo celati alla gelosia di sua moglie e alla curiosità divertita del paese i loro illeciti amori. La macchina l'aveva comprata con i suoi ultimi risparmi di New York, ripromettendosene grandi guadagni, perché rispondeva a una reale necessità pubblica. Ma non faceva che uno o due viaggi alla settimana, e quasi unicamente per accompagnare il podestà nelle sue corse alla prefettura di Matera, o per qualche servigio ai carabinieri o all'Ufficiale Esattoriale, e di rado andava a Stigliano per accompagnare qualche malato o per ritirare delle merci. Un grande problema, che occupava in quel tempo l'animo dei reggitori del paese, era se non si dovesse adoperare l'automobile invece del mulo per andare ogni giorno a ritirare la posta: in questo modo si sarebbe avuto una specie di servizio regolare anche per i viaggiatori che venivano con l'autobus o che dovevano partire. Ma poiché il tempo e il lavoro in questi paesi non contano e non costano, tra il mulo e la macchina c'era una piccola differenza di spesa: e poi c'erano forse delle difficoltà dovute a parentele o a comparaggi: il problema era sempre rimandato a domani, e quando io partii non era ancora risolto. Soltanto, qualche volta, quando doveva aspettare qualcuno che arrivasse, il meccanico ritirava i sacchi della posta al passaggio, e la cerimonia della distribuzione avveniva qualche ora prima. Lo si sapeva in paese, e una piccola folla aspettava, ogni volta, il ritorno della macchina, davanti alla chiesa. Quando, dalla svolta, giungeva il suo rumore di ferraglia sconquassata, tutti le si facevano incontro, per godere lo spettacolo e sentire subito le novità. Fu dunque in mezzo a questo pubblico ansioso che io vidi scendere dall'automobile la figura familiare di mia sorella, che non vedevo da molto tempo e che mi pareva venire da una remota lontananza. I suoi gesti chiari, il suo vestito semplice, il tono schietto della sua voce, l'aperto sorriso erano quelli a me ben noti, che le avevo sempre conosciuto: ma dopo i lunghi mesi di solitudine, e i giorni trascorsi a Grassano e a Gagliano, essi apparivano come la presenza improvvisa e reale di un mondo di memoria. Quei gesti diritti allo scopo, quella facilità di movimenti appartenevano a un luogo separato da questo in cui vivevo, e in cui parevano impossibili, da un infinito intervallo. Di questa differenza fisica ed elementare non avevo fino allora potuto rendermi conto: il suo arrivo era quello di un'ambasciatrice di un altro Stato in un paese straniero, da questa parte dei monti.

Dopo che ci fummo abbracciati, che mi ebbe portati i saluti di mia madre, di mio padre e dei fratelli, e ci trovammo soli, fuori degli sguardi della gente, nella cucina della vedova, io cominciai a interrogarla con impazienza, e Luisa, mia sorella, mi raccontò i grandi e piccoli avvenimenti familiari e privati e pubblici occorsi durante la mia assenza, e quello che facevano i miei amici e le persone a me care, e quello che si diceva in Italia, mi parlò dei quadri e dei libri, e dei pensieri della gente.

Erano le cose che piú mi stavano a cuore, a cui tornavo continuamente, ogni giorno, col sentimento, e che mi parevano vicinissime: ma ora, al sentirle presenti, mi apparivano ad un tratto appartenenti a un altro tempo, sembravano seguire un altro ritmo, obbedire ad altre leggi incomprensibili qui, e lontane piú che l'India e la Cina. Capivo ad un tratto come questi due tempi fossero, fra loro, incomunicabili; come queste due civiltà non potessero avere nessun rapporto se non miracoloso. E mi rendevo conto del perché i contadini guardino il forestiero del nord come qualcuno che viene da un al di là, come un dio straniero. Mia sorella veniva da Torino, e poteva fermarsi soltanto quattro o cinque giorni. — Purtroppo ho dovuto perdere un gran tempo in viaggio, — mi disse, — perché dovevo passare a Matera per far vistare il mio permesso di visitarti a quella questura. Perciò, invece che fare la strada piú rapida, con cui sarei venuta in due giorni, per Napoli e Potenza, ho dovuto mettercene tre, passando da Bari, e di qui a Matera. A Matera ho perso una giornata per aspettare l'autobus. Che paese, quello! Da quel poco che ho visto di Gagliano, arrivando, mi pare che non ci sia male: in tutti i modi non potrebbe essere peggio di Matera —. Era spaventata e piena di orrore per quello che vi aveva visto. Io pensavo, e glielo dissi, che la vivezza della sua reazione fosse dovuta soltanto al fatto che non era mai stata da queste parti, e che proprio a Matera era avvenuto il suo primo incontro con questa natura e questa umanità desolata. — Non conoscevo questi paesi, ma in qualche modo me li immaginavo, — mi rispose. — Ma Matera, come l'ho vista, non potevo immaginarla.

— Arrivai a Matera, — mi raccontò, — verso le undici del mattino. Avevo letto nella guida che è una città pittoresca, che merita di essere visitata, che c'è un museo di arte antica e delle curiose abitazioni trogloditiche. Ma quando uscii dalla stazione, un edificio moderno e piuttosto lussuoso, e mi guardai attorno, cercai invano con gli occhi la città. La città non c'era. Ero su una specie di altopiano deserto, circondato da monticciuoli brulli, spelacchiati, di terra grigiastra seminata di pietrame. In questo deserto sorgevano, sparsi qua e là, otto o dieci grandi palazzi di marmo, come quelli che si costruiscono ora a Roma, l'architettura di Piacentini, con portali, architravi suntuosi, solenni scritte latine e colonne lucenti al sole. Alcuni di essi non erano finiti e parevano abbandonati, paradossali e mostruosi in quella natura disperata. Uno squallido quartiere di casette da impiegati, costruite in fretta e già in preda al decadimento e alla sporcizia, collegava i palazzi e chiudeva, da quel lato, l'orizzonte. Sembrava l'ambizioso progetto di una città coloniale, improvvisato a caso, e interrotto sul principio per qualche pestilenza, o piuttosto lo scenario di cattivo gusto di un teatro all'aperto per una tragedia dannunziana. Questi enormi palazzi imperiali e novecenteschi erano la Questura, la Prefettura, le Poste, il Municipio, la Caserma dei Carabinieri, il Fascio, la Sede delle Corporazioni, l'Opera Balilla, e cosí via. Ma dov'era la città? Matera non si vedeva.

— Pensai di sbrigare subito le mie faccende. Andai alla Questura, splendida di marmi di fuori, e dentro sporca e infetta, con delle stanzucce mal scopate, piene di polvere e di spazzature. Mi ricevette, per vistare il mio permesso di visitarti, il vice-questore, che è anche il capo della polizia politica. Io pensai di protestare perché ti avevano mandato in un paese malarico, e, preoccupata per la tua salute, chiesi se non fosse possibile trasferirti in una sede piú salubre. Un commissario che era presente mi interruppe brusco: « La malaria? Non esiste. Sono tutte storie. Ce ne sarà un caso all'anno. Suo fratello starà benissimo dov'è ». Ma quando seppe che ero medichessa, rimase zitto; e il vice-questore mi rispose in tutt'altro tono. « La malaria, mi disse, c'è dappertutto. Potremmo trasferire suo fratello, se lo desidera, ma troverebbe le stesse condizioni che a Gagliano. Di tutti i paesi della nostra provincia, uno solo si può considerare non malarico: Stigliano, perché è a quasi mille metri sul mare: forse piú tardi, si potrà mandarlo lí, ma per ora, per molte ragioni, è impossibile. » (A Stigliano, ho capito, ci mandavano i fascisti dissidenti.) « Suo fratello non si muova. Ci stiamo noi, qui a Matera, e non siamo dei confinati. E non creda che qua sia meglio, per la malaria, di lassú. Se ci possiamo star noi, ci può restare pure lui, signorina. » A questo argomento non c'era davvero nulla da rispondere. Non insistetti oltre, e uscii. Volevo comprarti uno stetoscopio che avevo dimenticato di portare da Torino, e che sapevo ti occorreva per la tua pratica medica. Negozi speciali non ce n'erano, pensai di cercarlo in farmacia. Tra quei palazzi e quelle casette economiche c'erano delle botteghe, e trovai due farmacie, le sole, mi dissero, della città. Non soltanto non tenevano, né l'una né l'altra, quello che cercavo; ma non ne avevano, i due farmacisti, nemmeno la piú pallida idea. « Stetoscopio? E cos'è? » Quando io ebbi ben spiegato che era un semplice strumento per ascoltare il cuore, fatto come un corno acustico, generalmente di legno, eccetera, mi dissero che forse una cosa simile avrei potuta trovarla a Bari, ma che lí a Matera non se n'era mai sentito parlare. Era mezzogiorno, mi feci indicare un ristorante, il migliore di tutti, mi dissero. Infatti, ad un tavolo stavano già melanconicamente seduti davanti a una tovaglia sporca, il vice-questore con altri funzionari di polizia, con l'aria annoiata e gli anelli per le salviette dei clienti abituali. Tu sai che io sono di poche pretese: ma ho dovuto alzarmi con la fame. E mi misi finalmente a cercare la città. Allontanatami ancora un poco dalla stazione, arrivai a una strada, che da un solo lato era fiancheggiata da vecchie case, e dall'altro costeggiava un precipizio. In quel precipizio è Matera. Ma di lassú dov'ero io non se ne vedeva quasi nulla, per l'eccessiva ripidezza della costa, che scendeva quasi a picco. Vedevo soltanto, affacciandomi, delle terrazze e dei sentieri, che coprivano all'occhio le case sottostanti. Di faccia c'era un monte pelato e brullo, di un brutto colore grigiastro, senza segno di coltivazione, né un solo albero: soltanto terra e pietre battute dal sole. In fondo scorreva un torrentaccio, la Gravina, con poca acqua sporca e impaludata fra i sassi del greto. Il fiume e il monte avevano un'aria cupa e cattiva, che faceva stringere il cuore. La forma di quel burrone era strana; come quella di due mezzi imbuti affiancati, separati da un piccolo sperone e riuniti in basso in un apice comune, dove si vedeva, di lassú, una chiesa bianca, Santa Maria de Idris, che pareva ficcata nella terra. Questi coni rovesciati, questi imbuti, si chiamano Sassi: Sasso Caveoso e Sasso Barisano. Hanno la forma con cui, a scuola, immaginavamo l'inferno di Dante. E cominciai anch'io a scendere per una specie di mulattiera, di girone in girone, verso il fondo. La stradetta, strettissima, che scendeva serpeggiando, passava sui tetti delle case, se cosí quelle si possono chiamare. Sono grotte scavate nella parete di argilla indurita del burrone: ognuna di esse ha sul davanti una facciata; alcune sono anche belle, con qualche modesto ornato settecentesco. Queste facciate finte, per l'inclinazione della costiera, sorgono in basso a filo del monte, e in alto sporgono un poco: in quello stretto spazio tra le facciate e il declivio passano le strade, e sono insieme pavimenti per chi esce dalle abitazioni di sopra e tetti per quelle di sotto. Le porte erano aperte per il caldo. Io guardavo passando, e vedevo l'interno delle grotte, che non prendono altra luce e aria se non dalla porta. Alcune non hanno neppure quella: si entra dall'alto, attraverso botole e scalette. Dentro quei buchi neri, dalle pareti di terra, vedevo i letti, le misere suppellettili, i cenci stesi. Sul pavimento stavano sdraiati i cani, le pecore, le capre, i maiali. Ogni famiglia ha, in genere, una sola di quelle grotte per tutta abitazione e ci dormono tutti insieme, uomini, donne, bambini e bestie. Cosí vivono ventimila persone. Di bambini ce n'era un'infinità. In quel caldo, in mezzo alle mosche, nella polvere, spuntavano da tutte le parti, nudi del tutto o coperti di stracci. Io non ho mai visto una tale immagine di miseria: eppure sono abituata, è il mio mestiere, a vedere ogni giorno decine di bambini poveri, malati e maltenuti. Ma uno spettacolo come quello di ieri non l'avevo mai neppure immaginato. Ho visto dei bambini seduti sull'uscio delle case, nella sporcizia, al sole che scottava, con gli occhi semichiusi e le palpebre rosse e gonfie; e le mosche gli si posavano sugli occhi, e quelli stavano immobili, e non le scacciavano neppure con le mani. Sí, le mosche gli passeggiavano sugli occhi, e quelli pareva non le sentissero. Era il tracoma. Sapevo che ce n'era, quaggiú: ma vederlo cosí, nel sudiciume e nella miseria, è un'altra cosa. Altri bambini incontravo, coi visini grinzosi come dei vecchi, e scheletriti per la fame; i capelli pieni di pidocchi e di croste. Ma la maggior parte avevano delle grandi pance gonfie, enormi, e la faccia gialla e patita per la malaria. Le donne, che mi vedevano guardare per le porte, m'invitavano a entrare: e ho visto, in quelle grotte scure e puzzolenti, dei bambini sdraiati in terra, sotto delle coperte a brandelli, che battevano i denti dalla febbre. Altri si trascinavano a stento, ridotti pelle e ossa dalla dissenteria. Ne ho visti anche di quelli con le faccine di cera, che mi parevano malati di qualcosa di ancor peggio che la malaria, forse qualche malattia tropicale, forse il Kala Azar, la febbre nera. Le donne, magre, con dei lattanti denutriti e sporchi attaccati a dei seni vizzi, mi salutavano gentili e sconsolate: a me pareva, in quel sole accecante, di esser capitata in mezzo a una città colpita dalla peste. Continuavo a scendere verso il fondo del pozzo, verso la chiesa, e una gran folla di bambini mi seguiva, a pochi passi di distanza, e andava a mano a mano crescendo. Gridavano qualcosa, ma io non riuscivo a capire quello che dicessero in quel loro dialetto incomprensibile. Continuavo a scendere, e quelli mi inseguivano e non cessavano di chiamarmi. Pensai che volessero l'elemosina e mi fermai: e allora soltanto distinsi le parole che quelli gridavano ormai in coro: « Signorina, dammi *'u chiní*! Signorina dammi il chinino! ». Distribuii quel po' di spiccioli che avevo, perché si comprassero delle caramelle: ma non era questo che volevano, e continuavano tristi e insistenti a chiedere il chinino. Eravamo intanto arrivati al fondo della buca, a Santa Maria de Idris, che è una bella chiesetta barocca, e alzando gli occhi vidi finalmente apparire, come un muro obliquo, tutta Matera. Di lí, sembra quasi una città vera. Le facciate di tutte le grotte, che sembrano case, bianche e allineate, pareva mi guardassero, coi buchi delle porte, come neri occhi. È davvero una città bellissima, pittoresca e impressionante. C'è anche un bel museo, con dei vasi greci figurati, e delle statuette e delle monete antiche, trovate nei dintorni. Mentre lo visitavo, i bambini erano ancora là fuori al sole, e aspettavano che io portassi il chinino.

Dove avrebbe alloggiato mia sorella? Lo zoppo ammazzacapre aveva ricevuto la risposta da Napoli, per il palazzo. Gli dicevano che non ci tenevano ad affittarlo, e tutt'al piú ne avrebbero dato soltanto una stanza o due, al prezzo, che ritenevano altissimo, e di cui si scusavano, di cinquanta lire al mese; che gli alloggi nell'interno erano in quel momento ricercatissimi, perché si aspettava la guerra e si temevano i bombardamenti della flotta inglese: che a Napoli tutti pensavano di scappare, ed essi stessi, i proprietari, o dei loro amici, sarebbero probabilmente venuti a rifugiarsi quassú. Ma intanto io avevo perduto tutti gli entusiasmi per quella dimora romantica e diroccata, che, a rifletterci bene, mi pareva veramente inabitabile. Lo studente di Pisa, il confinato del pranzo sul muretto, mi aveva mandato a dire da un contadino che si sarebbe fatto libero, fra pochi giorni, un alloggio che egli aveva preso per sua madre e per sua sorella, le maestre, che erano venute a trovarlo, e che vivevano ritirate, senza mai uscire di casa. L'affitto per lui era troppo caro, e alla partenza delle due donne avrei potuto entrarci io. Lo zoppo e donna Caterina me lo consigliarono: cosí, aspettando la nuova casa, mia sorella dovette adattarsi a spartire con me l'unica camera da letto della vedova, e a fare di lí la sua conoscenza con le cimici, le zanzare e le mosche di Lucania: ma mi disse che, dopo le grotte di Matera, quella stanza melanconica le pareva quasi una reggia. E per fortuna in quelle poche notti non venne né l'« U. E. » né alcun altro ospite. L'arrivo di mia sorella era stato un avvenimento: i signori del paese le fecero le migliori accoglienze: donna Caterina le confidò i suoi disturbi di fegato e le sue ricette di cucina, e le usò tutte le possibili gentilezze. Una signora del nord, cosí alla mano, e per di piú una medichessa: non ne avevano mai viste. Non bisognava sfigurare con lei. Per i contadini, era una cosa diversa. Abituati alla vita americana, trovavano naturale che una donna facesse il medico: e naturalmente ne approfittarono. Ma quello che li toccava, nella sua presenza, era altro. Finora io ero stato, per loro, qualcuno piovuto dal cielo: ma mi mancava qualcosa: ero solo. L'aver scoperto che anch'io avevo dei legami di sangue su questa terra pareva colmasse piacevolmente, ai loro occhi, una lacuna. Il vedermi con una sorella muoveva uno dei loro piú profondi sentimenti: quello della consanguineità, che, dove non c'è senso di Stato né di religione, tiene, con tanta maggiore intensità, il posto di quelli. Non è l'istituto familiare, vincolo sociale, giuridico e sentimentale; ma il senso sacro, arcano e magico di una comunanza. Il paese è tutto legato da queste complicate catene, che non sono soltanto quelle materiali delle parentele (il « fratel-cugino » è veramente come un fratello), ma quelle simboliche e acquistate dei comparaggi. Il compare di San Giovanni è quasi piú di un fratello carnale: fa parte davvero, per scelta e iniziazione rituale, dello stesso gruppo consanguineo: e nell'interno di questo si è, l'uno all'altro, sacri; non ci si può sposare. Questo, fraterno, è il piú forte legame fra gli uomini.

Quando, verso sera, passeggiavamo per l'unica strada del paese, mia sorella ed io, tenendoci a braccetto, i contadini dalle soglie ci guardavano beati. Le donne ci salutavano, e ci coprivano di benedizioni: — Benedetto il ventre che vi ha portati! — ci dicevano dagli usci, al nostro passaggio. — Benedette le mammelle che vi hanno allattati! — Le vecchie sdentate sulle porte cessavano per un momento di filare la lana, per mormorarci le loro sentenze: — Una sposa è una bella cosa: ma una sorella è molto di piú! — Frate e sore, core e core —. Luisa, che aveva portata con sé la sua naturale atmosfera razionale e cittadina, non cessava di stupirsi di un cosí strano entusiasmo per il fatto, cosí semplice, che io avessi una sorella.

Ma quello che soprattutto la meravigliava e scandalizzava, era che nessuno facesse nulla per questo paese. Poiché è un temperamento costruttivo, di quelli che gli astrologhi direbbero solari, e la sua bontà attiva non ama gli indugi, passava il tempo a parlare con me di quello che si potesse fare, e mi esponeva dei progetti pratici per aiutare i contadini di Gagliano, i bambini di Matera. Ospedali, asili, lotta antimalarica, scuole, opere pubbliche, medici di stato ed eventualmente volontari, campagna nazionale per il rinnovamento di questi paesi, e cosí via. Lei stessa avrebbe dato volentieri il suo tempo per una causa che le pareva cosí giusta. Bisognava fare, non dormire, né rimandare sempre a un nuovo domani. Aveva certamente ragione: e quello che proponeva era giusto e buono, e realizzabile: ma le cose, quaggiú, sono assai piú complicate di quello che non appaiano alle chiare menti degli uomini giusti e buoni.

I quattro giorni della sua permanenza passarono presto. Quando la 509 del meccanico, che la portava, scomparve alla svolta dietro il cimitero, in una nuvola di polvere, anche quel mondo di attiva creazione, di valori e di cultura a cui ero legato e che, con lei, mi era riapparso presente, parve dileguarsi, come risucchiato nel tempo, nella nuvola lontanissima del ricordo.

Mi rimasero i libri, le medicine e i consigli, e mi servirono subito. A parte i contagi, anche le malattie piú disparate ed estranee vanno a gruppi. In certe settimane non ci sono malati o soltanto di cose leggere: ma quando si trova un caso grave, si può essere certi che presto se ne presenteranno degli altri. Uno di questi periodi infatti, il primo dopo il mio arrivo, capitò subito dopo la partenza di mia sorella: una serie di casi difficili e pericolosi, che mi facevano paura. Tutte le malattie quaggiú, del resto, prendono sempre un aspetto eccessivo e mortale, ben diverso da quello che ero abituato a vedere nei lettini ben ordinati della Clinica Medica Universitaria di Torino. Sarà lo stato di anemia cronica dei vecchi malarici, sarà la denutrizione, sarà la scarsa reazione al male di questi uomini passivi e rassegnati: certo si vedono, fin dal primo giorno di malattia, accavallarsi tumultuosamente i sintomi piú disparati, i visi dei sofferenti assumere l'aspetto angosciato dell'agonia. E io passavo di meraviglia in meraviglia, vedendo questi malati, che qualunque buon medico avrebbe giudicato perduti, migliorare e guarire con le cure piú elementari. Pareva che mi aiutasse una strana fortuna.

Visitai in quei giorni anche l'Arciprete. Aveva delle emorragie intestinali, ma, nella sua misantropia, non ne parlava, e continuava a passeggiare per il paese, senza curarsi. Fu don Cosimino, l'angelo della Posta, il solo confidente del vecchio che passava delle ore nell'ufficio postale e gli recitava i suoi epigrammi, a pregarmi di andarlo a trovare come per una visita di cortesia, e di vedere intanto se potevo far qualcosa per lui. Don Trajella abitava con la madre in uno stanzone, una specie di spelonca, in un vicoletto buio non lontano dalla chiesa. Quando entrai da lui, lo trovai che stava mangiando con la madre: avevano, in due, un solo piatto e un solo bicchiere. Il piatto era pieno di fagioli mal cotti, che erano tutto il desinare: madre e figlio, in quell'angolo di tavola senza tovaglia, ci pescavano a turno con vecchie forchette di stagno. Nel fondo della spelonca, separati da una tenda verde sbrindellata, c'erano due lettini gemelli, quello di don Giuseppe e quello della vecchia, non ancora rifatti. Contro il muro giaceva in terra in disordine un gran mucchio di libri: sul mucchio stavano posate delle galline. Altre galline correvano e svolazzavano qua e là per la stanza, che da chissà quanto tempo non era stata spazzata: un tanfo di pollaio prendeva alla gola. L'Arciprete, che mi aveva in simpatia e mi considerava, con don Cosimino, fra le poche persone con cui si poteva parlare perché non erano suoi nemici, mi accolse con piacere, con un sorriso sul viso arguto e sofferente. Mi presentò sua madre; la scusassi se non mi rispondeva: era *vetula et infirma*. E mi offerse subito un bicchiere di vino, che dovetti accettare, per non offenderlo, in quel suo unico bicchiere che doveva aver servito per anni, senza essere mai stato lavato, a lui e alla vecchia, a quanto potevo arguire dalla gromma unta e nera che lo incrostava tutto attorno. Don Trajella non aveva servitori ed era ormai cosí abituato a quella solitaria sporcizia che non ci faceva piú caso. Quando, dopo che avemmo parlato dei suoi mali, si accorse che io guardavo con curiosità il mucchio dei libri, mi disse: — Che vuole? In questo paese non mette conto di leggere. Avevo dei bei libri, li vede? Ci sono delle edizioni rare. Quando sono venuto qui, quelle canaglie che li hanno portati, me li hanno per dispetto imbrattati di pece. Mi è passata la voglia di aprirli, e li ho lasciati lí in terra: ci stanno da molti anni —. Mi avvicinai al mucchio: i libri erano coperti da uno strato di polvere e di sterco di gallina: qua e là, sulle coste di pelle, si vedeva davvero qualche macchia di pece, ricordo dell'antico attentato. Ne tolsi qualcuno a caso: erano vecchi volumi secenteschi di teologia, di casistica, delle Storie dei Santi, e Padri della Chiesa, e poeti latini. Doveva esser stata, prima di esser cosí ridotta a cuccia per i polli, la buona biblioteca di un prete colto e curioso. In mezzo ai libri saltarono fuori degli opuscoli sgualciti e imbrattati: opera di don Trajella: studi storici e apologetici su san Calogero di Avila. — È un santo spagnolo poco conosciuto, — mi spiegò l'Arciprete. — Ho fatto anche dei quadri, *temporibus illis*, che rappresentano i vari episodi della sua vita, delle specie di polittici —. Insistetti perché me li mostrasse e si decise a tirarli fuori di sotto il letto, di dove, mi disse, non li aveva piú riesumati dal giorno del suo arrivo. Erano delle tempere di gusto popolare, ma tutt'altro che prive di efficacia, con moltissime figure minute e rifinitissime, dei quadri compositi, con la nascita, la vita, i miracoli, la morte, e la gloria del santo. Di sotto il letto uscirono anche delle statuette, opera anche esse del prete, dei piccoli angeli e dei santi barocchi di legno e di terracotta dipinti, modellati con garbo facile nel gusto dei presepi napoletani del Seicento. Mi congratulai con l'inatteso collega. — Non ho piú fatto nulla da che sono qua, *in partibus infidelium*, a prestare, come suol dirsi, i sacramenti di santa Madre Chiesa a questi eretici che non ne vogliono sapere. Prima mi divertivo a fare queste cosette. Ma qui, in questo paese, non si può. Non mette conto di far nulla, qui. Prenda ancora un bicchiere di vino, don Carlo —.. Mentre cercavo di evitare, con un pretesto, il terribile bicchiere, assai piú amaro di tutti i possibili filtri, la vecchia madre, che era rimasta fino allora ferma e come assente sulla sua seggiola, si rizzò improvvisamente in piedi, gridando e agitando le braccia. Le galline spaventate cominciarono a svolazzare per la stanza, sui letti, sui libri, sulla tavola. Don Trajella si mise a rincorrerle qua e là per farle scendere dalle lenzuola, gridando: — Paese maledetto! — E quelle strillavano sempre piú stupidamente atterrite, alzando dei nuvoli di polvere brillanti nel filo di sole che entrava per lo spiraglio della finestrella semichiusa. Profittai della confusione per uscirmene, tra quel gran volare di penne e ondeggiare nero di sottane.

Molto diverso, per mia fortuna, dal povero Trajella, doveva essere stato il suo predecessore, un prete grasso, ricco, allegro e gaudente, famoso in paese per la buona tavola e i numerosi figliuoli, e morto, a quel che si diceva, di una solenne indigestione. La casa dove finalmente pochi giorni dopo, appena partite le parenti del confinato pisano, andai ad abitare, era stata costruita da lui, ed era, si può dire, l'unica casa civile del paese. Se l'era fatta vicino alla vecchia chiesa della Madonna degli Angeli; e ora che la chiesa era crollata nel burrone, la casa si era trovata ad essere l'ultima sul ciglio del precipizio. Era composta di tre stanze, una in fila all'altra. Dalla strada, un vicoletto laterale sulla destra della via principale, si entrava in cucina, dalla cucina nella seconda camera, dove io misi il letto; e di qui si passava ad una stanza grande, con cinque finestrelle, che fu la mia stanza di soggiorno e il mio studio di pittura. Dalla porta dello studio si scendeva per quattro scalini di pietra in un piccolo orticello, chiuso, in fondo, da un cancelletto di ferro con un albero di fico nel mezzo. La camera da letto dava su un balconcino, da cui una scaletta saliva, sul fianco della casa, alla terrazza che la copriva tutta: di qui la vista spaziava sui piú lontani orizzonti. La casa era modesta, costruita in modo economico, e non bella, perché non aveva carattere, non era né signorile né contadina, non aveva né la nobiltà rovinata del palazzo, né la miseria dei tuguri, ma soltanto la mediocrità stantía del gusto pretesco. Lo studio e la terrazza avevano un pavimento a scacchi colorati, come in certe sagrestie di campagna: non ho mai amato queste geometrie, su cui l'occhio si posa continuamente e che mi sono fastidiose quando dipingo. Le piastrelle di poco prezzo stingevano, quando erano bagnate, e Barone, che amava rotolarsi per terra follemente, diventava allora, di bianco che era, un cane rosa. Ma i muri erano puliti, imbiancati a calce, le porte verniciate di azzurro, le persiane verdi. E soprattutto, a compenso di qualunque difetto, lo spirito epicureo del defunto prete aveva dotato la mia casa di un bene inestimabile. C'era un gabinetto, senz'acqua naturalmente, ma un vero gabinetto, col sedile di porcellana. Era il solo esistente a Gagliano, e probabilmente non se ne sarebbe trovato un altro a piú di cento chilometri tutt'attorno. Nelle case dei signori ci sono ancora delle antiche seggette monumentali di legno intarsiato, dei piccoli troni pieni di autorità: e mi hanno detto, ma io non ne ho viste, che se ne trovano anche di quelle matrimoniali, a due posti, per quei coniugi affettuosi che non possono tollerare la piú breve separazione. Nelle case dei poveri, naturalmente, non c'è nulla. Questo fatto dà luogo a delle curiose costumanze. A Grassano, in certe ore quasi fisse, il mattino presto e verso sera, si aprivano furtivamente le finestrelle delle case, e dallo spiraglio apparivano le mani rugose delle vecchie, che lasciavano piovere, in mezzo alla strada, il contenuto dei vasi. Erano le ore della « jettatura ». A Gagliano questa cerimonia non era cosí generale né cosí regolata: non si sprecava cosí prodigalmente il concime per gli orti.

La mancanza di quel semplice apparecchio, assoluta in tutta la regione, crea naturalmente delle consuetudini che non si sradicano facilmente, che richiamano mille altre cose della vita, e si accompagnano a sentimenti considerati nobilissimi e poetici. Il falegname Lasala, un « americano » intelligente, che era stato, molti anni prima, sindaco di Grassano, e che conservava gelosamente, nel suo monumentale apparecchio radio portato di laggiú, con i dischi di Caruso e dell'arrivo di De Pinedo, quelli di discorsi commemorativi di Matteotti, mi raccontava che, dopo la settimana di lavoro a New York, usava incontrare un gruppo di compaesani, ogni domenica, per una scampagnata. — Eravamo sempre otto o dieci: c'era un dottore, un farmacista, dei commercianti, un cameriere d'albergo, e qualche artigiano. Tutti del nostro paese, ci si conosceva fin da bambini. La vita è triste, tra quei grattacieli, con tutte quelle straordinarie comodità, e gli ascensori, le porte girevoli, la metropolitana, e sempre case e palazzi e strade, e mai un po' di terra. Viene la malinconia. La domenica mattina si saliva in treno, ma bisognava fare dei chilometri, per trovare la campagna! Quando eravamo arrivati in qualche posto solitario, diventavamo tutti allegri come ci si fosse tolto un peso di dosso. E allora, sotto un albero, tutti insieme, ci si calava i pantaloni. Che delizia! Si sentiva l'aria fresca, la natura. Non come in quei gabinetti americani, lucidi e tutti eguali. Ci pareva di essere ragazzi, d'essere tornati a Grassano, si era felici, si rideva, si sentiva l'aria della Patria. E, quando avevamo finito, gridavamo tutti insieme: « Viva l'Italia! ». Ci veniva proprio dal cuore.

La nuova casa aveva il vantaggio di essere in fondo al paese, fuori degli sguardi continui del podestà e dei suoi accoliti: avrei potuto, finalmente, passeggiare senza urtarmi ad ogni passo nelle solite persone, con i soliti discorsi. È usanza, qui, che i Signori, quando incontrano qualcuno per via, non gli chiedano come sta, ma gli rivolgano a mo' di saluto questa domanda: — Be'! Che cos'hai mangiato oggi? — Se l'interlocutore è un contadino, risponderà in silenzio con il gesto della mano, portata all'altezza del viso e oscillante lentamente su se stessa con il pollice e il mignolo teso e le altre dita piegate, che vuol dire « poco o nulla ». Se è un Signore, si dilungherà a elencare le povere vivande del suo pranzo, e si informerà di quelle del suo amico: se nessuna passione d'odio e di intrigo locale accende in quel momento i loro animi, la conversazione continuerà per un pezzo senza uscire da questo scambio di confidenze gastronomiche.

Avrei potuto mettere il capo fuori dell'uscio senza battere subito il naso contro l'onnipresente pancia, enorme al punto di ostruire tutta la via, di don Gennaro, guardia messo comunale, accalappiacani, e spia del podestà; sempre attento ad ogni passo dei confinati e a ogni parola dei contadini; brav'uomo, forse, in fondo, ma devoto all'autorità e a don Luigino, e ostinato a far rispettare i suoi bizzarri decreti sulla circolazione dei maiali e dei cani, e a minacciare e ad affibbiare le multe, per le ragioni piú inverosimili, alle donne che non avevano il denaro per pagarle.

E soprattutto era una casa, un luogo dove avrei potuto esser solo e lavorare. Mi affrettai dunque a salutare la vedova, e a cominciare la mia nuova vita, nella mia residenza definitiva. La casa apparteneva all'erede del prete, don Rocco Macioppi, un modesto proprietario di mezza età, gentile, cerimonioso, chiesastico e occhialuto, e ad una sua nipote, donna Maria Maddalena, una zitella sui venticinque anni, d'un biondo slavato, allevata dalle monache di Potenza, anemica, sospirosa e linfatica. Fu inteso che essi avrebbero tenuto, per coltivare l'insalata, l'uso dell'orto, nel quale sarebbero entrati dal cancello: ma io vi potevo passeggiare a mio piacere. L'alloggio era quasi vuoto: il padrone e lo zoppo suo amico mi fornirono le suppellettili necessarie. Io ci portai le cose che mi ero fatte arrivare in quei giorni: il mio cavalletto grande e la poltrona, suo necessario complemento: l'uno per dipingere e l'altra per guardare i quadri a mano a mano che li faccio: mi sono entrambi indispensabili, e ci sono affezionato: mi hanno sempre seguito in tutti i miei viaggi qua e là per il mondo. E una cassa di libri, che mi era giunta allora allora, e per la quale dovetti ricevere una visita speciale del podestà e del brigadiere. Don Luigino mi mandò a dire che doveva assistere alla sua apertura, per controllare che non ci fossero libri proibiti, e, con l'assistenza del suo braccio secolare, esaminò, ad uno ad uno, i miei volumi. Lo fece, naturalmente, da uomo di studi, che non si stupisce di nulla, con molti sorrisi d'intesa, felice della sua sapienza e della sua autorità. Libri proibiti non ce n'erano. Ma c'era, per esempio, una comune edizione degli *Essais* di Montaigne. — Questo è francese, non è vero? — esclamò il podestà, strizzando l'occhio, come a dire che non cercassi d'ingannarlo. — Ma è un francese antico, don Luigi! — Già, Montaigne, uno di quelli della Rivoluzione francese —. Faticai a convincerlo che non si poteva considerarlo un autore pericoloso: il maestro sapeva il fatto suo e sorrideva compiaciuto, perché intendessi che se mi lasciava il libro, che avrebbe dovuto sequestrarmi, era per un atto di particolare benevolenza e di solidarietà tra uomini di cultura.

La casa era in ordine, la roba era a posto, e ora dovevo risolvere il problema di trovare una donna che mi facesse le pulizie, che andasse a prendermi l'acqua alla fontana e mi preparasse da mangiare. Il padrone, l'ammazzacapre, donna Caterina e le sue nipoti furono concordi: — Ce n'è una sola che fa per lei. Non può prendere che quella! — E donna Caterina mi disse: — Le parlerò io, la farò venire. A me dà retta; e non dirà di no —. Il problema era piú difficile di quanto non credessi: e non perché mancassero donne a Gagliano, che anzi, a decine si sarebbero contese quel lavoro e quel guadagno. Ma io vivevo solo, non avevo con me né moglie né madre né sorella; e nessuna donna poteva perciò entrare, da sola, in casa mia. Lo impediva il costume, antichissimo e assoluto, che è a fondamento del rapporto fra i sessi. L'amore, o l'attrattiva sessuale, è considerata dai contadini come una forza della natura, potentissima, e tale che nessuna volontà è in grado di opporvisi. Se un uomo e una donna si trovano insieme al riparo e senza testimoni, nulla può impedire che essi si abbraccino: né propositi contrari, né castità, né alcun'altra difficoltà può vietarlo; e se per caso effettivamente essi non lo fanno, è tuttavia come se lo avessero fatto: trovarsi assieme è fare all'amore. L'onnipotenza di questo dio è tale, e cosí semplice è l'impulso naturale, che non può esistere una vera morale sessuale, e neanche una vera riprovazione sociale per gli amori illeciti. Moltissime sono le ragazze madri, ed esse non sono affatto messe al bando o additate al disprezzo pubblico: tutt'al piú troveranno qualche maggior difficoltà a sposarsi in paese, e dovranno accasarsi nei paesi circostanti, o accontentarsi di un marito un po' zoppo o con qualche altro difetto corporale. Se però non può esistere un freno morale contro la libera violenza del desiderio, interviene il costume a rendere difficile l'occasione. Nessuna donna può frequentare un uomo se non in presenza d'altri, soprattutto se l'uomo non ha moglie: e il divieto è rigidissimo: infrangerlo anche nel modo piú innocente equivale ad aver peccato. La regola riguarda tutte le donne, perché l'amore non conosce età.

Avevo curato una nonna, una vecchia contadina di settantacinque anni, Maria Rosano, dagli occhi azzurri chiari nel viso pieno di bontà. Aveva una malattia di cuore, dai sintomi gravi e preoccupanti, e si sentiva molto male. — Non mi alzerò piú da questo letto, dottore. È arrivata la mia ora, — mi diceva. Ma io, che mi sentivo aiutato dalla fortuna, l'assicuravo del contrario. Un giorno, per farle coraggio, le dissi: — Guarirai, sta' sicura. Da questo letto scenderai, senza bisogno di aiuto. Tra un mese starai bene, e verrai da sola, fino a casa mia, in fondo al paese, a salutarmi —. La vecchia si rimise davvero in salute e, dopo un mese, sentii battere alla mia porta. Era Maria, che si era ricordata delle mie parole, e veniva a ringraziarmi e a benedirmi, con le braccia cariche di regali, fichi secchi, e salami, e focacce dolci fatte con le sue mani. Era una donna molto simpatica, piena di buon senso e di tenerezza materna, saggia nel parlare e con un certo ottimismo paziente e comprensivo nell'antica faccia rugosa. Io la ringraziai dei suoi doni e la trattenni a conversare; ma mi accorgevo che la contadina stava sempre piú a disagio, ritta ora su un piede ora sull'altro, e lanciava delle occhiate alla porta come se volesse scappare e non osasse. Dapprincipio non ne capivo la ragione: poi mi avvidi che la vecchia era entrata da me da sola, a differenza di tutte le altre donne che venivano a farsi visitare o a chiamarmi, e che arrivavano sempre in due o almeno accompagnate da una bambina, che è un modo di rispettare il costume e di ridurlo insieme a poco piú di un simbolo; e sospettai che fosse questa la ragione della sua inquietudine. Lei stessa me lo confermò. Mi considerava il suo benefattore, il suo salvatore miracoloso: si sarebbe buttata nel fuoco per me: non avevo soltanto guarito lei, che aveva un piede nella fossa, ma anche la sua nipotina prediletta, malata di una brutta polmonite. Le avevo detto di venire sola a trovarmi, quando fosse stata bene. Io intendevo che non avrebbe avuto bisogno di nessuno per darle il braccio: ma la buona vecchia aveva presa la cosa alla lettera e non aveva osato infrangere il mio ordine. Perciò non si era fatta accompagnare; aveva fatto per me davvero un grosso sacrificio; e ora era inquieta perché essere con me, a malgrado dell'evidente innocenza, era tuttavia di per sé una grossa infrazione al costume. Mi misi a ridere, e anche lei rise, ma mi disse che l'uso era piú vecchio di lei e di me, e se ne andò contenta.

Non c'è abitudine o regola o legge che resista a una contraria necessità o a un potente desiderio: e anche quest'uso si riduce, praticamente, a una formalità: ma la formalità è rispettata. Tuttavia la campagna è grande, i casi della vita molteplici, e non mancano le vecchie mezzane accompagnatrici né le giovani compiacenti. Le donne, chiuse nei veli, sono come animali selvatici. Non pensano che all'amore fisico, con estrema naturalezza, e ne parlano con una libertà e semplicità di linguaggio che stupisce. Quando passi per la via, ti guardano con i neri occhi scrutatori, chinati obliquamente a pesare la tua virilità, e le odi poi, dietro le tue spalle, mormorare i loro giudizi e le lodi della tua nascosta bellezza. Se ti volti, celano il viso tra le mani e ti guardano attraverso le dita. Nessun sentimento si accompagna a questa atmosfera di desiderio, che esce dagli occhi e pare riempire l'aria del paese, se non forse quello della soggezione a un destino, a una potenza superiore, che non si può eludere. Anche l'amore si accompagna, piú che all'entusiasmo o alla speranza, a una sorta di rassegnazione. Se l'occasione è fuggevole, non bisogna lasciarla svanire: le intese sono rapide e senza parole. Quello che si racconta, e che io stesso credevo vero, della severità feroce dei costumi, della gelosia turchesca, del selvaggio senso dell'onore familiare che porta ai delitti e alle vendette, non è che leggenda, quaggiú. Forse era realtà in tempo non molto lontano, e ne resta un residuo nella rigidezza dei formalismi. Ma l'emigrazione ha cambiato tutto. Gli uomini mancano e il paese appartiene alle donne. Una buona parte delle spose hanno il marito in America. Quello scrive il primo anno, scrive ancora il secondo, poi non se ne sa piú nulla, forse si fa un'altra famiglia laggiú, certo scompare per sempre e non torna piú. La moglie lo aspetta il primo anno, lo aspetta il secondo, poi si presenta un'occasione e nasce un bambino. Gran parte dei figli sono illegittimi: l'autorità delle madri è sovrana. Gagliano ha milleduecento abitanti, in America ci sono duemila gaglianesi. Grassano ne ha cinquemila e un numero quasi uguale di grassanesi sono negli Stati Uniti. In paese ci restano molte piú donne che uomini: chi siano i padri non può piú avere un'importanza cosí gelosa: il sentimento d'onore si disgiunge da quello di paternità: il regime è matriarcale. Nelle ore del giorno, che i contadini sono lontani, il paese è abbandonato alle donne, queste regine-uccelli, che regnano sulla turba brulicante dei figli. I bambini sono amati, adorati, vezzeggiati dalle madri, che trepidano per i loro mali, che li allattano per anni e anni, non li lasciano un minuto, li portano con sé, sulla schiena e sulle braccia, avvolti negli scialli neri, mentre, ritte con l'anfora in testa, vengono dalla fontana. Molti ne muoiono, gli altri crescono precoci, poi prendono la malaria, si fanno gialli e melanconici, e diventano uomini, e vanno alla guerra, o in America, o restano in paese a curvare la schiena, come bestie, sotto il sole, ogni giorno dell'anno.

Se i figli illegittimi non sono una reale vergogna per le donne, tanto meno lo sono, naturalmente, per gli uomini. I preti hanno quasi tutti dei figli, e nessuno trova che la cosa porti disdoro al loro sacerdozio. Se Dio non li riprende, da piccoli, li fanno allevare nei collegi di Potenza o di Melfi. Il portalettere di Grassano, un vecchietto arzillo, un po' zoppicante, con un bel paio di baffi tirati in su, era celebre e onorato in paese, perché si diceva che avesse, come Priamo, cinquanta figli. Di questi, ventidue o ventitré erano i figli delle sue due o tre mogli; gli altri, sparsi per il paese e per le terre vicine, e forse in parte leggendari, gli erano attribuiti, ma egli non se ne curava, e di molti non conosceva l'esistenza. Lo chiamavano *'u Re*, non so se per la regalità del suo potere virile, o per i baffi monarchici: e i suoi figli erano detti, in paese, i Principini. Il prevalente rapporto matriarcale, il modo naturale e animalesco dell'amore, lo squilibrio dovuto all'emigrazione devono tuttavia fare i conti con il residuo senso familiare, col sentimento fortissimo della consanguineità, e con gli antichi costumi, che tendono a impedire il contatto degli uomini e delle donne. Avrebbero potuto entrare a casa mia, per farmi i servizi, soltanto quelle donne che fossero, in qualche modo, esentate dal seguire la regola comune; quelle che avessero avuto molti figli di padre incerto, che senza poter essere chiamate prostitute (ché tale mestiere non esiste in paese), facessero tuttavia mostra di una certa libertà di costumi, e si dedicassero insieme alle cose dell'amore e alle pratiche magiche per procacciarlo: le streghe.

Di tali donne ce n'era almeno una ventina a Gagliano: ma, mi disse donna Caterina, alcune erano troppo sporche e disordinate, altre incapaci di tenere civilmente la casa, altre avevano da badare a qualche loro terra, altre servivano già in casa dei signori del luogo. — Una sola fa veramente per lei: è pulita, è onesta, sa far da mangiare, e poi, la casa dove lei va ad abitare è un po' come fosse la sua. Ci ha vissuto molti anni col prete buon'anima, fino alla sua morte —. Mi decisi dunque a cercarla: accettò di venire da me, e fece il suo ingresso nella mia nuova casa. Giulia Venere, detta Giulia la Santarcangelese, perché era nata in quel paese bianco, di là dall'Agri, aveva quarantun anno, e aveva avuto, tra parti normali e aborti, diciassette gravidanze, da quindici padri diversi. Il primo figlio l'aveva fatto col marito, al tempo della grande guerra: poi l'uomo era partito per l'America, portando con sé il bambino, ed era scomparso in quel continente, senza mai piú dar notizia di sé. Gli altri figli erano venuti dopo: due gemelli, nati prima del termine, erano del prete. Quasi tutti questi bambini erano morti da piccoli: io non ne vidi mai altri che una ragazza di dodici anni, che lavorava in un paese vicino con una famiglia di pastori e veniva ogni tanto a trovare la madre: una specie di piccola capra selvatica, nera di occhi e di pelle, con i neri capelli scarruffati e spioventi sul viso, che stava in un silenzio astioso e diffidente, e non rispondeva alle domande, pronta a fuggire appena si sentiva guardata; e l'ultimo nato, Nino, di due anni, un bambino grasso e robusto che Giulia portava sempre con sé sotto lo scialle, e di cui non ho mai saputo chi fosse il padre.

Giulia era una donna alta e formosa, con un vitino sottile come quello di un'anfora, tra il petto e i fianchi robusti. Doveva aver avuto, nella sua gioventú, una specie di barbara e solenne bellezza. Il viso era ormai rugoso per gli anni e giallo per la malaria, ma restavano i segni dell'antica venustà nella sua struttura severa, come nei muri di un tempio classico, che ha perso i marmi che l'adornavano, ma conserva intatta la forma e le proporzioni. Sul grande corpo imponente, diritto, spirante una forza animalesca, si ergeva, coperta dal velo, una testa piccola, dall'ovale allungato. La fronte era alta e diritta, mezza coperta da una ciocca di capelli nerissimi lisci e unti; gli occhi a mandorla, neri e opachi, avevano il bianco venato di azzurro e di bruno, come quelli dei cani. Il naso era lungo e sottile, un po' arcuato; la bocca larga, dalle labbra sottili e pallide, con una piega amara, si apriva per un riso cattivo a mostrare due file di denti bianchissimi, potenti come quelli di un lupo. Questo viso aveva un fortissimo carattere arcaico, non nel senso del classico greco, né del romano, ma di una antichità piú misteriosa e crudele, cresciuta sempre sulla stessa terra, senza rapporti e mistioni con gli uomini, ma legata alla zolla e alle eterne divinità animali. Vi si vedevano una fredda sensualità, una oscura ironia, una crudeltà naturale, una protervia impenetrabile e una passività piena di potenza, che si legavano in un'espressione insieme severa, intelligente e malvagia. Nell'ondeggiare dei veli e della larga gonnella corta, delle lunghe gambe robuste come tronchi d'albero, quel grande corpo si muoveva con gesti lenti, equilibrati, pieni di una forza armonica, e portava, erta e fiera, su quella base monumentale e materna, la piccola, nera testa di serpente.

Giulia entrò nella mia casa volentieri, come una regina che ritorni, dopo un'assenza, a visitare una delle sue province predilette. Ci era stata tanti anni, ci aveva avuto dei figli, aveva regnato sulla cucina e sul letto del prete, che le aveva regalato quegli anelli d'oro che le pendevano dalle orecchie. Ne conosceva tutti i segreti, il camino che tirava male, la finestra che non chiudeva, i chiodi piantati nei muri. Allora la casa era piena di mobili, di provviste, di bottiglie, di conserve e di ogni ben di Dio. Ora era vuota, c'era soltanto un letto, poche sedie, un tavolo di cucina. Non c'era stufa: il mangiare doveva essere cotto al fuoco del camino. Ma Giulia sapeva dove procurarsi il necessario, dove trovare la legna e il carbone, da chi farsi prestare una botte per l'acqua, in attesa che qualche mercante ambulante arrivasse a venderne in paese. Giulia conosceva tutti e sapeva tutto: le case di Gagliano non avevano segreti per lei, e i fatti di ciascuno, e i particolari piú intimi della vita di ogni donna e di ogni uomo, e i loro sentimenti e motivi piú nascosti. Era una donna antichissima, come se avesse avuto centinaia d'anni, e nulla perciò le potesse esser celato; la sua sapienza non era quella bonaria e proverbiante delle vecchie, legata a una tradizione impersonale, né quella pettegola di una faccendiera; ma una specie di fredda consapevolezza passiva, dove la vita si specchiava senza pietà e senza giudizio morale: né compatimento né biasimo apparivano mai nel suo ambiguo sorriso. Era, come le bestie, uno spirito della terra; non aveva paura del tempo, né della fatica, né degli uomini. Sapeva portare senza sforzo, come tutte le donne di qui, che fanno, invece degli uomini, i lavori pesanti, i piú gravi pesi. Andava alla fontana con la botte da trenta litri, e la riportava piena sul capo, senza reggerla con le mani, occupate a tenere il bambino, inerpicandosi sui sassi della strada ripida con l'equilibrio diabolico di una capra. Faceva il fuoco alla maniera paesana, che si adopera poca legna, con i ceppi accesi da un capo, e avvicinati a mano a mano che si consumano. Su quel fuoco cuoceva, con le scarse risorse del paese, dei piatti saporiti. Le teste delle capre le preparava *a reganate*, in una pentola di coccio, con le braci sotto e sopra il coperchio, dopo aver intriso il cervello con un uovo e delle erbe profumate. Delle budella faceva i *gnemurielli*, arrotolandole come gomitoli di filo attorno a un pezzo di fegato o di grasso e a una foglia d'alloro, e mettendole ad abbrustolire sulla fiamma, infilate a uno spiedo: l'odore di carne bruciata e il fumo grigio si spandevano per la casa e per la via, annunciatori di una barbara delizia. Nella cucina piú misteriosa dei filtri, Giulia era maestra: le ragazze ricorrevano a lei per consiglio per preparare i loro intrugli amorosi. Conosceva le erbe e il potere degli oggetti magici. Sapeva curare le malattie con gli incantesimi, e perfino poteva far morire chi volesse, con la sola virtú di terribili formule.

Giulia aveva una sua casa, non lontana dalla mia, piú in basso, verso il Timbone della Madonna degli Angeli. Ci dormiva, la notte, con il suo ultimo amante, il barbiere, un giovanotto albino, dagli occhi rossi di coniglio. Batteva al mio uscio la mattina presto, con il suo bambino, andava a prender l'acqua, preparava il fuoco e il pranzo, e se ne ripartiva nel pomeriggio: la sera dovevo cuocermi la cena da solo. Giulia andava, veniva, ricompariva a suo piacere: ma non aveva arie da padrona di casa. Aveva capito subito che i tempi non erano piú quelli di una volta, e che io ero un tutt'altro cristiano che il suo antico prete: forse piú misterioso a lei di quello che lei potesse essere per me. Mi supponeva un grande potere, ed era contenta di questo, nella sua passività. Fredda, impassibile e animalesca, la strega contadina era una serva fedele.

Cosí finí il primo periodo del mio soggiorno gaglianese, passato a Gagliano di Sopra, nella casa della vedova. Contento della nuova solitudine, stavo sdraiato sulla mia terrazza, e guardavo l'ombra delle nuvole muoversi sulle crete lontane, come una nave sul mare. Udivo, dalle stanze di sotto, il rumore dei passi di Giulia e l'abbaiare del cane. Questi due strani esseri, la strega e Barone, furono, da allora, i compagni abituali della mia vita.

I grandi calori andavano passando, in quel settembre avanzato, e cedevano al primo fresco precursore dell'autunno. I venti mutavano direzione, non portavano piú l'arsura bruciante dei deserti ma un vago sentore marino; e i tramonti allungavano per delle ore le loro strisce di rossi fuochi, sui monti di Calabria, nell'aria piena dei voli delle cornacchie e dei pipistrelli. Sulla mia terrazza il cielo era immenso, pieno di nubi mutevoli: mi pareva di essere sul tetto del mondo, o sulla tolda di una nave, ancorata su un mare pietrificato. A monte, verso levante, le casupole di Gagliano di Sotto nascondevano agli sguardi il resto del paese, che, costruito sulla cresta di un'onda di terra, a saliscendi, non si riesce mai a vedere intero da nessuna parte: dietro i loro tetti giallastri spuntava la costa di un monte, al di sopra del cimitero, e di là, prima del cielo, si sentiva il vuoto della valle. Sulla mia sinistra, a mezzogiorno, c'era la stessa vista che dal palazzo: la distesa sconfinata delle argille, con le macchie chiare dei paesi, fino ai confini del mare invisibile. Alla mia destra, a mezzanotte, scendeva la frana sul burrone rinchiuso fra i monti, che mostravano la loro faccia spelacchiata e brulla: in fondo al burrone il sentiero, dove vedevo muoversi, non piú grandi di formiche, i contadini che andavano e venivano dai campi. La Giulia si meravigliava che io sapessi distinguere, a una tale distanza, i gaglianesi dai forestieri, i contadini dai mercanti ambulanti: e, per quanto la mia vista fosse buona, non avrei davvero potuto farlo se non per divinazione o per magía. Ma avevo notato il loro diverso modo di camminare: i contadini avanzavano rigidi, senza muovere le braccia. Ogni volta che io vedevo uno di quei puntini neri muoversi oscillando con un dondolío e un'aria quasi di danza, potevo esser certo che era uno di città: presto la tromba del banditore avrebbe annunciato il suo arrivo e chiamate le donne all'acquisto delle sue mercanzie.

Dinanzi a me, verso occidente, dietro le larghe foglie verdi e grige del fico dell'orto e i tetti delle ultime catapecchie digradanti in pendío, sorgeva il Timbone della Madonna degli Angeli, un monticciuolo di terra tutto incavi e sporgenze, con poca erba rada qua e là nella parte meno dirupata, come un osso di morto, la testa di un femore gigantesco, che portasse ancora attaccati dei brandelli secchi di carne e di pelle. A sinistra del Timbone, per un tratto lunghissimo, fino laggiú in fondo, verso l'Agri, dove il terreno si spianava in un luogo detto il Pantano, era un seguirsi digradante di monticelli, di buche, di coni di erosione rigati dall'acqua, di grotte naturali, di piagge, fossi e collinette di argilla uniformemente bianca, come se la terra intera fosse morta, e ne fosse rimasto al sole il solo scheletro imbiancato e lavato dalle acque. Dietro questo ossame desolato era nascosto, su una piccola altura sul fiume malarico, Gaglianello, e piú lontano si vedeva il greto dell'Agri. Di là dall'Agri, su una prima fila di colline grige, sorgeva bianco Sant'Arcangelo, il paese di Giulia, e dietro, piú azzurre, si levavano altre colline ed altre ancora, schierate piú indietro, con dei paesi vaghi nella distanza, e piú in là ancora i borghi degli albanesi, sulle prime pendici del Pollino, e dei monti di Calabria che chiudevano l'orizzonte. Un po' a sinistra e piú in alto di Sant'Arcangelo, appariva, a mezza costa di un'altura, il biancore di una chiesa. Qui usavano convenire in pellegrinaggio le genti della valle: era un luogo di molta devozione, sede di una madonna miracolosa. In questa chiesa erano conservate le corna di un drago che infestava, nei tempi antichi, la regione. Tutti, a Gagliano, le avevano vedute. Io purtroppo non potei mai andarci, come avrei desiderato. Il drago, a quello che mi raccontarono, abitava in una grotta vicino al fiume, e divorava i contadini, riempiva le terre del suo fiato pestifero, rapiva le fanciulle, distruggeva i raccolti. Non si poteva piú vivere, in quel tempo, a Sant'Arcangelo. I contadini avevano cercato di difendersi, ma non potevano far nulla contro quella bestiale potenza mostruosa. Ridotti alla disperazione, costretti a disperdersi come animali su per i monti, pensarono infine di rivolgersi per soccorso al piú potente signore dei luoghi, al principe Colonna di Stigliano.

Il principe venne, tutto armato, sul suo cavallo, andò alla grotta del drago e lo sfidò a battaglia. Ma la forza del mostro, dalla bocca che lanciava fuoco e dalle enormi ali di pipistrello, era immensa, e la spada del principe pareva impotente di fronte a lui. A un certo momento, quel valoroso si sentí tremare il cuore, e stava quasi per darsi alla fuga o per cadere fra gli artigli del drago, quando gli apparve, vestita di azzurro, la Madonna, che gli disse con un sorriso: — Coraggio, principe Colonna! — e rimase da una parte, appoggiata alla parete di terra della caverna, a guardare la lotta. A questa visione, a queste parole, l'ardimento del principe si centuplicò, e tanto fece che il dragone cadde morto ai suoi piedi. Il principe gli tagliò la testa, ne staccò le corna, e fece edificare la chiesa perché vi fossero per sempre conservate.

Passato il terrore, liberato il paese, i santarcangelesi tornarono alle loro case, e cosí fecero quelli di Noepoli e di Senise e degli altri paesi lí attorno, che, come loro, avevano dovuto fuggire pei monti. Bisognava ora compensare il principe per il servizio reso: in quei tempi antichi, i signori, per quanto cavallereschi e amanti di gloria, e protetti personalmente dalla Madonna, non usavano muoversi per nulla. Si radunarono perciò gli abitanti di tutti i paesi fatti sicuri dalla morte del drago, per deliberare. Quelli di Noepoli e di Senise proposero di dare al principe alcune loro terre in signoria feudale: ma quelli di Sant'Arcangelo, che ancora oggi sono reputati avari e astuti, e che volevano salvare la terra, fecero una diversa proposta. — Il drago,

— dissero, — abitava nel fiume, era una bestia dell'acqua. Il principe si prenda dunque il fiume, diventi il signore della corrente —. Il loro consiglio prevalse: l'Agri fu offerto al Colonna, e quello lo accettò. I contadini di Sant'Arcangelo credevano di aver fatto un buon affare, e di aver ingannato il loro salvatore: ma avevano fatto male i loro conti. L'acqua dell'Agri serviva ad irrigare i campi, e da allora bisognò pagarla al principe e ai signori feudali suoi discendenti, per tutti i secoli. Cosí ebbe origine una servitú che si è conservata fino alla seconda metà del secolo scorso. Non so se esistano ancora oggi dei discendenti diretti di quell'antico paladino, e se vantino ancora i loro diritti sull'acqua. Un mio amico, il direttore d'orchestra Colonna, che discende da un ramo collaterale dei principi di Stigliano e potrebbe portarne il titolo, non sapeva neppure, quando dopo molti anni glie ne parlai, dove fosse Stigliano, il suo feudo, e tanto meno sapeva nulla del drago, gloria della sua famiglia. Ma i contadini, che hanno pagato l'acqua per molti secoli, e che vanno ancora in pellegrinaggio a contemplare le corna del mostro, si ricordano del drago e della Madonna, e del principe.

Che ci fossero, da queste parti, dei draghi, nei secoli medioevali (i contadini e la Giulia, che me ne parlavano, dicevano: — In tempi lontani, piú di cent'anni fa, molto prima del tempo dei briganti —) non fa meraviglia: né farebbe meraviglia se ricomparissero ancora, anche oggi, davanti all'occhio atterrito del contadino. Tutto è realmente possibile, quaggiú, dove gli antichi iddii dei pastori, il caprone e l'agnello rituale, ripercorrono, ogni giorno, le note strade, e non vi è alcun limite sicuro a quello che è umano verso il mondo misterioso degli animali e dei mostri. Ci sono a Gagliano molti esseri strani, che partecipano di una doppia natura. Una donna, una contadina di mezza età, maritata e con figli, e che non mostrava, a vederla, nulla di particolare, era figlia di una vacca. Cosí diceva tutto il paese, e lei stessa lo confermava. Tutti i vecchi ricordavano la sua madre vacca, che la seguiva dappertutto quando era bambina, e la chiamava muggendo, e la leccava con la sua lingua ruvida. Questo non impediva che fosse esistita anche una madre donna, che ora era morta, come da molti anni era morta anche la madre vacca.

Nessuno trovava, in questa doppia natura e in questa doppia nascita, nessuna contraddizione: e la contadina, che anch'io conoscevo, viveva, placida e tranquilla come le sue madri, con la sua eredità animalesca.

Alcuni assumono questa mescolanza di umano e di bestiale soltanto in particolari occasioni. I sonnambuli diventano lupi, licantropi, dove non si distingue piú l'uomo dalla belva. Ce n'era qualcuno anche a Gagliano, e uscivano nelle notti d'inverno, per trovarsi con i loro fratelli, i lupi veri. — Escono la notte, — mi raccontava la Giulia, — e sono ancora uomini, ma poi diventano lupi e si radunano tutti insieme, con i veri lupi, attorno alla fontana. Bisogna star molto attenti quando ritornano a casa. Quando battono all'uscio la prima volta, la loro moglie non deve aprire. Se aprisse vedrebbe il marito ancora tutto lupo, e quello la divorerebbe, e fuggirebbe per sempre nel bosco. Quando battono per la seconda volta, ancora la donna non deve aprire: lo vedrebbe con il corpo fatto già di uomo, ma con la testa di lupo. Soltanto quando battono all'uscio per la terza volta, si aprirà: perché allora si sono del tutto trasformati, ed è scomparso il lupo e riapparso l'uomo di prima. Non bisogna mai aprire la porta prima che abbiano battuto tre volte. Bisogna aspettare che si siano mutati, che abbiano perso anche lo sguardo feroce del lupo, e anche la memoria di essere stati bestie. Poi, quelli non si ricordano piú di nulla.

La doppia natura è talvolta spaventosa e orrenda, come per i licantropi; ma porta con sé, sempre, una attrattiva oscura, e genera il rispetto, come a qualcosa che partecipa della divinità. Qualcosa di questo genere era riconosciuta da tutti, in paese, per il mio cane, che non era riguardato come un cane normale, ma come un essere straordinario, diverso da tutti gli altri cani, e degno di essere particolarmente onorato. Anch'io, del resto, ho sempre pensato che in lui ci fosse un elemento infantilmente angelico o demoniaco, e che i contadini non avessero torto nel trovargli quella ambiguità che obbliga all'adorazione. Già, la sua origine era misteriosa. Questo cane era stato trovato in treno, sulla linea che da Napoli va a Taranto, con un cartellino appeso al collare che diceva: « Il mio nome è Barone. Chi mi trova abbia cura di me ». Non si seppe dunque mai di dove venisse: forse dalla grande città, poteva essere il figlio di un re. Lo presero i ferrovieri, e lo tennero qualche tempo alla stazione di Tricarico; quelli di Tricarico lo regalarono ai ferrovieri della stazione di Grassano. Il podestà di Grassano lo vide, se lo fece dare dai ferrovieri, e lo tenne nella sua casa con i suoi bambini, ma poiché faceva troppo chiasso, ne fece dono a suo fratello, segretario del sindacato dei contadini di Grassano, che lo portava sempre con sé, nei suoi giri per la campagna. Tutti conoscevano Barone, e tutti, a Grassano, lo consideravano un essere straordinario.

Un giorno, nei tempi in cui vivevo solo laggiú, mi avvenne di dire per caso a dei miei amici contadini e artigiani che non mi sarebbe dispiaciuto avere un cane, per la compagnia. La mattina dopo mi portarono subito un cucciolo, uno dei soliti cani gialli da caccia. Lo tenni qualche tempo, ma non mi piaceva: non mi riusciva di allevarlo, sporcava dappertutto, e non mi pareva intelligente: perciò lo restituii a quelli che me l'avevano regalato, e non pensai piú a cani. Ma quando arrivò improvvisamente l'ordine di partire per Gagliano, e quella buona gente che mi si era affezionata ne fu spiacentissima, come di una disgrazia che li avesse ingiustamente colpiti, i contadini vollero lasciarmi un regalo, che mi seguisse e mi rammentasse che a Grassano c'erano dei buoni cristiani che mi volevano bene. Si ricordarono di quel mio vecchio desiderio, che io mi ero ormai dimenticato, e decisero di regalarmi un cane. Ma nessun altro cane era degno di me, se non il famoso Barone; e Barone doveva essere mio. Tanto dissero e tanto fecero, che riuscirono a farselo dare dal suo padrone, lo pulirono, lo lavarono, gli cercarono un bel collare, una museruola, e un guinzaglio. Antonino Roselli, il giovane barbiere e flautista, che sognava di seguirmi in capo al mondo come mio segretario, lo tosò da leoncino, lasciandogli il lungo pelo sul davanti, e rasandolo sul dietro, con un grosso ciuffo in cima alla coda; e ingentilito, bianco, profumato e travestito, Barone, il selvaggio Barone, mi fu offerto in dono, a ricordo eterno della buona città di Grassano, il giorno prima della mia partenza. Cosí truccato e abbellito, io stesso non capivo che cane fosse: mi pareva uno strano miscuglio di cane barbone e di cane da pastore. In verità era forse un cane da pastore, ma di una razza o incrocio non comune: non ne ho mai incontrati altri identici. Era di media grandezza, tutto bianco, con una macchia nera sulla punta delle orecchie, che aveva lunghissime e pendenti ai lati del viso. Questo era molto bello, come quello di un drago cinese, spaventoso nei momenti di furore, o quando mostrava i denti, ma con due occhi rotondi e umani, color nocciola, coi quali mi seguiva senza voltare il capo, pieno volta a volta di dolcezza, di libertà e di una certa infantile misteriosa arguzia. Il pelo era lungo quasi fino a terra, ricciuto, morbido e lucente come la seta: la coda, che egli portava arcuata e svolazzante come un pennacchio di guerriero orientale, era grossa come quella di una volpe. Era un essere allegro, libero e selvaggio: si affezionava, ma senza servilità; ubbidiva, ma conservava la sua indipendenza; una specie di folletto o di spiritello familiare, bonario, ma, in fondo, irraggiungibile. Piú che camminare, saltava, a grandi balzi, con un ondeggiare delle orecchie e del pelo; inseguiva le farfalle e gli uccelli, spaventava le capre, lottava con i cani e coi gatti, correva da solo pei campi guardando le nuvole, sempre pronto, scattante, in un continuo gioco aereo, come seguisse il filo ondulante di un innocente pensiero inumano, l'elastico incarnarsi di un bizzarro spirito dei boschi.

Fin dal nostro primo arrivo a Gagliano, l'attenzione di tutti si posò su questo mio strano compagno: e i contadini, che vivono immersi nell'incanto animalesco, si accorsero subito della sua natura misteriosa. Non avevano mai visto una bestia simile: in paese ci sono soltanto i segugi bastardi, buoni cacciatori talvolta, ma miseri, umiliati, plebei; e solo di rado passa, dietro i greggi ed i pastori, qualche maremmano feroce, col collare irto di punte di ferro, contro il morso dei lupi. E poi, il mio cane si chiamava Barone. In questi paesi, i nomi significano qualcosa: c'è in loro un potere magico: una parola non è mai una conversazione o un fiato di vento, ma una realtà, una cosa che agisce. Egli era dunque, davvero, un barone; un signore, un essere potente, che bisognava rispettare. Se, fin dal primo giorno, io fui guardato dai popolani con simpatia e quasi con ammirazione, lo dovetti certo un poco anche al mio cane. Quando egli passava, pazzamente saltando e abbaiando nella sua folle libertà naturale, i contadini se lo additavano, e i ragazzi gridavano: — Guarda, guarda! Mezzo barone e mezzo leone! — Barone per loro era un animale araldico, il leone rampante sullo scudo di un signore. E tuttavia era soltanto un cane, un frusco come tutti gli altri: ma questa sua doppia natura era meravigliosa. Anch'io lo amavo per la sua semplice molteplicità. Ora egli è morto, come mio padre a cui l'avevo regalato, ed è sepolto sotto un mandorlo in faccia al mare di Liguria, in quella mia terra dove io non posso mettere il piede, poiché pare che i potenti, nel loro terrore del sacro, abbiano scoperto che anche in me è una doppia natura, e che, anch'io, sono mezzo barone e mezzo leone.

Tutto, per i contadini, ha un doppio senso. La donna-vacca, l'uomo-lupo, il Barone-leone, la capra-diavolo non sono che immagini particolarmente fissate e rilevanti: ma ogni persona, ogni albero, ogni animale, ogni oggetto, ogni parola partecipa di questa ambiguità. La ragione soltanto ha un senso univoco, e, come lei, la religione e la storia. Ma il senso dell'esistenza, come quello dell'arte e del linguaggio e dell'amore, è molteplice, all'infinito. Nel mondo dei contadini non c'è posto per la ragione, per la religione e per la storia. Non c'è posto per la religione, appunto perché tutto partecipa della divinità, perché tutto è, realmente e non simbolicamente, divino, il cielo come gli animali, Cristo come la capra. Tutto è magía naturale. Anche le cerimonie della chiesa diventano dei riti pagani, celebratori della indifferenziata esistenza delle cose, degli infiniti terrestri dèi del villaggio.

Eravamo alla metà di settembre, la domenica della Madonna. Fin dal mattino le strade erano piene di contadini vestiti di nero, c'erano dei forestieri, i musicanti di Stigliano e gli artificieri di Sant'Arcangelo, venuti a disporre le bombe e i mortaretti. Il cielo era chiaro e leggero, ogni tanto giungeva, per l'aria, con il suono funebre delle campane, lo sparo di qualche fucilata. I contadini, con i loro schioppi lucidi, inauguravano la festa. Il pomeriggio, dopo le ore del caldo, cominciò la processione. Uscí dalla chiesa, e percorse tutto il paese. Risalí dapprima fino al cimitero, poi ridiscese alla piazza, alla piazzetta, giú fino a Gagliano di Sotto e alla crollata Madonna degli Angeli, per tornare poi, per la stessa strada, al punto di partenza, e rientrare in chiesa. Davanti camminavano dei giovanotti con delle pertiche, su cui, a guisa di stendardi, erano attaccati dei panni, dei lenzuoli bianchi, e li agitavano e sventolavano; e i suonatori della banda di Stigliano con le trombe lucenti e fragorose. Poi, su un baldacchino retto da due lunghe stanghe, portato a turno da una dozzina di uomini, veniva la Madonna. Era una povera Madonna di cartapesta dipinta, una copia modesta della celebre e potentissima Madonna di Viggiano, e aveva, come quella, il viso nero: era tutta coperta di abiti di gala, di collane e di braccialetti. Dietro la Madonna camminava don Trajella, con una stola bianca sulla vecchia sottana bisunta, e il suo solito aspetto stanco, smunto e annoiato; poi il podestà e il brigadiere, e poi i Signori, e poi le donne, tutte insieme, con un grande ondeggiare di veli bianchi, i ragazzi e i contadini. Si era levato un gran vento fresco, che alzava nuvole di polvere, e faceva volare le sottane, i veli e le bandiere: forse sarebbe venuta la pioggia, in tanti mesi di arsura invano invocata e desiderata. Al passaggio della processione, scoppiava con fragore una doppia fila di mortaretti, disposti lungo tutta la strada. Le micce si accendevano, le strisce di polvere prendevano fuoco, le bombe detonavano, i contadini si affacciavano sulle soglie con i fucili, e sparavano in aria. Il crepitío, il frastuono erano continui, interrotti soltanto dal rumore improvviso di qualche carica piú grossa, che rimbombava e svegliava gli echi dei burroni. In questo chiasso di battaglia non si vedeva, negli occhi delle persone, felicità o estasi religiosa, ma una specie di follia, una pagana smoderatezza, e come uno stordimento a cui si lasciavano andare. Tutti erano eccitati. Gli animali correvano spaventati, le capre saltavano, gli asini ragliavano, i cani abbaiavano, i ragazzi urlavano, le donne cantavano. Sugli usci di tutte le case i contadini aspettavano la processione con in mano un cesto di grano, e al suo passaggio ne buttavano a piene manciate sulla Madonna, perché si ricordasse dei raccolti e portasse la buona fortuna. I chicchi volavano per l'aria, cadevano sulle pietre del selciato e rimbalzavano con un rumore leggero, come di grandine. La Madonna dal viso nero, tra il grano e gli animali, gli spari e le trombe, non era la pietosa Madre di Dio, ma una divinità sotterranea, nera delle ombre del grembo della terra, una Persefone contadina, una dea infernale delle messi.

Davanti alla porta di alcune case, qua e là dove la strada si allargava, erano preparati dei tavoli coperti da una tovaglia bianca, come dei piccoli rustici altari. La processione faceva sosta qui davanti, don Trajella biascicava qualche benedizione, e i contadini e le donne correvano a portare le offerte. Attaccavano agli abiti della Madonna delle monete, dei biglietti da cinque e da dieci lire, e perfino dei dollari, avanzo geloso delle fatiche americane. Ma i piú le appendevano al collo grandi collane di fichi secchi, o posavano ai suoi piedi frutta e uova, e correvano con altre offerte quando già la processione si era rimessa in cammino, e si univano alla folla e allo strepito delle trombe, degli spari e delle grida. Piú la processione avanzava, piú si faceva rumorosa e tumultuante, finché, ripercorso tutto il paese, non rientrò nella chiesa. Cadeva qualche grossa goccia di pioggia, ma presto il vento spazzò le nubi, il temporale si allontanò e tornò il sereno, con le prime stelle della sera. Cosí non si sarebbe sciupato lo spettacolo dei fuochi. Tutti mangiarono un boccone in fretta: appena buio tutt il paese si riversò ai bordi del burrone, di dove, qualche metro piú in basso, dovevano partire le bombe. Fu allora che vidi dei gruppi di giovanotti salire sul tetto del monumento della piazzetta, per meglio godere, di là, lo spettacolo. In onore della Madonna anche noi confinati potevamo restare un'ora di piú fuori di casa. Era la grande giornata, la festa dei raccolti, la sera del fuoco. Si erano spese tremila lire per i fuochi artificiali, e questa era un'annata cattiva: altre volte si era arrivati anche alle cinque e alle seimila: i paesi piú grandi consumano, nei giorni dei loro santi, cifre anche molto piú grosse. Tremila lire, per Gagliano, sono una somma enorme, il risparmio totale di mezza annata, ma per i fuochi si buttano volentieri, e nessuno le rimpiange. Si erano consultati, a gara, gli artificieri piú noti della provincia: se si avesse avuto piú denaro si sarebbero scelti quelli di Montemurro o quelli di Ferrandina, ma ci si era dovuti accontentare dei santarcangelesi, che, del resto, erano buonissimi. Ed ecco, fra gli applausi, le grida di spavento e di ammirazione delle donne e dei bambini, la prima candela romana saliva diritta verso il cielo pieno di stelle e poi un'altra, e un'altra ancora, e poi le girandole, i bengala, le bombe, le grandi piogge d'oro: uno spettacolo meraviglioso.

Erano le dieci, e dovevo rientrare. Dalla mia terrazza, con Barone che guardava eccitato in aria e abbaiava agli spari, rimasi ancora a lungo a contemplare le luci che salivano e ricadevano sfriggendo sull'argilla del Timbone, e ad ascoltare il rimbombo degli scoppi. Poi ci fu il lancio accelerato di venti fuochi, e il gran colpo finale; e udii a poco a poco la gente disperdersi, i passi sulle pietre, lo sbattere degli usci. Il giorno della festa contadina era finito, con la sua agitazione frenetica e infocata; gli animali dormivano, e sul paese buio era tornato il silenzio e l'oscurità vuota del cielo.

La pioggia non venne neppure nei giorni seguenti, malgrado la processione, le invocazioni di don Trajella e le speranze dei contadini. La terra era troppo dura per lavorarla, le olive cominciavano a risecchire sugli alberi assetati; ma la Madonna dal viso nero rimase impassibile, lontana dalla pietà, sorda alle preghiere, indifferente natura. Eppure gli omaggi non le mancano: ma sono assai piú simili all'omaggio dovuto alla Potenza, che a quello offerto alla Carità. Questa Madonna nera è come la terra; può far tutto, distruggere e fiorire; ma non conosce nessuno, e svolge le sue stagioni secondo una sua volontà incomprensibile. La Madonna nera non è, per i contadini, né buona né cattiva; è molto di piú. Essa secca i raccolti e lascia morire, ma anche nutre e protegge; e bisogna adorarla. In tutte le case, a capo del letto, attaccata al muro con quattro chiodi, la Madonna di Viggiano assiste, con i grandi occhi senza sguardo nel viso nero, a tutti gli atti della vita.

Le case dei contadini sono tutte uguali, fatte di una sola stanza che serve da cucina, da camera da letto e quasi sempre anche da stalla per le bestie piccole, quando non c'è per quest'uso, vicino alla casa, un casotto che si chiama in dialetto, con parola greca, il *catoico*. Da una parte c'è il camino, su cui si fa da mangiare con pochi stecchi portati ogni giorno dai campi: i muri e il soffitto sono scuri pel fumo. La luce viene dalla porta. La stanza è quasi interamente riempita dall'enorme letto, assai piú grande di un comune letto matrimoniale: nel letto deve dormire tutta la famiglia, il padre, la madre, e tutti i figliuoli. I bimbi piú piccini, finché prendono il latte, cioè fino ai tre o quattro anni, sono invece tenuti in piccole culle o cestelli di vimini, appesi al soffitto con delle corde, e penzolanti poco piú in alto del letto. La madre per allattarli non deve scendere, ma sporge il braccio e se li porta al seno; poi li rimette nella culla, che con un solo colpo della mano fa dondolare a lungo come un pendolo, finché essi abbiano cessato di piangere.

Sotto il letto stanno gli animali: lo spazio è cosí diviso in tre strati: per terra le bestie, sul letto gli uomini, e nell'aria i lattanti. Io mi curvavo sul letto, quando dovevo ascoltare un malato, o fare una iniezione a una donna che batteva i denti per la febbre e fumava per la malaria; col capo toccavo le culle appese, e tra le gambe mi passavano improvvisi i maiali o le galline spaventate. Ma quello che ogni volta mi colpiva (ed ero stato ormai nella maggior parte delle case) erano gli sguardi fissi su di me, dal muro sopra il letto, dei due inseparabili numi tutelari. Da un lato c'era la faccia negra ed aggrondata e gli occhi larghi e disumani della Madonna di Viggiano: dall'altra, a riscontro, gli occhietti vispi dietro gli occhiali lucidi e la gran chiostra dei denti aperti nella risata cordiale del Presidente Roosevelt, in una stampa colorata. Non ho mai visto, in nessuna casa, altre immagini: né il Re, né il Duce, né tanto meno Garibaldi, o qualche altro grand'uomo nostrano, e neppure nessuno dei santi, che pure avrebbero avuto qualche buona ragione per esserci: ma Roosevelt e la Madonna di Viggiano non mancavano mai. A vederli, uno di fronte all'altra, in quelle stampe popolari, parevano le due facce del potere che si è spartito l'universo: ma le parti erano giustamente invertite: la Madonna era, qui, la feroce, spietata, oscura dea arcaica della terra, la signora saturniana di questo mondo: il Presidente, una specie di Zeus, di Dio benevolo e sorridente, il padrone dell'altro mondo. A volte, una terza immagine formava, con quelle due, una sorta di trinità: un dollaro di carta, l'ultimo di quelli portati di laggiú, o arrivato in una lettera del marito o di un parente, stava attaccato al muro con una puntina sotto alla Madonna o al Presidente o tra l'uno e l'altro, come uno Spirito Santo, o un ambasciatore del cielo nel regno dei morti.

Per la gente di Lucania, Roma non è nulla: è la capitale dei Signori, il centro di uno Stato straniero e malefico. Napoli potrebbe essere la loro capitale, e lo è davvero, la capitale della miseria, nei visi pallidi, negli occhi febbrili dei suoi abitatori, nei « bassi » dalla porta aperta pel caldo, l'estate, con le donne discinte che dormono a un tavolo, nei gradoni di Toledo; ma a Napoli non ci sta piú, da gran tempo, nessun re; e ci si passa soltanto per imbarcarsi. Il Regno è finito: il regno di queste genti senza speranza non è di questa terra. L'altro mondo è l'America. Anche l'America ha, per i contadini, una doppia natura. È una terra dove si va a lavorare, dove si suda e si fatica, dove il poco denaro è risparmiato con mille stenti e privazioni, dove qualche volta si muore, e nessuno piú ci ricorda; ma nello stesso tempo, e senza contraddizione, è il paradiso, la terra promessa del Regno.

Non Roma o Napoli, ma New York sarebbe la vera capitale dei contadini di Lucania, se mai questi uomini senza Stato potessero averne una. E lo è, nel solo modo possibile per loro, in un modo mitologico. Per la sua doppia natura, come luogo di lavoro essa è indifferente: ci si vive come si vivrebbe altrove, come bestie legate a un carro, e non importa in che strade lo si debba tirare; come paradiso, Gerusalemme celeste, oh! allora, quella non si può toccare, si può soltanto contemplarla, di là dal mare, senza mescolarvisi. I contadini vanno in America, e rimangono quello che sono: molti vi si fermano, e i loro figli diventano americani: ma gli altri, quelli che ritornano, dopo vent'anni, sono identici a quando erano partiti. In tre mesi le poche parole d'inglese sono dimenticate, le poche superficiali abitudini abbandonate, il contadino è quello di prima, come una pietra su cui sia passata per molto tempo l'acqua di un fiume in piena, e che il primo sole in pochi minuti riasciuga. In America, essi vivono a parte, fra di loro: non partecipano alla vita americana, continuano per anni a mangiare pan solo, come a Gagliano, e risparmiano i pochi dollari: sono vicini al paradiso, ma non pensano neppure ad entrarci. Poi, tornano un giorno in Italia, col proposito di restarci poco, di riposarsi e salutare i compari e i parenti: ma ecco, qualcuno offre loro una piccola terra da comperare, e trovano una ragazza che conoscevano bambina e la sposano, e cosí passano i sei mesi dopo i quali scade il loro permesso di ritorno laggiú, e devono rimanere in patria. La terra comperata è carissima, hanno dovuto pagarla con tutti i risparmi di tanti anni di lavoro americano, e non è che argilla e sassi, e bisogna pagare le tasse, e il raccolto non vale le spese, e nascono i figli, e la moglie è malata, e in pochissimo tempo è tornata la miseria, la stessa eterna miseria di quando, tanti anni prima, erano partiti. E con la miseria torna la rassegnazione, la pazienza, e tutti i vecchi usi contadini: in breve questi americani non si distinguono piú in nulla da tutti gli altri contadini, se non per una maggiore amarezza, il rimpianto, che talvolta affiora, d'un bene perduto. Gagliano è piena di questi emigranti ritornati: il giorno del ritorno è considerato da loro tutti un giorno di disgrazia. Il 1929 fu l'anno della sventura, e ne parlano tutti come d'un cataclisma. Era l'anno della crisi americana, il dollaro cadeva, le banche fallivano: ma questo, in generale, non colpiva i nostri emigrati, che avevano l'abitudine di mettere i loro risparmi in banche italiane, e di cambiarli subito in lire. Ma a New York c'era il panico, e c'erano i propagandisti del nostro governo, che, chissà perché, andavano dicendo che in Italia c'era lavoro per tutti e ricchezza e sicurezza, e che dovevano tornare. Cosí moltissimi, in quell'anno di lutto, si lasciarono convincere, abbandonarono il lavoro, presero il piroscafo, tornarono al paese, e vi restarono invischiati come mosche in una ragnatela. Eccoli di nuovo contadini, con l'asino e la capra, eccoli partire ogni mattina per i lontani bordi di malaria. Altri conservano invece il mestiere che facevano in America; ma qui, al paese, non c'è lavoro, e si fa la fame. — Maledetto il 1929, e chi mi ha fatto tornare! — mi diceva Giovanni Pizzilli, il sarto, mentre mi prendeva le misure in pollici, con complicati e originali e moderni sistemi americani per l'abbassamento della spalla, e non so che altro, per un vestito alla cacciatora. Era un artigiano intelligente, abilissimo nel suo mestiere, come se ne trovano pochi nelle piú celebrate sartorie di città, e mi fece, per cinquanta lire di fattura, il piú bell'abito di velluto che io abbia mai portato. In America guadagnava bene, ora era in miseria, aveva già quattro o cinque figli, non sperava piú di risollevarsi, e sul suo viso ancor giovane era scomparsa ogni traccia di energia e di fiducia, per lasciarvi una continua, disperata espressione di angoscia.

— Laggiú avevo un salone, e quattro lavoranti. Nel '29 sono venuto per sei mesi, ma ho preso moglie e non sono piú partito: e ora son ridotto a questa botteguccia e a combattere con la miseria, — mi diceva il barbiere, un uomo coi capelli già grigi sulle tempie, con l'aria seria e triste. A Gagliano c'erano tre botteghe di barbiere, e questa dell'americano, in alto, vicino alla chiesa, sotto alla casa della vedova, era la sola che fosse sempre aperta, quella dove si rasavano i Signori. Quella di Gagliano di Sotto, tenuta dall'albino, l'amante di Giulia, serviva i contadini poveri, ed era quasi sempre chiusa: l'albino aveva anche da coltivare la terra, e adoperava il rasoio la mattina dei giorni di festa, e soltanto di quando in quando, durante la settimana. A metà del paese, verso la piazza, c'era la terza bottega, e anche questa era sempre chiusa, perché il suo padrone era in giro in continue faccende. In questa bottega la gente entrava con aria misteriosa, e chiedeva del padrone a bassa voce. Era un biondo, col viso astuto di una volpe, agile nei movimenti, con gli occhietti brillanti, intelligente, attivo e sempre in moto. Era stato, da militare, caporale di sanità, durante la grande guerra, e aveva imparato cosí a fare il medico. Il suo mestiere ufficiale era il barbiere, ma le barbe e i capelli dei cristiani erano l'ultima delle sue occupazioni. Oltre a tosare le capre, a curare le bestie, a dar la purga agli asini, a visitare i maiali, la sua specialità era quella di cavare i denti. Per due lire «tirava una mola» senza troppo dolore né inconvenienti. Era una vera fortuna che ci fosse lui in paese: perché io non avevo la minima idea dell'arte del dentista, e i due medici ne sapevano ancor meno di me. Il barbiere faceva le iniezioni, anche quelle endovenose, che i due medici non sapevano neppure che cosa fossero: sapeva mettere a posto le articolazioni lussate, ridurre una frattura, cavar sangue, tagliare un ascesso: e per di piú conosceva le erbe, gli empiastri e le pomate: insomma, questo figaro sapeva far tutto, e si rendeva prezioso. I due dottori lo odiavano, anche perché egli non nascondeva, all'occasione, il suo giudizio sulla loro ignoranza, ed era amato dai contadini; ogni volta che passavano davanti alla sua bottega lo minacciavano di denunciarlo per esercizio abusivo della professione medica. Siccome non si limitavano alle minacce, ma ogni tanto partiva realmente qualche lettera anonima, e lo facevano chiamare dal brigadiere per una diffida, il barbiere doveva usare mille astuzie, nascondere il suo lavoro sotto pretesti, e non lasciarsi vedere. Dapprincipio diffidava anche di me, ma poi si accorse che io non l'avrei tradito, e mi divenne amico. Aveva davvero una certa abilità, e io lo chiamavo perché mi aiutasse nei piccoli interventi chirurgici, o lo incaricavo di andare a fare le iniezioni. Che cosa importava se non era autorizzato? Le faceva benissimo: ma doveva agire di nascosto, perché l'Italia è il paese dei diplomi, delle lauree, della cultura ridotta soltanto al procacciamento e alla spasmodica difesa dell'impiego. Molti contadini camminano ancora, a Gagliano, che sarebbero rimasti zoppi, ad opera della scienza ufficiale, per tutta la vita, grazie a questo figaro-contrabbandiere dall'aspetto furtivo, mezzo stregone e mezzo medicone, in guerra con l'autorità e coi carabinieri, col piede lesto e l'anima scaltra.

La bottega dell'americano, del parrucchiere dei Signori, era l'unica delle tre che sembrasse una vera bottega di barbiere. C'era uno specchio tutto appannato dalle cacche di mosca, c'era qualche seggiola di paglia, e al muro erano attaccati ritagli di giornali americani, con fotografie di Roosevelt, di uomini politici, di attrici, e *réclames* di cosmetici. Era l'unico resto dello splendido salone in non so piú quale strada di New York: il barbiere, ripensandoci, si rattristava e si faceva cupo. Che cosa gli rimaneva della bella vita di laggiú, dove era un signore? Una casetta in cima al paese, con la porta pretensiosamente scolpita e qualche vaso di geranio sul balcone, la moglie malaticcia, e la miseria. — Non fossi mai tornato! — Questi americani del 1929 si riconoscono tutti all'aria delusa di cani frustati, e ai denti d'oro.

I denti d'oro brillavano anacronistici e lussuosi nella larga bocca contadina di Faccialorda, un uomo grosso, robusto, dall'aspetto testardo ed astuto. Faccialorda, chiamato da tutti con questo soprannome forse per il colore della sua pelle, era invece un vincitore nella lotta dell'emigrazione, e viveva nella sua gloria. Era tornato dall'America con un bel gruzzolo, e anche se l'aveva già in gran parte perduto per comprarsi una terra sterile, ci poteva ancora modestamente campare: ma il vero valore di quel denaro consisteva nel non essere stato guadagnato col lavoro, ma con l'abilità. Faccialorda, la sera, tornato dai campi, sull'uscio di casa sua, o passeggiando per la piazza, amava raccontarmi la sua grande avventura americana, felice per sempre della sua vittoria. Era un contadino, in America faceva il muratore. — Un giorno mi dànno da svuotare un tubo di ferro, di quelli che servono per le mine, che era pieno di terra. Io ci batto su con una punta; invece di terra, c'era la polvere, e il tubo mi scoppia in mano. Mi sono un po' sgraffiato qui sul braccio, ma sono rimasto sordo. Si era rotto il timpano. Là in America ci sono le assicurazioni, dovevano pagarmi. Mi fanno una visita, mi dicono di tornare dopo tre mesi. Dopo tre mesi io ci sentivo di nuovo bene, ma avevo avuto l'infortunio, dovevano pagarmi, se c'è la giustizia. Tremila dollari dovevano darmi. Io facevo il sordo: parlavano, sparavano, non sentivo nulla. Mi facevano chiudere gli occhi: io mi dondolavo e mi lasciavo cadere per terra. Quei professori dicevano che non avevo niente, e non volevano darmi l'indennità. Mi fecero un'altra visita, e poi tante altre. Io non sentivo mai nulla, e cadevo per terra: dovevano pur darmi il mio denaro! Siamo andati avanti due anni, che non lavoravo, i professori dicevano di no, io dicevo che non potevo far nulla, che ero rovinato. Poi i professori, i primi professori dell'America si sono convinti, e dopo due anni mi hanno dato i miei tremila dollari. Mi vengono per giustizia. Sono subito tornato a Gagliano, e sto benissimo —. Faccialorda era fiero di aver combattuto da solo contro tutta la scienza, contro tutta l'America, e di aver vinto, lui, piccolo cafone di Gagliano, i professori americani, armato soltanto di ostinazione e di pazienza. Era, del resto, convinto che la giustizia fosse dalla sua parte, che la sua simulazione fosse un atto legittimo. Se qualcuno gli avesse detto che egli aveva truffato i tremila dollari, si sarebbe sinceramente stupito. Io mi guardavo bene dal dirglielo, perché in fondo non gli davo torto; ed egli mi ripeteva con orgoglio la sua avventura, e si sentiva, nel suo cuore, un poco un eroe della povera gente, premiato da Dio nella sua difesa contro le forze nemiche dello Stato. Mi venivano in mente, quando Faccialorda mi raccontava la sua storia, altri italiani incontrati in giro per il mondo, fieri di essersi battuti contro le potenze organizzate della vita civile, e di aver salvato la propria persona contro la volontà assurda dello Stato. Ricordavo fra gli altri un vecchio, incontrato in Inghilterra, a Stratford sull'Avon, il paese di Shakespeare, con un carrettino di gelati tirato da un *poney* infiocchettato e scampanellante. Si chiamava Saracino (sul carretto era scritto Saracine, all'inglese), era di Frosinone, portava ancora gli anelli alle orecchie, e parlava male un italiano romanesco. Appena si accorse che ero un italiano mi raccontò subito che egli era fuggito dall'Italia cinquant'anni prima per non fare il soldato, per non servire il Re d'Italia, e che in Italia non era piú tornato. Con i gelati aveva fatto fortuna: tutti i carretti della provincia erano suoi. I suoi figli avevano studiato, uno era avvocato, l'altro medico: ma quando venne la guerra, nel '14, egli li mandò in Italia perché non servissero il Re d'Inghilterra, e, quando poi, l'anno dopo, anche il Re d'Italia avrebbe potuto prenderli: — Non abbia paura, ci siamo arrangiati, ma il Re non l'abbiamo servito —. Anche pel vecchio Saracino, come per Faccialorda, questa non era un'azione vergognosa, ma la gloria della sua vita. Me la raccontò, felice, frustò il cavallino e partí.

Faccialorda aveva vinto, ma anche lui era tornato, e tra poco, malgrado i denti d'oro, non lo si sarebbe piú distinto dagli altri contadini. A lui il racconto della sua avventura dava ancora un ricordo preciso, per quanto limitato e particolare, dell'America: ma gli altri in breve la dimenticavano: tornava ad essere per loro quello che era stata prima della partenza, e anche, forse, mentre erano laggiú: il paradiso americano. Qualcuno, piú pratico e piú americanizzato, forse come quelli che restano laggiú, ne ho visto a Grassano: ma questi non erano contadini, e badavano con ogni cura a non lasciarsi riprendere dalla vita paesana. Uno, a Grassano, stava seduto su una sedia, ogni giorno, sull'uscio di casa, sulla piazza, a veder passare la gente. Era un uomo di mezza età, alto, magro, vigoroso, con un viso di falchetto, il naso aquilino, la pelle scura. Era vestito sempre di nero, e in testa portava un panama a larghe tese. D'oro non aveva soltanto i denti, ma la spilla della cravatta, i bottoni dei polsini, la catena dell'orologio, i ciondoli, i corni portafortuna, gli anelli, il portasigarette. In America aveva fatto fortuna, faceva il sensale e il commerciante; forse, sospetto, un poco il negriero dei contadini poveri; era abituato a comandare, e guardava ormai con distacco e disprezzo i suoi compaesani. Tuttavia tornava al paese, dove aveva una casa, una volta ogni tre o quattro anni, e si compiaceva di fare sfoggio dei suoi dollari, del suo barbaro inglese e del suo piú barbaro italiano. Ma stava attento a non lasciarsi invischiare. — Qui potrei restarci, — mi diceva, — denaro ne ho abbastanza. Mi potrebbero fare podestà: ci sarebbe da lavorare, in paese, da rifar tutto, all'americana. Ma sarebbe un fallimento, e si perderebbe tutto. I miei affari mi aspettano —. Consultava ogni giorno il giornale, e ascoltava la radio, e quando si fu convinto che tra poco sarebbe scoppiata la guerra d'Africa, fece le sue valige, s'imbarcò sul primo piroscafo, per non rischiare di rimaner bloccato in Italia, e fuggí.

Dopo il '29, l'anno della disgrazia, ben pochi sono tornati da New York, e ben pochi ci sono andati. I paesi di Lucania, mezzi di qua e mezzi di là dal mare, sono rimasti spezzati in due. Le famiglie si sono separate, le donne sono rimaste sole: per quelli di qui, l'America si è allontanata, e con lei ogni possibile salvezza. Soltanto la posta porta continuamente qualcosa che viene di laggiú, che i compaesani fortunati mandano a regalare ai loro parenti. Don Cosimino aveva un gran da fare con questi pacchi: arrivavano forbici, coltelli, rasoi, strumenti agricoli, falcetti, martelli, tenaglie, tutte le piccole macchine della vita comune. La vita di Gagliano, per quello che riguarda i ferri dei mestieri, è tutta americana, come lo è per le misure: si parla, dai contadini, di pollici e di libbre piuttosto che di centimetri o di chilogrammi. Le donne, che filano la lana su vecchi fusi, tagliano il filo con splendidi forbicioni di Pittsburg: i rasoi del barbiere sono i piú perfezionati ch'io abbia mai visto in Italia, e l'acciaio azzurro delle scuri che i contadini portano sempre con sé, è acciaio americano. Essi non sentono alcuna prevenzione contro questi strumenti moderni, né alcuna contraddizione fra di essi e i loro antichi costumi. Prendono volentieri quello che arriva da New York, come prenderebbero volentieri quello che arrivasse da Roma. Ma da Roma non arriva nulla. Non era mai arrivato nulla, se non l'U. E., e i discorsi della radio.

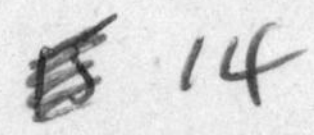

Di discorsi, in quei giorni, se ne sentivano molti, e don Luigino si affaccendava a convocare le sue adunate. Era ormai ottobre, le nostre truppe passavano il Mareb, la guerra d'Abissinia era cominciata. Popolo italiano, in piedi! e l'America si allontanava sempre piú, nelle nebbie dell'Atlantico, come un'isola nel cielo, chissà per quanto tempo, forse per sempre.

Questa guerra non interessava i contadini. La radio tuonava, don Luigino adoperava tutte le ore di scuola che non passava a fumare sulla terrazza, concionando ad altissima voce (lo si sentiva dappertutto) ai ragazzi, e facendogli cantare « Faccetta nera, bella abissina », e raccontava a tutti, in piazza, che Marconi aveva scoperto dei raggi segreti, e che la flotta inglese sarebbe presto saltata tutta per aria. Dicevano anche, lui e l'altro maggiore maestro di scuola, il suo collega della radio, che quella guerra era fatta proprio per loro, per i contadini di Gagliano, che avrebbero avuto finalmente chissà quanta terra da coltivare, e una terra buona, che a seminarla la roba ci cresce da sola. Ahimè, i due maestri parlavano un po' troppo della grandezza di Roma perché i contadini potessero credere a tutto il resto. Scuotevano il capo diffidenti, silenziosi e rassegnati. Quelli di Roma volevano far la guerra, e l'avrebbero fatta fare a loro. Pazienza! Morire sopra un'amba abissina non è poi molto peggio che morire di malaria nel proprio campo, sulla riva del Sauro. Pare che gli studenti delle scuole, i ragazzi della Gil, i maestri e le maestre di scuola, le dame della Croce Rossa, le Madri e le Vedove dei caduti milanesi, le signore fiorentine, i droghieri, i negozianti, i pensionati, i giornalisti, i poliziotti, gli impiegati dei Ministeri di Roma, insomma tutto quello che si usa chiamare il Popolo italiano, fossero in quei giorni pervasi da un'onda beatificante di entusiasmo e di gloria. Io, a Gagliano, non ero in condizioni di constatarlo. I contadini erano piú muti, tristi e cupi del solito. Di quella terra promessa, che bisognava prima togliere a quelli che l'avevano (e istintivamente pareva loro che questo non fosse giusto, e non dovesse portar bene) non si fidavano. Quelli di Roma non avevano l'abitudine di far qualcosa per loro: anche questa impresa, malgrado le chiacchiere, doveva avere qualche altro scopo, che non li riguardava. — Se quelli di Roma hanno denaro da spendere per la guerra, perché non aggiustano prima il ponte sull'Agri, che è caduto da quattro anni, e nessuno ci pensa a rifarlo? Potrebbero anche arginare il fiume, farci qualche nuova fontana, piantare degli alberi nei boschi invece di tagliare quei pochi che rimangono. Di terra ne abbiamo anche qui: è tutto il resto che ci manca —. Perciò pensavano alla guerra come a una delle solite disgrazie inevitabili, come alle imposte o alla tassa delle capre. Non avevano paura di dover partire soldati. — Vivere qui come cani, — dicevano, — o morire come cani laggiú, è la stessa cosa —. Ma nessuno, tranne il marito di donna Caterina, si presentò volontario. Del resto, si capí presto che non soltanto gli scopi, ma anche la condotta della guerra riguardava quell'altra Italia, di là dai monti, e aveva poco a che fare con i contadini. I richiamati erano pochi, due o tre in tutto il paese, piú qualche soldato di leva, e un giovanotto, don Nicola, figlio di un prete, allevato dai frati di Melfi, e sottufficiale di carriera, che aveva dovuto partire tra i primi. Qualcuno dei piú miserabili, dei contadini senza terra che non avevano nulla da mangiare, allettati dai discorsi di don Luigino e dalla promessa di alti salari, avevano chiesto di andare come operai: ma le loro domande rimasero sempre senza risposta. — Non sanno che farsene di noi, — mi dicevano questi poveri cafoni. — Non ci vogliono nemmeno a lavorare. La guerra è fatta per quelli del nord. Noi dobbiamo crepare di fame in casa nostra. E in America non ci si andrà mai piú.

Il 3 ottobre fu dunque una giornata squallida. All'adunata in piazza, una ventina di contadini, racimolati a fatica dai carabinieri e dagli avanguardisti del podestà, ascoltavano imbambolati le parole storiche della radio. Don Luigino aveva fatto imbandierare il municipio, la scuola, le case dei Signori: le bandiere tricolori ondeggiavano al vento, nel sole, frammischiate, coi loro colori stranamente vivaci, ai funebri stendardi neri delle case dei contadini. Fecero suonare anche le campane, che il campanaro intonò, al solito, sulla sua lugubre aria di morte. La guerra allegra incominciò, in quella indifferente tristezza. Don Luigino venne al balcone del municipio, e parlò. Disse della grandezza immortale di Roma, dei sette colli, della lupa, delle legioni romane, della civiltà di Roma, dell'Impero di Roma che si sarebbe rinnovato. Disse che tutti ci odiavano per la nostra grandezza, ma che i nemici di Roma avrebbero morso la polvere, e che noi avremmo ripercorso in trionfo le vie consolari di Roma, perché Roma era eterna, invincibile. Disse ancora, con la sua vocetta acuta, molte altre cose di Roma, che non ricordo: poi aprí la bocca e si mise a cantare «Giovinezza», facendo cenni imperiosi con le mani ai ragazzi della scuola, perché, dalla piazza, lo accompagnassero in coro. Attorno a lui, sul balcone, c'era il brigadiere e i Signori, e cantavano tutti, tranne il dottor Milillo che non era d'accordo. In basso, contro il muro, quei pochi contadini ascoltavano in silenzio, parandosi il sole, che batteva loro negli occhi, con la mano, foschi e neri come uccelli notturni. Vicino al podestà, di fianco al balcone, sul muro della facciata del municipio, spiccava bianca la lapide di marmo con i nomi dei morti della grande guerra. Erano molti, per un paese cosí piccolo: quasi una cinquantina: c'erano tutti i nomi delle famiglie gaglianesi, i Rubilotto, i Carbone, i Guarini, i Bonelli, i Carnovale, i Racioppi, i Guerrini, non ne mancava nessuno. Di certo, o direttamente, o attraverso i fratel-cugini o i compari di San Giovanni, nessuna casa era stata senza un morto; e piú erano i feriti, i malati, e quelli che avevano combattuto e se l'erano cavata senza danno. Perché, nelle mie conversazioni con i contadini, nessuno me ne parlava mai, né mai si faceva cenno a quella guerra, né alle imprese allora compiute, né ai paesi visti, né alle fatiche sofferte? Il solo che me ne aveva detto qualcosa era il barbiere-cavadenti; e ne aveva accennato soltanto per mostrarmi come e dove avesse imparato la sua arte, quando faceva il portaferiti sul Carso. Anche la grande guerra, cosí sanguinosa e ancora cosí vicina, non interessava i contadini: l'avevano subita, e ora era come l'avessero dimenticata. Nessuno usava vantare le proprie glorie, raccontare ai propri figli le battaglie combattute, mostrare le ferite o lagnarsi dei patimenti. Se io li interrogavo, rispondevano brevi e indifferenti. Era stata una grande disgrazia, si era sopportata come le altre. Anche quella era stata una guerra di Roma. Anche allora si seguivano i tre colori, che qui sembrano strani, i colori araldici di un'altra Italia, incomprensibile, volontaria e violenta, quel rosso allegramente sfacciato e quel verde cosí assurdo quaggiú, dove anche gli alberi sono grigi, e l'erba non cresce sulle argille. Quei colori, e tutti gli altri, sono imprese nobiliari, stanno bene sugli scudi dei Signori, o sui gonfaloni delle città. Che cosa hanno a che fare con quelli i contadini? Il loro colore è uno solo, quello stesso dei loro occhi tristi e dei loro vestiti, e non è un colore, ma è l'oscurità della terra e della morte. Neri sono i loro stendardi, come la faccia della Madonna. Le altre bandiere sono i colori variopinti di quell'altra civiltà, spinta al moto e alla conquista, sulle vie della Storia; e di cui essi non fanno parte. Ma poiché essa è piú forte, e organizzata, e potente, essi devono subirla: oggi si moriva, non per noi, in Abissinia, come ieri sull'Isonzo o sul Piave, come prima, per secoli e secoli, dietro i piú vari colori, in tutte le terre del mondo. Andavo leggendo, in quei giorni, una vecchia storia di Melfi, del Del Zio, trovata frugando tra vecchi libri nella casa del dottor Milillo, dove andavo quasi ogni giorno a prendere il caffè, e a chiacchierare con Margherita e Maria, le due ragazze, sempre piú baffute, ingenue e spiritate. Il libro è della seconda metà del secolo scorso, e vi si racconta, fra le glorie locali, che viveva ancora in quegli anni, a Melfi, un vecchio contadino con una gamba di legno. Era stato arruolato nell'esercito di Napoleone, e aveva perduta la sua gamba al passaggio della Beresina. Per piú di mezzo secolo, il contadino zoppicò sui selciati di Melfi, portando su di sé, per i suoi concittadini, l'assurdo segno di una civiltà, che l'aveva marcato per sempre, e che egli ignorava. Che cosa importava a un contadino di Melfi della Russia e dell'imperatore dei francesi? La Storia, avrebbe detto baroccamente Victor Hugo, gli aveva preso una gamba, ed egli non sapeva neppure che cosa essa fosse. La Storia, del resto, questa Storia altrui a cui questi paesi si sono sempre dovuti rassegnare, aveva lasciato ai concittadini dello zoppo dei segni anche peggiori: poiché la rovina di Melfi, che era una città fiorente e popolosa, fu dovuta al fatto che un capitano francese, in guerra con gli spagnoli di Carlo V su per quelle montagne, decise a caso di serrarvicisi dentro con le sue soldatesche. Gli spagnoli di Pietro Navarro, agli ordini del Lautrec, assediarono Melfi, la presero, ammazzarono tutti i cittadini che trovarono, e che non sapevano neppure che cosa fossero Francia e Spagna, Francesco I e Carlo V, rasero al suolo le case, e regalarono quel poco che rimaneva a Filippo d'Orange, e poco dopo, in compenso delle sue vittorie marinare, al genovese Andrea Doria, che essi conoscevano ancora meno. Il genovese non si scomodò mai a visitare i suoi vassalli, e cosí fecero i suoi eredi, limitandosi a mandare degli esattori che ne cavassero tutto il denaro possibile. Cosí, per gli imperscrutabili voleri di una Storia che non li riguardava, i contadini di Melfi caddero, per tutti i secoli che seguirono, nella piú nera miseria. Quanta gente, mossa da motivi ignoti, è passata, come i francesi e gli spagnoli, su queste terre? È ben naturale che i contadini dopo migliaia di anni di ripetute, uguali esperienze, non si entusiasmino delle guerre, diffidino di tutte le bandiere, lascino, in silenzio, che don Luigino canti, dal balcone, le glorie di Roma.

Gli Stati, le Teocrazie, gli Eserciti organizzati sono naturalmente piú forti del popolo sparso dei contadini: questi devono perciò rassegnarsi ad essere dominati: ma non possono sentire come proprie le glorie e le imprese di quella civiltà, a loro radicalmente nemica. Le sole guerre che tocchino il loro cuore sono quelle che essi hanno combattuto per difendersi contro quella civiltà, contro la Storia, e gli Stati, e la Teocrazia e gli Eserciti. Sono le guerre combattute sotto i loro neri stendardi, senz'ordine militare, senz'arte e senza speranza: guerre infelici e destinate sempre ad essere perdute; feroci e disperate, e incomprensibili agli storici.

I contadini di Gagliano non si appassionavano alla conquista dell'Abissinia, non si ricordavano piú della guerra mondiale e non parlavano dei suoi morti: ma una guerra era in cima ai cuori di tutti, e su tutte le bocche, trasformata già in leggenda, in fiaba, in racconto epico, in mito: il brigantaggio. La guerra dei briganti è praticamente finita nel 1865; erano dunque passati settant'anni, e soltanto pochi vecchissimi potevano esserci stati, partecipi o testimoni, e in grado di ricordare personalmente quelle imprese. Ma tutti, vecchi e giovani, uomini e donne, ne parlavano come di cosa di ieri, con una passione presente e viva. Quando conversavo con i contadini, potevo esser certo che, qualunque fosse l'argomento del discorso, saremmo presto scivolati, in qualche modo, a parlare dei briganti. Tutto li ricorda: non c'è monte, burrone, bosco, pietra, fontana o grotta, che non sia legata a qualche loro impresa memorabile, o che non abbia servito di rifugio o di nascondiglio; non c'è luogo nascosto che non gli servisse di ritrovo; non c'è cappelletta in campagna dove non lasciassero le loro lettere minatorie e non aspettassero i riscatti. I luoghi, come la Fossa del Bersagliere, hanno preso nome da loro o dai loro fatti. Non c'è famiglia che non abbia parteggiato, allora, per i briganti o contro i briganti; che non abbia avuto qualcuno, con loro, alla macchia, che non ne abbia ospitato o nascosto, o che non abbia avuto qualche parente massacrato o qualche raccolto incendiato da loro. A quel tempo risalgono gli odî che dividono il paese, tramandati per le generazioni, e sempre attuali. Ma, salvo poche eccezioni, i contadini erano tutti dalla parte dei briganti, e, col passare del tempo, quelle gesta che avevano cosí vivamente colpito le loro fantasie, si sono indissolubilmente legate agli aspetti familiari del paese, sono entrate nel discorso quotidiano, con la stessa naturalezza degli animali e degli spiriti, sono cresciute nella leggenda e hanno assunto la verità certa del mito. Non intendo, qui, fare un elogio del brigantaggio, come pare che sia diventato di moda, da qualche tempo, da parte di letterati estetizzanti, o di politici in malafede. Giudicato da un punto di vista storico, nel complesso del Risorgimento italiano, il brigantaggio non può essere difeso. Da un punto di vista liberale e «progressista», quello appare l'ultimo sussulto del passato, che andava spietatamente stroncato, un movimento funesto e feroce, nemico dell'unità, della libertà e della vita civile. E lo fu realmente, nella sua realtà di guerra fomentata e alimentata dai Borboni, dalla Spagna, e dal Papa, per i loro particolari motivi. Ma il brigantaggio dei contadini è un altro: a guardarlo da quel punto di vista non solo non si può giustificarlo, ma non si riesce nemmeno ad intenderlo. Del resto, neanche i contadini lo giudicano e lo difendono, e quando ne parlano con tanta passione, non se ne gloriano. I suoi motivi storici, e gli interessi dei Borboni e del Papa o dei feudatari, essi non li conoscono. Anche per loro, quella è una storia triste, desolata e raccapricciante. Soltanto, sta ad essi nel cuore; fa parte della loro vita, è il fondo poetico della loro fantasia, è la loro cupa, disperata, nera epopea. Anche il loro aspetto, oggi, richiama l'immagine antica del brigante: oscuri, chiusi, solitari, aggrondati, col cappello nero e il vestito nero, e, d'inverno, il mantello; sempre armati, quando vanno nei campi, con il fucile e la scure. Il loro cuore è mite, e l'animo paziente. Secoli di rassegnazione pesano sulle loro schiene, e il senso della vanità delle cose, e della potenza del destino. Ma quando, dopo infinite sopportazioni, si tocca il fondo del loro essere, e si muove un senso elementare di giustizia e di difesa, allora la loro rivolta è senza limiti, e non può conoscere misura. È una rivolta disumana, che parte dalla morte e non conosce che la morte, dove la ferocia nasce dalla disperazione. I briganti difendevano, senza ragione e senza speranza, la libertà e la vita dei contadini, contro lo Stato, contro tutti gli Stati. Per loro sventura si trovarono ad essere inconsapevoli strumenti di quella Storia che si svolgeva fuori di loro; a difendere la causa cattiva, e furono sterminati. Ma, col brigantaggio, la civiltà contadina difendeva la propria natura, contro quell'altra civiltà che le sta contro e che, senza comprenderla, eternamente la assoggetta: perciò, istintivamente, i contadini vedono nei briganti i loro eroi. La civiltà contadina è una civiltà senza Stato, e senza esercito: le sue guerre non possono essere che questi scoppi di rivolta; e sono sempre, per forza, delle disperate sconfitte; ma essa continua tuttavia, eternamente, la sua vita, e dà ai vincitori i frutti della terra, ed impone le sue misure, i suoi dèi terrestri, e il suo linguaggio.

Parlavo con i contadini, e ne guardavo i visi, e le forme: piccoli, neri, con le teste rotonde, i grandi occhi e le labbra sottili, nel loro aspetto arcaico essi non avevano nulla dei romani, né dei greci, né degli etruschi, né dei normanni, né degli altri popoli conquistatori passati sulla loro terra, ma mi ricordavano le figure italiche antichissime. Pensavo che la loro vita, nelle identiche forme di oggi, si svolgeva uguale nei tempi piú remoti, e che tutta la storia era passata su di loro senza toccarli. Delle due Italie che vivono insieme sulla stessa terra, questa dei contadini è certamente quella piú antica, che non si sa donde sia venuta, che forse c'è stata sempre. *Humilemque vidimus Italiam*: questa era l'umile Italia, come appariva ai conquistatori asiatici, quando sulle navi di Enea doppiavano il capo di Calabria. E pensavo che si dovrebbe scrivere una storia di questa Italia, se è possibile scrivere una storia di quello che non si svolge nel tempo: la sola storia di quello che è eterno e immutabile, una mitologia. Questa Italia si è svolta nel suo nero silenzio, come la terra, in un susseguirsi di stagioni uguali e di uguali sventure, e quello che di esterno è passato su di lei, non ha lasciato traccia, e non conta. Soltanto alcune volte essa si è levata per difendersi da un pericolo mortale, e queste sole, e naturalmente fallite, sono le sue guerre nazionali. La prima di esse è quella di Enea. Una storia mitologica deve avere delle fonti mitologiche; e in questo senso, Virgilio è un grande storico. I conquistatori fenici, che venivano da Troia, portavano con sé tutti i valori opposti a quelli della antica civiltà contadina. Portavano la religione e lo Stato, e la religione dello Stato. La *pietas* di Enea non poteva essere capita dagli antichi italiani, che vivevano nei campi con gli animali. E portavano l'esercito, le armi, gli scudi, l'araldica e la guerra. La loro religione era feroce, comportava i sacrifici umani: sulla pira di Pallante, il pio Enea sgozza i prigionieri, come sacrificio ai suoi dèi dello Stato. Ma quegli italiani antichissimi invece, erano contadini, senza religione e senza sacrificio. Quando i troiani furono in Italia, trovarono dunque una irreducibile ostilità negli abitanti della terra, derivante dalla assoluta differenza di civiltà. E difatti, Enea si trovò degli alleati nelle sole popolazioni non contadine, negli etruschi, anch'essi venuti, come lui, dall'oriente, anch'essi forse, come lui, semitici, e anch'essi retti a teocrazia militare. E, con l'aiuto di questi alleati, cominciò la guerra. Da un lato c'era un esercito, con armi splendenti forgiate dagli dèi; dall'altro, come le descrive Virgilio, c'erano delle bande di contadini, a cui nessun dio aveva dato delle armi, ma che impugnavano a propria difesa le scuri, le falci e i coltelli del loro lavoro quotidiano. Erano anch'essi dei briganti, pieni di valore, e, ahimè, non potevano vincere. L'Italia fu assoggettata, quell'umile Italia

> per cui morí la vergine Cammilla
> Eurialo e Turno e Niso di ferute.

Poi venne Roma, e perfezionò la teocrazia statale e militare dei suoi fondatori troiani, che, vincitori, avevano però dovuto accogliere la lingua e il costume dei vinti. E Roma si urtò anch'essa nella difesa contadina, e la lunga serie delle guerre italiche fu il piú duro ostacolo al suo cammino. Anche qui gli italiani dovevano militarmente perdere, ma salvarono tuttavia la loro natura, e non si mescolarono ai vincitori. Dopo questa seconda guerra nazionale, la civiltà contadina, chiusa nell'ordine romano, restò come addormentata nella sua pazienza. La civiltà feudale che, col passare di secoli, di eventi e di genti diverse, seguí, non era certo una civiltà di contadini: ma tuttavia era legata alla terra, ai confini del feudo, e perciò meno contraddittoria al non-Stato rurale. Si può dunque capire perché gli Svevi siano ancora oggi cosí popolari presso i contadini, che parlano di Corradino come di un loro eroe nazionale, e ne piangono la morte. Certo, dopo la sua caduta, questa terra, che allora fioriva, entrò nella piú triste rovina.

La quarta guerra nazionale dei contadini è il brigantaggio. Anche qui, l'umile Italia storicamente aveva torto, e doveva perdere. Non aveva armi forgiate da Vulcano, né cannoni, come l'altra Italia. E non aveva dèi: che cosa poteva fare una povera Madonna dal viso nero contro lo Stato Etico degli hegeliani di Napoli? Il brigantaggio non è che un accesso di eroica follia, e di ferocia disperata: un desiderio di morte e di distruzione, senza speranza di vittoria. — Vorrei che il mondo avesse un solo cuore; glielo strapperei, — disse un giorno Caruso, uno dei piú tremendi capibanda.

Questo desiderio cieco di distruzione, questa volontà di annichilimento, sanguinosa e suicida, cova per secoli sotto la mite pazienza della fatica quotidiana. Ogni rivolta contadina prende questa forma, sorge da una volontà elementare di giustizia, nascendo dal nero lago del cuore. Dopo il brigantaggio, queste terre hanno ritrovato una loro funebre pace; ma ogni tanto, in qualche paese, i contadini, che non possono trovare nessuna espressione nello Stato, e nessuna difesa nelle leggi, si levano per la morte, bruciano il municipio o la caserma dei carabinieri, uccidono i signori, e poi partono, rassegnati, per le prigioni.

Di veri briganti, di quelli del '60, non ce n'è quasi piú. Uno ne vive, mi raccontò la Giulia, qui vicino, a Missanello. È un vecchio di novant'anni, con una gran barba bianca, ed è un santo. Era stato un temuto capo di bande. Ora vive nel paese, onorato dai contadini come un patriarca; si ricorre a lui per consigli in tutti i casi difficili della vita. Mi dispiace di non essere mai potuto andare a conoscerlo. Un altro lo incontrai un giorno a Grassano. Ero nella bottega di Antonino Roselli, il mio segretario-barbiere-flautista, e mi facevo radere, quando entrò un vecchio robusto dal viso colorito, dai grossi baffi bianchi e dal portamento fiero, dagli arditi occhi azzurri, vestito di velluto alla cacciatora: non l'avevo mai visto in paese. Rimase, aspettando il suo turno, a fumare la pipa, e mi chiese chi ero. — Un esiliato? — mi disse anche lui, come gli altri, quando gli ebbi risposto. — A Roma non ti vogliono bene —. Gli chiesi quanti anni avesse: — Molti, — mi disse, — ero giovane al tempo dei briganti. Avevo quindici anni, quando, con mio fratello, ammazzammo il carabiniere. Hai visto quella quercia vecchia, che è sulla strada, un duecento metri prima di arrivare in paese? Fu là che lo incontrammo, e voleva fermarci, e fummo costretti a ucciderlo. Il corpo lo nascondemmo nel fosso: ma lo trovarono presto. Mio fratello lo presero subito, e morí qualche anno dopo, nelle carceri di Napoli. Io mi nascosi in paese. Rimasi, vestito da donna, per sette mesi, proprio qui, nella stanza che è sopra questa bottega di Antonino. Poi mi scoprirono: ma, siccome ero cosí giovane, me la cavai con quattro anni —. Il vecchio brigante era contento e in pace con se stesso: quell'antico omicidio non gli pesava sulla coscienza, lo raccontava come un'azione inevitabile e naturale. Era la guerra.

— Vede quel signore che passa ora sulla strada? — mi diceva il barbiere, mostrandomelo attraverso la porta aperta. — È don Pasquale, un proprietario. Suo nonno aveva una grossa masseria, e quando vennero i briganti, non volle dar nulla, né grano né bestie. I briganti allora gli bruciarono la casa in campagna; e lui, peggio, si mise con i carabinieri a far la posta. Allora i briganti lo presero, e mandarono a dire a sua moglie che, se lo rivoleva, doveva pagare la taglia, cinquemila lire, entro due giorni. La famiglia non voleva tirar fuori il denaro, speravano di farlo liberare dai soldati. Il terzo giorno, arriva alla moglie una busta. Dentro c'era un orecchio di suo marito.

I briganti tagliavano le orecchie, il naso e la lingua dei Signori, per farsi pagare i riscatti. I soldati tagliavano la testa ai briganti che riuscivano ad acciuffare, e le attaccavano su dei pali, nei paesi, perché servissero di esempio. Cosí continuava questa guerra di distruzione. Il terreno su questi monti d'argilla, è tutto scavato di buche e di grotte naturali. Qui si riparavano i briganti e qui, negli alberi cavi delle foreste, nascondevano i denari delle taglie e quelli rapinati nelle case dei ricchi. Quando le bande furono disperse, e i briganti tutti uccisi o imprigionati, quei tesori nascosti rimasero nella terra e nei boschi. Questo è uno dei punti dove la storia dei briganti diventa leggenda, e si lega a credenze antichissime. I briganti misero dei tesori reali dove la fantasia contadina aveva sempre favoleggiato la loro esistenza: cosí i briganti divennero tutt'uno con le oscure potenze sotterranee.

15

Tante genti sono passate su queste terre, che qualcosa si trova davvero, e dappertutto, scavando con l'aratro. Antichi vasi, statuette e monete escono al sole, sotto la vanga, da qualche antica tomba. Anche don Luigino ne possedeva, trovati in un suo campo, verso il Sauro: monete corrose, che non potei stabilire se fossero greche o romane, e alcuni vasetti neri, non figurati, di forme elegantissime. Di tesori dei briganti, ne vidi uno io stesso, assai modesto. L'aveva trovato per caso il falegname Lasala, che me lo mostrò. Aveva messo una sera un grosso ceppo nel focolare, e al chiarore delle fiamme s'era accorto di qualcosa che luccicava nel legno. Erano pochi scudi borbonici d'argento, nascosti in un buco di quel vecchio tronco.

Ma, per i contadini, queste non sono che briciole degli immensi tesori celati nelle viscere della terra. Per loro i fianchi dei monti, il fondo delle grotte, il fitto delle foreste sono pieni di oro lucente, che aspetta il fortunato scopritore. Soltanto, la ricerca dei tesori non va senza pericoli, perché è opera diabolica, e si toccano delle potenze oscure e spaventose. È inutile frugare a caso la terra: i tesori non compaiono che a colui che deve trovarli. E per sapere dove sono, non ci sono che le ispirazioni dei sogni, se non si ha avuto la fortuna di essere guidati da uno degli spiriti della terra che li custodiscono, da un *monachicchio*.

Il tesoro appare in sogno, al contadino addormentato, in tutto il suo sfolgorío. Lo si vede, una catasta d'oro, e si vede il luogo preciso, là nel bosco, vicino a quell'albero d'ilice con quel segno sul tronco, sotto quella gran pietra quadrata. Non c'è che andare a prenderlo. Ma bisogna andare di notte: di giorno il tesoro sfumerebbe. Bisogna andarci soli, e non confidarsi con anima viva: se sfugge una sola parola, il tesoro si perde. I pericoli sono spaventosi, nel bosco si aggirano gli spiriti dei morti: ben pochi animi sono cosí arditi da mettersi al cimento, e da portarlo, senza vacillare, a buon fine. Un contadino di Gagliano, che abitava non lontano da casa mia, aveva visto in sogno un tesoro. Era nella foresta di Accettura, poco sotto Stigliano. Si fece coraggio e partí nella notte: ma quando fu circondato dagli spiriti, nell'ombra nera, il cuore gli tremò nel petto. Vide tra gli alberi un lume lontano: era un carbonaio, un uomo senza paura, come tutti i carbonai, e calabrese: passava la notte nel bosco vicino alle sue fosse da carbone. La tentazione, per il povero contadino atterrito, fu troppo forte: egli non poté fare a meno di raccontare al carbonaio il suo sogno, e di pregarlo di assisterlo nella ricerca. Si misero dunque insieme a cercare la pietra vista in sogno, il contadino un po' rinfrancato dalla compagnia, e il calabrese pieno di coraggio, e armato della sua roncola. Trovarono la pietra: tutto era esattamente come in sogno. Per fortuna erano in due: il masso era pesantissimo, e a fatica potevano smuoverlo. Quando furono riusciti ad alzarlo, apparve una grossa buca nella terra: il contadino si affacciò, e vide nel fondo luccicare l'oro, una straordinaria quantità di oro. Le pietruzze smosse del terreno battevano cadendo sulle monete, con un suono metallico che riempiva di delizia il suo cuore. Si trattava ora di calarsi nella fossa profonda e di prendere il tesoro, ma qui al contadino mancò di nuovo il coraggio, e disse al suo compagno di scendere e di porgergli il denaro, che lui, di sopra, avrebbe messo nel suo sacco: poi l'avrebbero spartito. Il carbonaio, che non temeva né diavoli né spiriti, scese nella fossa: ma ecco, tutto quel giallo lucente si era fatto nero ed opaco, tutto l'oro, d'un tratto, s'era mutato in carbone.

È molto piú facile e meno delusivo che non seguendo le indicazioni dei sogni, trovare un tesoro quando si riesce a farsene insegnare il nascondiglio, e a farcisi accompagnare da uno dei piccoli esseri che conoscono i segreti della terra. I monachicchi sono gli spiriti dei bambini morti senza battesimo: ce ne sono moltissimi qui, dove i contadini tardano spesso molti anni a battezzare i propri figli. Quando mi chiamavano a curare qualche ragazzo, magari di dieci o dodici anni, la prima domanda della madre era: — C'è pericolo che muoia? Perché allora chiamerò subito il prete per battezzarlo. Non s'è ancora fatto, finora: ma se dovesse morire, non sia mai —. I monachicchi sono esseri piccolissimi, allegri, aerei: corrono veloci qua e là, e il loro maggior piacere è di fare ai cristiani ogni sorta di dispetti. Fanno il solletico sotto i piedi agli uomini addormentati, tirano via le lenzuola dei letti, buttano sabbia negli occhi, rovesciano bicchieri pieni di vino, si nascondono nelle correnti d'aria e fanno volare le carte, e cadere i panni stesi in modo che si insudicino, tolgono la sedia di sotto alle donne sedute, nascondono gli oggetti nei luoghi piú impensati, fanno cagliare il latte, dànno pizzicotti, tirano i capelli, pungono e fischiano come zanzare. Ma sono innocenti: i loro malanni non sono mai seri, hanno sempre l'aspetto di un gioco, e, per quanto fastidiosi, non ne nasce mai nulla di grave. Il loro carattere è una saltellante e giocosa bizzarria, e sono quasi inafferrabili. Portano in capo un cappuccio rosso, piú grande di loro: e guai se lo perdono: tutta la loro allegria sparisce ed essi non cessano di piangere e di desolarsi finché non l'abbiano ritrovato. Il solo modo di difendersi dai loro scherzi è appunto di cercare di afferrarli per il cappuccio: se tu riesci a prendergliclo, il povero monachicchio scappucciato ti si butterà ai piedi, in lagrime, scongiurandoti di restituirglielo. Ora, i monachicchi, sotto i loro estri e la loro giocondità infantile, nascondono una grande sapienza: essi conoscono tutto quello che c'è sotterra, sanno il luogo nascosto dei tesori. Per riavere il suo cappuccio rosso, senza cui non può vivere, il monachicchio ti prometterà di svelarti il nascondiglio di un tesoro. Ma tu non devi accontentarlo fino a che non ti abbia accompagnato; finché il cappuccio è nelle tue mani, il monachicchio ti servirà, ma appena riavrà il suo prezioso copricapo, fuggirà con un gran balzo, facendo sberleffi e folli salti di gioia, e non manterrà la sua promessa.

Questa specie di gnomi o di folletti si vedono frequentemente, ma acchiapparli è difficilissimo. La Giulia ne aveva visti, e la sua amica la Parroccola anche, e molti contadini di Gagliano: ma nessuno di loro aveva potuto afferrare il cappuccio, e obbligare il monachicchio ad accompagnarli al tesoro. A Grassano c'era un giovanotto sui vent'anni, un manovale robusto, Carmelo Coiro, dalla faccia quadrata e bruciata dal sole, che veniva spesso, la sera, a bere un bicchiere di vino all'albergo di Prisco. Faceva l'operaio, lavorava a giornata nei campi, o nei lavori stradali: ma la sua passione, il suo ideale sarebbe stato di fare il corridore ciclista. Aveva letto delle imprese di Binda e di Guerra, la sua fantasia s'era accesa, e, su una sua vecchia bicicletta sgangherata, passava tutte le ore libere, e le domeniche, a correre, per allenarsi sulle tremende salite e sulle giravolte delle strade attorno al paese: si spingeva talvolta, nella polvere e nel caldo, fino a Matera, o fino a Potenza, e davvero non gli mancava né la forza, né la pazienza, né il fiato. Voleva andare nel nord in bicicletta, e diventare corridore. Quando gli dissi che se si fosse deciso avrei potuto indirizzarlo a un mio conoscente, giornalista sportivo, amico personale e biografo del grande Alfredo Binda, Carmelo credette di aver raggiunto il colmo della felicità: e lo vedevo sempre ricomparire, col viso pieno di speranza, nella cucina di Prisco. In quei giorni, Carmelo lavorava, con una squadra di operai, a riattare la strada che porta ad Irsina, lungo il Bilioso, un torrentaccio malarico che corre fra le pietre per buttarsi piú lontano, dopo Grottole, nel Basento. I badilanti usavano, nelle ore del maggior caldo, quando era impossibile lavorare, ritirarsi a dormire in una grotta naturale, una delle molte che bucano, in quel vallone, tutto il terreno, e che erano state, un tempo, il rifugio preferito dei briganti. Ma nella grotta c'era un monachicchio: lo spiritello bizzarro cominciò a fare i suoi dispettucci a Carmelo e ai suoi compagni: appena si erano appisolati, mezzi morti di fatica e di caldo, li tirava pel naso, li solleticava con delle pagliuzze, buttava dei sassi, li spruzzava con dell'acqua fredda, nascondeva le loro giacche o le loro scarpe, non li lasciava dormire, fischiava, saltellava dappertutto: era un tormento. Gli operai lo vedevano comparire fulmineo qua e là per la grotta, col suo grande cappuccio rosso, e cercavano in tutti i modi di prenderlo: ma quello era piú svelto di un gatto e piú furbo di una volpe: si persuasero presto che rubargli il cappuccio era cosa impossibile. Decisero allora, per poter in qualche modo difendersi dai suoi giochi fastidiosi, e prendere un po' di riposo, di lasciare a turno uno di loro di sentinella mentre gli altri dormivano, con l'incarico di tenere almeno lontano il monachicchio, se la fortuna non consentiva di afferrarlo. Tutto fu inutile: quell'inafferrabile folletto continuava i suoi dispetti come prima, ridendo allegramente della rabbia impotente degli operai. Disperati, essi ricorsero allora all'ingegnere che dirigeva i lavori: era un signore istruito, e forse sarebbe riuscito meglio di loro a domare il monachicchio scatenato. L'ingegnere venne, accompagnato dal suo assistente, un capomastro: tutti e due armati col fucile da caccia a due canne. Al loro arrivo il monachicchio si mise a fare sberleffi e risate, dal fondo della grotta, dove tutti lo vedevano benissimo, e saltava come un capretto. L'ingegnere imbracciò il fucile, che aveva caricato a palla, e lasciò partire un colpo. La palla colpí il monachicchio, e rimbalzò indietro verso quello che l'aveva tirata, e gli sfiorò il capo con un fischio pauroso, mentre lo spiritello saltava sempre piú in alto, in preda a una folle gioia. L'ingegnere non tirò il secondo colpo: ma si lasciò cadere il fucile di mano: e lui, il capomastro, gli operai e Carmelo, senza aspettar altro, fuggirono terrorizzati. Da allora quei manovali si riposano all'aperto, sotto il sole, coprendosi il viso col cappello: anche tutte le altre grotte dei briganti, in quei dintorni di Irsina, erano piene di monachicchi, ed essi non osarono piú metterci piede.

Carmelo, del resto, con quella sua aria atletica e ostinata, non era nuovo a questi strani incontri. Qualche mese prima, mi raccontò, egli tornava, a notte fatta, dal Bilioso verso casa sua, su in paese. Era con lui suo zio, sergente della guardia di finanza. Anch'io l'avevo conosciuto, questo buon sottufficiale, quand'era venuto in licenza. Zio e nipote dunque risalivano la valle, lungo il sentiero ripido, dove io andavo spesso, in quei giorni, a passeggiare e a dipingere. Era una sera d'inverno, faceva freddo, il cielo era coperto di nuvole e il buio era completo. Erano stati a pescare nel Bilioso, lontano, sotto Irsina, si erano attardati, e la notte li aveva colti. Ma lo zio aveva con sé la sua pistola automatica, una Mauser a ventiquattro colpi, e perciò camminavano tranquilli, senza paura di cattivi incontri. Quando furono a mezza salita, dove ci sono quelle due querce, vicino a una casa colonica, videro farsi loro incontro, in mezzo al sentiero, un grosso cane. Lo riconobbero: era il cane di un contadino loro amico, che abitava appunto lí, nella masseria. Il cane abbaiava minaccioso, non voleva lasciarli passare. Lo chiamarono per nome, cercarono di blandirlo, poi di minacciarlo: non c'era verso: quella bestia sembrava arrabbiata, e si avventava con la bocca aperta per morderli. I due se la videro brutta; e poiché non c'era altro mezzo di salvarsi, lo zio tirò fuori la sua arma, e lasciò partire tutta la scarica dei suoi ventiquattro colpi. Il cane, ad ogni colpo, apriva smisuratamente la sua gran bocca rossa, ingoiava le palle, ad una ad una, come fossero pagnotte, e ad ogni colpo cresceva di grandezza, gonfiava, diventava enorme e sempre piú si faceva loro addosso furioso. I due si sentirono perduti: ma in quel momento si ricordarono di san Rocco e della Madonna di Viggiano; e, chiamandoli in soccorso, fecero un gran segno di croce. Il cane, che era ormai gigantesco, grande come una casa, si fermò di colpo: le ventiquattro palle, nel suo stomaco, esplosero ad una ad una, con fragore spaventoso, finché la bestia scoppiò come una bolla di sapone e si dileguò per l'aria. Il sentiero era libero, e zio e nipote arrivarono presto a casa della madre di Carmelo. La vecchia era una strega, e le avveniva spesso di conversare con le anime dei morti, di incontrare monachicchi, e di intrattenersi con dei veri diavoli, nel cimitero. Era una contadina magra, pulita, e di buon umore.

L'aria, su queste terre deserte, e fra queste capanne, è tutta piena di spiriti. Ma non sono tutti maligni e bizzarri come i monachicchi, né malvagi come i demonî. Ci sono anche degli spiriti buoni e protettori, degli angeli.

Una sera, sull'imbrunire, verso la fine d'ottobre, venne da me un contadino per farsi rinnovare la medicatura di un ascesso. Io buttai in terra, nel mio studio, le bende e il cotone sporchi, e chiamai la Giulia perché li scopasse via. La Giulia aveva, in questo, l'abitudine gaglianese, di buttare le spazzature, attraverso la porta, in mezzo alla strada. Tutti fanno cosí, e ci pensano poi i maiali a far pulizia. Ma quella sera mi avvidi che la donna radunava quei rifiuti in un mucchietto, e lo lasciava in casa, vicino all'uscio. Le chiesi perché li conservasse: non era certo uno scrupolo igienico. — È già calata la sera, — mi rispose Giulia, — non posso buttarli. L'angelo, non sia mai, si sdegnerebbe —. E mi spiegò, stupita che non lo sapessi: — Al crepuscolo, in ogni casa, scendono dal cielo tre angioli. Uno si mette sulla porta, uno viene alla tavola, e il terzo a capo del letto. Guardano la casa e la difendono. Né i lupi né gli spiriti cattivi ci possono entrare, per tutta la notte. Se io buttassi le spazzature attraverso la porta, potrei buttarle sul viso dell'angelo, che non si vede; e l'angelo si offenderebbe, e non tornerebbe mai piú. Le porterò via domattina, dopo che l'angelo sarà partito, al sorger del sole.

16

In questa atmosfera numinosa passavo le mie ore, protetto dagli angioli la notte, e dalla sapienza stregonesca di Giulia durante il giorno. Curavo i malati, dipingevo, leggevo, scrivevo, in quella solitudine abitata dagli spiriti e dagli animali. Riuscivo a tenermi lontano, il piú possibile, dagli intrighi e dalle passioni dei Signori, restando in casa quasi tutto il giorno. Ma li incontravo sempre la mattina, quando dovevo andare in municipio per la firma, e passavo sotto il balcone della scuola, dove don Luigino fumava con le bacchette in mano e dopo colazione, quando andavo a prendere il caffè dal dottor Milillo, e soprattutto la sera, alla riunione generale per l'arrivo della posta e dei giornali. Anche il mese di ottobre, con i suoi giorni uguali, era passato: eran venuti i primi freddi, e le piogge: ma il paesaggio non era rinverdito, ed era rimasto identico, nel suo squallore bianco-giallastro. Uscivo spesso, nelle belle giornate, a dipingere: ma lavoravo soprattutto in casa, nello studio o sulla terrazza. Dipingevo molte nature morte, e facevo spesso posare i ragazzi, che avevano preso l'abitudine di venirmi a trovare, e mi giravano tutto il giorno per casa. Avrei voluto dipingere anche ritratti dei contadini: ma gli uomini avevano da fare nei campi, e le donne se ne schermivano, per quanto lusingate dalle mie richieste. Anche la Giulia, se le chiedevo di posare, non aveva mai tempo: capii che c'era qualche oscura ragione che la impediva. La Giulia mi considerava il suo padrone, e non avrebbe detto di no a nessuna mia domanda; anzi, spesso, con estrema naturalezza, prendeva l'iniziativa di servigi che non avrei mai pensato a richiederle. Avevo fatto venire da Bari una bigoncia di ferro smaltato per farci il bagno; e la mattina la portavo nella mia camera da letto per lavarmici, chiudendo la porta della cucina, dove la donna col suo bambino stava in faccende. La cosa pareva molto strana alla Giulia che un mattino aprí la porta, e senza mostrare di scandalizzarsi della mia nudità, mi chiese come mi fosse possibile fare il bagno senza che nessuno mi insaponasse la schiena, e mi aiutasse ad asciugarmi. Non so se fosse stata abituata dal prete a questo servigio, o se fosse un'antica tradizione, venuta dai tempi omerici, quando le donne lavavano e ungevano d'olio i guerrieri; ma certo, da allora, non potei evitare che la mia schiena fosse insaponata e massaggiata dalle sue dita ruvide e robuste. La strega si stupiva anche che io non le chiedessi di fare all'amore. — Sei ben fatto, — mi diceva, — non ti manca nulla —. Ma non insisteva, né diceva niente di piú, abituata, in questo, a una animalesca passività, e rispettava la mia freddezza, che doveva certamente avere le sue ragioni misteriose. Si limitava, tutt'al piú, a lodare le mie bellezze: — Quanto sei bello, — diceva, — quanto sei bello grasso —. L'essere grasso è qui il primo segno della bellezza, come nei paesi d'oriente; forse perché per raggiungere la grassezza, impossibile ai contadini denutriti, è necessario essere Signori e potenti. La Giulia dunque era disposta per me a qualunque servigio, e tuttavia, quando le chiedevo di posare, che le avrei fatto il ritratto, si rifiutava come di cosa impossibile. Capii allora che la sua ripugnanza aveva una ragione magica, ed essa stessa me lo confermò. Un ritratto sottrae qualcosa alla persona ritrattata, un'immagine: e, per questa sottrazione, il pittore acquista un potere assoluto su chi ha posato per lui. È questa la ragione inconsapevole per cui molta gente ripugna anche dal farsi fotografare. La Santarcangelese, che viveva addirittura nel mondo della magía, aveva paura della mia pittura: e non tanto perché io potessi adoperare la sua figura dipinta, come una statua di cera, per qualche malvagia stregoneria ai suoi danni, quanto proprio per l'influsso e la potenza che io avrei esercitato cavando da lei un'immagine, come lo esercitavo certamente su persone e cose e alberi e paesi, con le pitture che andavo facendo ogni giorno. Io capii anche che, per vincere questo suo timore magico, avrei dovuto adoperare una magía piú forte della paura; e questa non poteva essere che una potenza diretta e superiore, la violenza. La minacciai dunque di batterla, e ne feci l'atto, e forse anche qualcosa di piú dell'atto: le braccia della Giulia, del resto, non erano certamente meno robuste delle mie. Appena vide e sentí le mie mani alzate, il viso della Giulia si coprí di uno sfavillío di beatitudine e si aperse ad un sorriso felice a mostrare i suoi denti di lupo. Come prevedevo, nulla era piú desiderabile per lei che di essere dominata da una forza assoluta. Divenuta a un tratto docile come un agnello, la Giulia posò con pazienza, e di fronte agli argomenti indiscutibili della potenza, dimenticò i ben giustificati e naturali timori. Cosí potei dipingerla, col suo scialle nero che le incorniciava l'antico viso giallo di serpente. La dipinsi anche, in un grande quadro, sdraiata, con il suo bambino in braccio; se c'è un modo di essere materno, dove non traspare nessun sentimentalismo, questo era il suo: un attaccamento fisico e terrestre, una compassione amara e rassegnata; era come una montagna battuta dal vento e solcata dalle acque, da cui sorgesse una collinetta piú verde e gentile. Il bambino di Giulia era rotondo, grassoccio, di temperamento dolce e bonaccione: parlava ancora poco, e io capivo pochissimo quello che diceva, quando trotterellava per le mie stanze inseguendo Barone. Con Barone spartiva i fichi secchi, le fette di pane e i dolci che gli regalavo: Nino si rizzava in punta di piedi e alzava la mano il piú alto possibile, serrando fra le dita il suo bene, perché il cane non ci arrivasse: ma quello era piú grande di lui, e giocando e saltando allegro, e attento a non fargli male, gli rubava i fichi di mano. Quando Barone si sdraiava in terra, il Nino gli si coricava addosso, e giocavano assieme: poi il bambino si addormentava, stanco di giochi, e il cane restava immobile sotto di lui, come un cuscino, e non osava neppure tirare il fiato per non svegliarlo. Cosí rimanevano per delle ore sul pavimento della cucina. Malgrado le occupazioni e il lavoro i giorni passavano nella piú squallida monotonia, in quel mondo di morte, senza tempo, né amore, né libertà. Una sola presenza reale sarebbe stata per me mille volte piú viva che le infinite pullulanti presenze degli spiriti incorporei, che rendono piú greve la solitudine, ti guardano e ti seguono. La continua magía degli animali e delle cose pesa sul cuore come un funebre incanto. E non ti si presentano, per liberartene, che altri modi di magía. La Giulia m'insegnava i suoi filtri, e gli incantesimi d'amore. Ma che cosa è piú contrario all'amore, espansione di libertà, che la magía, espressione di potenza? C'erano delle formule per incatenare i cuori delle persone presenti, altre per legare i lontani. Una, che Giulia assicurava particolarmente efficace, serviva per le persone al di là dei monti e dei mari, lontano di qui, e le trascinava, perché, abbandonando ogni altra cosa, tornassero, spinte da amore, e venissero al richiamo. Era una poesia, dove i versi espressivi si alternavano a quelli assurdamente stregoneschi, secondo le regole magiche. Diceva:

> Stella, da lontano te vuardo e da vicino te saluto
> 'N faccia te vado e 'n vocca te sputo.
> Stella, non face che ha da murí
> Face che ha da turnà
> E con me ha da restà.

Bisogna pronunziarla stando sull'uscio di casa, la notte, e guardando una stella, che è quella a cui ci si rivolge. L'ho provata, qualche volta, ma non mi è servita. Stavo appoggiato alla porta, con Barone ai miei piedi, e guardavo il cielo. Ottobre era passato, e nell'aria nera brillavano le mie stelle natali, le fredde stelle lucenti del Sagittario.

17

In quest'ozio del sentimento, carico di parole senza risposta, in questa solitaria noia zodiacale, arrivò, in quei giorni, all'improvviso, una lettera della questura di Matera. Mi si permetteva di recarmi per qualche giorno a Grassano, per finirvi dei quadri, a condizione che io stesso provvedessi a pagare il viaggio di andata e ritorno per me e per i carabinieri che dovevano accompagnarmi. Era la risposta ad una mia domanda, di cui mi ero ormai completamente dimenticato. Quando mi avevano, da un giorno all'altro, trasferito a Gagliano, avevo chiesto, con un telegramma a Matera, che mi si consentisse di tardare per una decina di giorni, perché avevo delle pitture incominciate, che avrei dovuto completare. Era un pretesto: speravo, ottenendo quel rinvio, di poter poi restare a Grassano definitivamente. Il telegramma era rimasto senza risposta, e avevo dovuto partire. Ma le ragioni dell'arte avevano il loro peso sull'animo dei questurini: e, dopo piú di tre mesi di meditazione, mi arrivava, tanto piú inattesa e piacevole, questa insperata vacanza.

Non ho mai conosciuto i funzionari della questura di

Matera che si occupavano di noi: ma non dovevano essere gente cattiva. In quella sede disgraziata, ci si dovevano mandare soltanto dei vecchi arnesi usati di questura, pieni di scetticismo borbonico e di *routine*: non certamente dei giovani entusiasti. In quei vecchi cervelli impiegatizi non era ancora entrata, per fortuna, la cultura dei maestri di scuola, l'idealismo da università popolare che muoveva lo zelo isterico dei giovanotti, e faceva loro immaginare che lo Stato, nella sua indiscutibile eticità, fosse una persona, fatta all'incirca come loro, con una sua morale personale, simile alla loro, da imporre a tutti gli uomini, con le loro stesse piccole ambizioni, e i loro piccoli sadismi e virtuosismi, ma, nello stesso tempo, imperscrutabile ai profani, sacro ed enorme. In questa identificazione con l'idolo essi provavano la stessa beatitudine fisica che nel fare all'amore. Questi erano, in parte, i sentimenti di don Luigino: ma quei bravi poliziotti di Matera forse sapevano soltanto che è buona usanza lasciar dormire almeno tre mesi tutte le pratiche. Don Luigino mi comunicò la notizia con il sorriso benevolo di un re che concede una grazia a uno dei suoi sudditi: egli era lo Stato, e perciò quella tarda generosità della polizia era anche sua ed egli era felice di poter sentirsi, quel giorno, uno Stato paterno. Ma in quella felicità si insinuava una punta di gelosia municipale, e forse anche qualche altro vago sentimento sgradevole, che la offuscava. Perché sembravo cosí contento di andarmene, sia pure per pochi giorni? Forse preferivo Grassano a Gagliano? Il fatto è che, se, come personificazione dello Stato, don Luigino pensava che i confinati dovessero essere trattati nel modo peggiore, e non dovessero potersi rallegrare del loro soggiorno, come gaglianese e primo cittadino di Gagliano avrebbe invece preteso che ci si trovassero, o almeno proclamassero di trovarcisi, meglio che in qualunque altro paese della provincia. Cosí, in questo modo contradditorio e geloso, trovava posto anche nel suo animo quella che è la virtú prima e antichissima di queste terre: l'ospitalità; la virtú per cui i contadini aprono la porta all'ignoto forestiero, senza chiedergli il suo nome, e lo invitano a mangiare il loro scarso pane; di cui tutti i paesi si contendono la palma, fieri ognuno di essere il piú amichevole e aperto al viandante straniero, che, forse, è un dio travestito. Per don Luigino, non avrei dovuto rallegrarmi della partenza. E poi, non c'era pericolo che io parlassi male di lui ai Signori di là, tanto piú vicini al gran cuore onnipotente della Capitale della Provincia? E, se non fossi tornato, se avessi trovato modo di farmi trasferire, chi lo avrebbe curato dei suoi mali immaginari? E chi avrebbe sottratto i clienti al suo nemico Gibilisco, per farlo morire di rabbia? Insomma, don Luigino, a modo suo, e per quanto era possibile a quel suo animo arido e bambinesco, mi amava, e gli rincresceva che io partissi. Dovetti rasserenarlo, dirgli che il mio piacere veniva soltanto dalla prospettiva della passeggiata a cui non ero piú avvezzo, che non mi attiravano a Grassano altro che le ragioni del mio lavoro, e che sarei stato felicissimo di tornare sotto la sua tutela, appena finiti i miei quadri. E cosí, con un gran pacco di tele, il cavalletto portatile, la cassetta dei colori, Barone, e due carabinieri, all'indomani, la mattina presto, partii. Il percorso mi era noto; era un po' come un viaggio nella mia camera: e di solito non amo voltarmi indietro e tornare nei luoghi dove una volta ho vissuto. Ma le mie impressioni di Grassano erano piacevoli; ci ero arrivato dopo mesi di solitudine assoluta; là avevo riveduto per la prima volta le stelle e la luna e le piante e gli animali e il viso degli uomini: mi si era cosí fissata nel ricordo come una terra di libertà. La lunga segregazione porta a un distacco dai sensi, che in alcuni può essere simile a una specie di santità: il ritorno alla vita normale ha sempre qualcosa di troppo acuto e di doloroso, come una convalescenza. La miseria e l'arsura desolata di Grassano, quel paesaggio senza dolcezze e sensualità, quella monotona tristezza, erano il luogo migliore, il meno offensivo, per questo ritorno. Mi ci ero trovato bene, e l'amavo.

Con che piacere, quella mattina, sull'automobile dell'americano, mi si aperse, di là dalla svolta dietro il cimitero, la terra proibita, la discesa sul Sauro, e il monte di Stigliano! E come saltava allegro Barone, mentre aspettavamo, al bivio, in riva al fiume, il postale pieno di visi sconosciuti! Ecco, a uno a uno, come in un film girato alla rovescia, i paesi del mio arrivo, Stigliano, Accettura, San Mauro Forte, e le fermate dell'autobus, e il salire e lo scendere dei contadini e delle donne, e la foresta, e le case popolate di gente immaginaria. Ed ecco, finalmente, là in fondo, apparire, largo e bianco, il letto del Basento, e la casetta della stazione di Grassano. Qui l'autobus partí verso Grottole e Matera, e rimanemmo ad aspettare che arrivasse qualche mezzo di trasporto, che ci portasse, per i diciotto chilometri di giravolte e di polvere, su al paese. Aspettammo a lungo, ché l'automobile di Grassano scendeva piú tardi, per l'arrivo del treno di Taranto, a prendere gli eventuali passeggeri. Rimasi a guardare il greto del fiume, dove il primo arco del ponte, rotto da una piena, aspettava da molti anni invano di essere riparato. Davanti a me si alzava, come una grande onda di terra, uniforme e spoglio, il monte di Grassano, e in cima, quasi irreale nel cielo, come l'immagine di un miraggio, appariva il paese. Pareva anche piú irreale ed aereo di quando l'avevo visto l'ultima volta, perché le case erano state, durante la mia assenza, tutte imbiancate di fresco, e ora sembravano, tutte raccolte insieme come le pecore di un gregge impaurito, appena sfiorare la vetta grigio-giallastra del monte.

Finalmente sentimmo di lontano il rumore della tromba dell'automobile, e vedemmo una nuvola di polvere scendere per la costa, e presto la macchina, traballando sulla passerella di assi disposta sul fiume, di fianco al ponte rotto, arrivò alla stazione. Il guidatore, quello stesso che mi aveva accompagnato a Gagliano tre mesi prima, riconobbe me e Barone, e ci diede il primo benvenuto. Il treno arrivò fischiando, e ripartí senza che nessun passeggero scendesse o salisse. Si doveva ora aspettare l'altro treno, quello di Napoli e di Potenza, che avrebbe dovuto arrivare di lí a poco, ma che aveva un forte ritardo. Io non avevo fretta, e non mi dispiaceva restare ancora nel fondo della valle, dove non sarei forse tornato mai piú, e passeggiare in quel silenzio meridiano, e sedermi sui sassi bianchi del fiume larghissimo e secco, che si perde, in alto e in basso, fra i monti. Mangiai la colazione che mi ero portata, e aspettai. Dopo un'altra ora, anche il treno di Napoli arrivò, vuoto; montammo sull'automobile e cominciammo la salita. Lungo i diciotto chilometri le curve sono parecchie centinaia, fra continue gobbe di terra, scavate da grotte, e campi di stoppie aride, dove passa il vento in un'onda di polvere. Non si incontra un albero in tutto il percorso, e ci si innalza a poco a poco, fino ai cinquecento metri del paese, voltandosi in tutte le direzioni, con la vista quasi sempre chiusa dal curvo gonfiarsi dei campi riarsi. Eccoci a una grande spaccatura, come una ferita nella terra: per superarla la strada deve fare un grande rigiro. È il vallone delle carogne, cosí chiamato perché serve a buttarci i corpi delle bestie morte di malattia, e immangiabili: le loro ossa biancheggiano nel fondo. Siamo ormai vicini al paese: ecco il cimitero, in ripido pendío, tutto scoperto, come un fazzoletto punteggiato di bianco messo per terra ad asciugare sul fianco del monte: ecco lo sbocco del sentiero dalle alte siepi di rosmarino, dove ero solito sedermi a leggere, per delle ore, da solo, nei primi tempi, finché una capra non sbucava d'un tratto, guardandomi misteriosa; ecco l'albero dove il vecchio brigante aveva ucciso, settant'anni fa, il suo carabiniere. Ancora un'ultima svolta, ed ecco, su un monticello di terra, la grande croce di legno, ed il Cristo: un'ultima breve salita, e la strada si stringe fra le case. Con un gran chiasso di tromba, tra la gente che si scansava addossandosi agli usci, arrivammo finalmente alla porta dell'albergo di Prisco. Mi accolse la voce tonante del padrone, che si mise a chiamare la moglie ed i figliuoli: — Capità! Guagliò! È tornato don Carlo! — Ed eccoli tutti, agitati, vivaci, rumorosi, attorno a me. Era una famiglia simpaticissima. Lui era un uomo sulla cinquantina, robusto, svelto, sempre in moto, in faccende e in grida, con una testa rotonda dai capelli tagliati corti, dagli occhi mobili e furbi, dalla barba nera, lunga di quattro giorni; occupato di affari coi mercanti di passaggio, di commerci coi paesi vicini, pieno di iniziativa e di allegra energia. La signora Prisco era tanto tranquilla e dolce quanto suo marito era chiassoso e brusco. Alta, formosa, vestita di nero, materna e imperturbabile in quel continuo tramenío, mi preparava il pane arrostito con l'olio: e la sua voce non si sentiva. Il figlio maggiore, il Capitano, cosí chiamato perché era il capo riconosciuto di tutti i ragazzi del paese, che dominava con la sua astuzia e la sua precocità, era un ragazzo zoppo, piccolo di statura, di tredici o quattordici anni. Aveva degli occhi sfavillanti, sensuali insieme e furbissimi, in un viso magro e pallido, in cui cominciavano a crescere i primi peli. Capiva ogni cosa al volo, parlava rapidissimo e in modo ellittico, o per cenni: imponeva a tutti i suoi coetanei la sua volontà. Non ho mai visto alcuno della sua età afferrare piú in fretta un'idea, soprattutto quando si trattasse di cose di commercio o di affari, né fare piú sveltamente le somme e le divisioni: né giocare a scopa in modo piú fulmineo, in modo che le carte non avevano tempo di posarsi sul tavolo. Dappertutto, in paese, si sentiva chiamare il Capitano, dappertutto appariva il suo corpicino smunto e svelto, e il suo passo di sciancato. Il figlio minore era l'opposto del Capitano: era alto, sottile, languido, con dei grandi occhioni nel viso dolce, e non parlava mai: aveva preso dalla madre, come le bambine che venivano poi. Non avevo ancora finito di salutare la famiglia Prisco, che già arrivava Antonino Roselli, il barbiere, con suo cognato Riccardo; avevano già mandato ad avvertire del mio arrivo gli amici, che arrivarono subito dopo. Antonino, un giovane bruno, con dei baffetti neri, barbiere e flautista, sognava, come tutti i grassanesi, di andarsene lontano. La sua speranza era di potermi seguire, come segretario, in giro per l'Europa. Mi avrebbe fatto la barba, mi avrebbe preparato le tele, i colori e i pennelli per dipingere, mi avrebbe cercato delle modelle, si sarebbe occupato della vendita dei miei quadri, mi avrebbe sonato il flauto per rallegrarmi nelle ore di noia, mi avrebbe assistito se mi ammalavo: insomma, sarebbe stato per me meglio che il fido Elia per Vittorio Alfieri in giro per gli altipiani della vecchia Castiglia. Forse avrei fatto bene ad esaudire quel suo desiderio: ma, ahimè, anche questa fu tra le mille possibilità della vita che per pigrizia, sciocchezza o disattenzione non raccolsi, e lasciai perdersi in nulla. Era davvero un gran bravo giovane, forse un po' troppo barbiere e un po' troppo flautista per il mio gusto. Ma veramente affezionato e gentile. Quando, nei primi giorni dopo il mio arrivo da Roma, rimasi solo dopo una visita furtiva, Antonino immaginò che io avrei sentito la tristezza, e venne con i suoi amici a suonare una serenata sotto le mie finestre, per consolarmi. C'era il suo flauto, un violino e una chitarra, che risonavano melanconici nel gran silenzio della notte.

Riccardo era un marinaio di Venezia, confinato come tutti gli altri membri dell'equipaggio della sua nave che faceva servizio con Odessa, perché erano stati trovati a bordo, all'arrivo a Trieste, degli stampati russi di propaganda. Era alto e biondo, atletico, campione dei 400 metri a nuoto; con degli occhi chiari lontani, quasi sulle tempie, come gli uccelli. Avevo riconosciuto il suo viso, la prima volta che l'avevo incontrato, per averlo visto in un ritratto di De Pisis. Riccardo si era trovato assai bene a Grassano e vi aveva preso moglie. Aveva sposato Maddalena, la sorella di Antonino, e aspettavano un bambino. La sua vita era dunque ormai, in famiglia, piuttosto quella di un grassanese che di un confinato. Del resto, i confinati a Grassano erano pressoché liberi; potevano passeggiare a loro piacere in tutto il territorio del comune, che è vastissimo; dovevano farsi vedere una sola volta alla settimana in municipio: e l'obbligo del coprifuoco era attuato senza alcun rigore. Riccardo era un giovane mite e simpatico, e io amavo sentire la sua parlata veneta. Arrivarono, poco dopo i due cognati, i loro amici: artigiani, falegnami, un sarto, alcuni contadini.

Di contadini, a Grassano, ne conoscevo assai meno che a Gagliano, non soltanto perché c'ero rimasto poco, e non vi facevo il medico, ma anche perché essi sono, forse, anche piú misteriosi e chiusi. A Gagliano, essi sono, la maggior parte, proprietari di una piccola terra; Grassano è invece un paese di grande proprietà, e i contadini lavorano sul terreno altrui. La miseria delle due condizioni non è molto diversa, perché difficilmente, sia qui che là, potrebbe pensarsi maggiore. I contadini di Grassano vivono di anticipi sul raccolto, e quando è il tempo delle messi, di rado arrivano a pagare il debito, che va cosí accumulandosi di anno in anno, legandoli sempre di piú nella rete della squallida povertà. Quelli di Gagliano lavorano il loro campo, e non raccolgono mai quello che basti a nutrirli e a pagare l'Ufficiale Esattoriale: le poche lire eventualmente risparmiate nelle annate buone, vanno tutte in medici e medicine, a curarsi la malaria: perciò anch'essi sono costretti alla denutrizione, e non possono pensare a muoversi e a cambiare stato. Non vi è nessuna reale differenza nella vita di questi e di quelli. Soltanto, mentre a Gagliano non vi sono che contadini, e i pochi Signori, Grassano, che è un paese grande, possiede una specie di classe media numerosa, fatta di artigiani, soprattutto di falegnami. Mi sono spesso chiesto per chi mai lavorassero tutte le botteghe di falegname che c'erano in paese; e, in verità, avevano tutte poco lavoro, e stentavano a tirare avanti. L'esistenza di questa classe media dava un colore particolare alla vita paesana: gli artigiani stavano tutto il giorno sull'uscio delle botteghe, quasi tutte inoperose, ma ben fornite di splendidi attrezzi americani. I contadini non si vedevano che all'alba e al tramonto, e parevano cosí ancora piú lontani, e relegati in un loro mondo remoto.

Antonino, da buon barbiere, e gazzettino delle notizie, mi mise al corrente delle novità grassanesi. Non erano molte: qualche americano aveva seguito l'esempio di quello di cui ho parlato, dalle catene d'oro, ed era scappato a New York; il capo della milizia era partito per l'Africa, solo volontario del paese; quelli che avevano chiesto di andare come operai, come a Gagliano, non erano stati accontentati e si lamentavano; era arrivato un confinato nuovo, uno sloveno di Dalmazia, che sapeva far di tutto, modellini di navi e statuette di cera. Il mio trasferimento improvviso di tre mesi prima era ancora argomento di grandi discussioni: era stato, come tutti gli avvenimenti, portato nel campo dei partiti locali: gli oppositori del gruppo al potere accusavano questi di avermi fatto trasferire perché io frequentavo alcuni loro avversari, come il signor Orlando e il falegname Lasala, denunciandomi a Matera; gli altri ritorcevano l'accusa, sostenendo che erano stati loro, gli oppositori, a scrivere lettere anonime e a farmi partire soltanto per poterli accusare di questa azione, che agli occhi di entrambe le parti contendenti era una grave mancanza alla ospitalità tradizionale di Grassano. In verità, a farmi trasferire credo non fossero stati né gli uni né gli altri: ma la polemica s'era invelenita, ed aveva contribuito ad accrescere la secolare riserva di odî e di rancori. A me queste cose non interessavano; volevo invece approfittare di quelle ore di luce che restavano per passeggiare un poco, e rivedere i luoghi cui mi ero affezionato. Uscii dunque, accompagnato da quel gruppo di giovani. Venendo da Gagliano, la gemella miseria di Grassano mi pareva quasi ricchezza, e la maggiore vivacità della gente, il diverso dialetto, con i suoi rapidi suoni pugliesi, mi davano l'impressione di essere quasi in una città piena di vita. Finalmente rivedevo dei negozi, anche se erano dei poveri stambugi mal provvisti di mercanzie; c'erano delle bancarelle di mercanti ambulanti, sulla piazza, davanti al palazzo del barone di Collefusco, che vendevano stoffe, lame da barba, anfore di terra, oggetti da cucina. C'era anche un carrettino di libri: gli stessi libri che avevo visti in mano al Capitano, ai ragazzi, ai contadini di qui: i Reali di Francia, le vite dei briganti, la storia di Corradino, degli almanacchi, dei lunari. Piú in là c'era il caffè: un vero caffè, con un biliardo, e, allineate su uno scaffale, una serie di vecchie bottiglie di vetro fuso e formato, di quelle che sono ora cosí ricercate dai collezionisti, con le facce di Re Vittorio Emanuele II, di Garibaldi, della Regina Margherita, o con delle donne nude che reggono una palla, o con una mano che brandisce una pistola. Ma, fatti avanti e indietro quei duecento passi, fra l'albergo di Prisco e il caffè, si esaurisce tutta la vita mondana di Grassano. A destra e a sinistra, di sopra e di sotto, non c'è piú altro che stradette, scalette e sentieri, fra le catapecchie allineate dei contadini. Queste sono ancora piú povere e squallide che quelle di Gagliano, le stanze sono piú piccole, non ci sono orti vicino alle case, che si serrano l'una all'altra come per un pericolo mortale. Anche qui le capre e le pecore, piú numerose che a Gagliano, saltano per le vie piene di spazzature; anche qui i bambini seminudi, pallidi e gonfi si rincorrono tra i rifiuti. Le donne non portano il velo, né il costume: ma anche qui i loro visi sono terrei, chiusi e animaleschi. Anche qui la pazienza e la rassegnazione stanno scritte sui volti degli uomini e sulla desolazione del paesaggio. Soltanto, per il maggior contatto col mondo di fuori, c'è nell'aria un piú vivo desiderio di evasione, sempre disilluso nella impossibilità della speranza.

Risalii e ridiscesi, da solo, per le stradette conosciute, finché giunsi alla chiesa, nel vento, in cima al paese, per ridare uno sguardo a tutto l'orizzonte, che spazia immenso oltre i confini di Lucania. Di qua, ai miei piedi, le case del paese, con i loro tetti giallognoli, e poi la discesa ondulata e grigiastra del monte, fino al Basento, e, in faccia, le montagne di Accettura, da quelle piú a valle che nascondono Ferrandina, alle Dolomiti di Pietra Pertosa, dietro cui si perde il greto del fiume. Da tutti gli altri lati, il grande mare di terra informe, di là del Bilioso, delle grotte dei briganti e dei monachicchi, e di Irsina, irta su un colle ispido. Paesi lontanissimi appaiono da ogni parte, come vele sperdute su questo mare, fin laggiú dove si intravede Salandra, e Banzi, dove si stenta a immaginare, in quella arsura, esistesse davvero un tempo la fresca fontana piú chiara del vetro, degna del vino e del capretto; altri, piú vicini, paiono navigare avvicinandosi al porto, fino a Grottole, là di faccia, dietro la cappella di sant'Antonio, e ai suoi due alberi sperduti nel deserto. Questa sconfinata distesa monotona e ondulata, la si coltiva, da qualche anno, a grano: un povero grano che non ripaga la semente, le spese e la fatica. Quando l'avevo vista per la prima volta, l'estate, era il tempo della raccolta. Tutta la terra, d'ogni parte intorno, era gialla sotto il sole: e un canto di lontane trebbiatrici solcava solo il silenzio. Ora, tutto era grigio, non un colore turbava quella monotonia solitaria.

Rimasi a lungo lassú, finché cominciò ad imbrunire e a cadere qualche goccia di pioggia. Scesi in fretta all'albergo. C'era già parecchia gente che aspettava di mangiare, dei carrettieri di passaggio, dei mercanti ambulanti, e Pappone. Sulle voci di tutti, sentivo già dalla strada le urla pugliesi di Prisco, e le grida napoletane di Pappone, che, come sempre, fingevano per gioco di litigare. Pappone era un mercante di frutta di Bagnoli, che veniva spesso per affari a Grassano, dove ci sono delle ottime pere: l'avevo già conosciuto durante l'estate. Era un grande amico di Prisco, usavano ingiuriarsi continuamente in segno di affetto. Pappone gli gridava: — Strunzo galleggiante! — e Prisco gli replicava: — Co' a bannerola 'n coppa! fetente! — e, partiti di qui, continuavano a lungo a gran voce, minacciandosi con gli occhi e ridendo. Pappone era un ex frate, grasso, rotondo, ghiotto e, a modo suo, spiritosissimo. Aveva un'arte particolare, come cuoco; e si preparava da sé, mandando via dal fornello la signora Prisco, la salsa alla marinara per i maccheroni: me ne faceva sempre parte, ed era veramente la migliore che io abbia gustato mai. Anche maggiore era la sua arte di raccontare storie stravagantissime, accompagnandole con la mimica piú espressiva. Ma, ahimè, le sue novelle erano tutte talmente salaci, pornografiche e fratesche, che non mi è davvero possibile riferirne nessuna: neppure quella che raccontò quella sera a tavola, e che, fra tutte quelle che gli avevo sentito narrare, era forse la piú innocente.

Finalmente potevo mangiare in compagnia: questo mi rallegrava: mi pareva di essere di nuovo un uomo libero. Da quel tempo ho preso in uggia la solitudine a tavola, al punto di preferire un qualunque commensale sconosciuto all'esser solo. La cena, modestissima, mi pareva dunque deliziosa, e il racconto di Pappone assai piú spiritoso delle piú celebrate, e noiosissime, novelle del Firenzuola. Noi mangiavamo, e Prisco ci teneva compagnia, in maniche di camicia, coi gomiti sulla tavola, tonante, elastico e sudato, con un bicchiere di vino. Entrò allora un nuovo commensale: un mercante di stoffe di Brindisi, che già conoscevo. Era un uomo enorme, grassissimo e grossissimo, con una faccia da orco, con un gran naso, grandi occhi, grandi orecchie, grandi labbra, e grandi guance che muoveva mangiando con un grande fracasso. Mangiava almeno come quattro cristiani messi insieme, anche perché si limitava a quel solo pasto serale, dopo aver passato tutto il giorno ad arringare le donne perché comprassero le sue stoffe. Malgrado le sue terribili ganasce, e il sudore che gli rigava il volto, e quel suo orrendo aspetto di gigante difforme, era un uomo gentile, e spiritoso quasi quanto il suo amico Pappone. Cosí, attorno al tavolo, tutti erano rumorosamente allegri.

Il Capitano, suo fratello, e il loro amico Boccia, un giovanotto un po' deficiente per una malattia infantile, impiegato del municipio, stavano in un angolo della stanza, leggendo avidamente un vecchio numero della «Gazzetta dello Sport». L'orco di Brindisi non amava queste infatuazioni sportive, e attaccò subito direttamente, col suo vocione, il Capitano: — Capità! Ora non c'è piú che lo sport! La guerra d'Africa, e lo sport! non si pensa ad altro. Ma che cos'è poi questo sport? — Il Capitano cercò la parata. — Carnera, — rispose, — e campione del mondo —. Il mercante si mise a ridere, facendo tremare i bicchieri sul tavolo. — Il vostro Carnera, — disse, — è come Garibaldi —. L'affermazione era cosí precisa che il Capitano non trovò risposta, e il gigante continuò: — Sono tutti trucchi. Carnera ha vinto perché era d'accordo prima. È proprio una specie di Garibaldi: la storia non cambia. Sui vostri libri di scuola vi insegnano un mucchio di frottole, ma la verità è un'altra. Quando Re Franceschiello dovette lasciare Napoli, e si ritirò a Gaeta, Garibaldi e i suoi amici con le camicie rosse venivano avanti all'attacco, tutti allegri e fieri e pieni di coraggio. Su dalle mura di Gaeta sparavano i cannoni: ma quelli non se ne davano per intesi: pareva andassero a nozze, con in testa la bandiera e la fanfara. Re Franceschiello, che vedeva da Gaeta che le cannonate non facevano effetto, pensò: «O quelli sono dei pazzi, o qui ci sta qualcosa di strano. Mo' mi ci voglio provar io a tirar una cannonata». Detto fatto. Fece pigliare una bella palla, la fece mettere nel pezzo, e lui stesso, il Re, sparò. Bum! Quando videro cadere la palla, Garibaldi e le sue camicie rosse non ne aspettarono una seconda, e se la diedero a gambe. Perché i colpi di prima erano tutti a polvere: Garibaldi si era messo d'accordo, come Carnera. Quando il Re tirò la cannonata vera, Garibaldi disse: «Qua a Gaeta non va piú bene. Ragazzi, andiamo a Teano!». E cosí andò a Teano.

Pappone, Prisco, i carrettieri, i mercanti, tutti risero: Garibaldi non è popolare quaggiú; e la gloria di Carnera fu definitivamente sepolta. Anche il Capitano dovette riconoscersi sconfitto; soltanto Boccia, che per la meningite sofferta non era in grado di afferrare in fretta gli argomenti, rimase imperturbabile. Appunto per questo suo difetto, gli avevano dato quel posto in municipio, che consisteva nel tenere in ordine delle carte, e fare un po' da messo e da fattorino: i minorati, quaggiú, sono molto ben visti, e protetti dalla popolazione. Del resto, come succede spesso in casi simili, se Boccia era un po' lento d'ingegno, aveva una memoria di ferro, che si limitava però agli oggetti delle sue passioni dominanti. Queste erano due: lo sport e il diritto. Egli sapeva a memoria i nomi di tutti i componenti le squadre di calcio di tutta Italia negli ultimi anni, e usava recitarmeli, come litanie, con gli occhi brillanti di piacere. Ma l'altra sua passione era ancora piú vivace. Il diritto, gli avvocati, le cause in tribunale lo colmavano di estasi e di delizia. Sapeva a memoria i nomi di tutti gli avvocati della provincia, e brani delle loro cause piú celebri; e in questo non era il solo, perché l'amore per l'oratoria forense è quaggiú abbastanza generale. Ma un fatto accaduto due o tre anni prima era diventato l'avvenimento piú importante e beatificante della sua vita. Per qualche causetta di confini, una sezione distaccata di pretura aveva tenuto una udienza proprio qui a Grassano, e c'era venuto a parlare il piú grande avvocato di Matera, il famoso avvocato Latronico. L'arringa di Latronico, Boccia la sapeva a mente intera: e non passava giorno che non la ripetesse, accendendosi di ammirazione nei passi piú emozionanti. — Lupi di Accettura, cani di San Mauro, corvi di Tricarico, volpi di Grottole e rospi di Garaguso! — aveva detto Latronico nella sua perorazione. A Boccia questo pareva il piú alto volo dell'oratoria universale. — Rospi di Garaguso! — andava ripetendo con compunzione e con enfasi, secondo l'umore del giorno; — proprio cosí, rospi di Garaguso, perché stanno vicino all'acqua, sopra il pantano. Che discorso!

A tavola, oltre ai maccheroni con la salsa di Pappone, c'era del prosciutto, magro, saporito, tagliato a grosse fette, di un sapore assai diverso dai nostri prosciutti del nord, che io trovavo eccellente. Ne feci le lodi con Prisco, che mi disse che quello era prosciutto di montagna, che egli stesso andava a cercarlo dai contadini dei paesetti piú alti e lontani. Erano prosciutti piccolissimi, e costavano quattro lire al chilo. Quando dissi a Prisco che in città lo si pagava almeno cinque volte tanto, il suo spirito vivace immaginò subito un affare. Mi propose, se avevo degli amici che si potessero incaricare della vendita, di fare una società, lui e io, per il commercio dei prosciutti. Egli si sarebbe occupato di andare in giro per i monti a incettarli, io, attraverso i miei corrispondenti, di venderli. Se ne sarebbero potute trovare delle quantità discrete, e, forse, negli anni venturi, si sarebbe potuta fare aumentare la produzione. Io non ho alcuno spirito commerciale, e forse appunto per questo la proposta mi parve bellissima. Risposi che, poiché si parlava di Garibaldi, avrei potuto fare come lui, che, in circostanze abbastanza analoghe alle mie, si era messo a vender candele; che fra le candele e i prosciutti non vedevo molta differenza, e avrei veduto di occuparmene. Spinto dal calore della novità, scrissi a un amico, esportatore e commerciante delle cose piú diverse nei piú strani paesi del mondo. Dopo parecchio tempo ebbi la risposta che i prosciutti non lo interessavano; che, per quanto ottimi, erano di una qualità diversa da quella a cui il pubblico era abituato, che si sarebbe dovuta creare una organizzazione di vendita sproporzionata alla piccola quantità della merce; e che vedessi invece se si poteva trovare della ginestra che, in quei tempi di autarchia, era molto ricercata. La ginestra è il solo fiore di questi deserti, cresce dappertutto in cespugli aridi, pasto delle capre. Ma i miei entusiasmi di commercio lucano si erano ormai raffreddati, e la cosa non ebbe seguito.

Quella prima sera di compagnia, tra i progetti di affari, le storielle allegre e la critica storica garibaldina, passò presto. L'orco di Brindisi si ritirò a dormire sul suo camioncino, per meglio sorvegliare che non gli rubassero le stoffe durante la notte; i carrettieri partirono, nel buio, per Tricarico, e Pappone ed io restammo i soli ospiti di Prisco; perciò potemmo avere ciascuno una camera, senza doverla, per quella notte, spartire con altri. Volevo alzarmi presto, l'indomani. Avevo progettato di scendere in basso, fin quasi al Basento, per dipingere Grassano come l'avevo vista di laggiú, dalla stazione, alta sul cielo come una città d'aria. Antonino, saputa la mia intenzione, mi aveva proposto di accompagnarmi: all'alba mi aspettava alla porta, con un mulo per portare le tele e il cavalletto, e un gruppo di amici che volevano tutti venire con me. C'era Riccardo, c'era Carmelo, il manovale ciclista dei monachicchi, un falegname, un sarto, due contadini e due o tre ragazzi. Il tempo era grigio, soffiava il vento, ma si poteva sperare che non sarebbe venuta la pioggia. In quella luce diffusa e fredda delle nuvole, le cose apparivano piú rilevate, e forse meno tristi nella loro monotonia che sotto la vampa crudele del sole: era il tempo che preferivo per il mio quadro. Il figlio minore di Prisco si uní a noi. Il Capitano ci salutò dall'uscio: la strada era troppo lunga per la sua gamba zoppa. Con Barone in testa, saltellante staffetta, cominciammo la discesa, per il sentiero ripido che, evitando le curve e le giravolte della strada, arriva, in otto o dieci chilometri, al fondo della valle. Per quella stessa strada, e quasi con la stessa compagnia, ero sceso, un giorno d'agosto, a fare un bagno nel Basento, in un angolo isolato del fiume, dove l'acqua ristagna in una pozza, tra pochi alberi di pioppo, che sembrano stranamente appartenere a un altro paesaggio, piovuti a radicarsi qui per bizzarria. Tutti nudi, nell'aria torrida del pomeriggio canicolare, c'eravamo tuffati nel fiume: i miei compagni cercavano con le mani i pesci, rintanati nelle buche, nel fango della proda; e ne presero parecchi, con quella tecnica rudimentale. È proibito pescare in questi fiumi perché i pesci dovrebbero distruggere le larve delle zanzare: ma nessuno bada al divieto: c'è cosí poco da mangiare, tutto l'anno, per i poveri di Grassano, che un piatto di pesci pare un dono del cielo. Ci eravamo poi asciugati al sole, tra lo stridore delle cicale e il fischiare delle zanzare, nel riverbero torrido delle argille. Ora invece l'aria era fresca: ma il paesaggio non era cambiato: soltanto, di giallastro, s'era fatto grigiastro. Giungemmo a un posto che mi pareva adatto al mio lavoro, e qui mi fermai. Rimase con me Antonino, che teneva al privilegio di porgermi i tubi di colore a mano a mano che mi abbisognavano, e un ragazzo per guardare il mulo che brucava le stoppie. Gli altri scesero fino al fiume, sperando in una pesca miracolosa, e io mi misi a dipingere.

Il paesaggio, di qui, era il meno pittoresco che avessi veduto mai: per questo mi piaceva moltissimo. Non c'era un albero, una siepe, una roccia atteggiata come un gesto fermo. Non ci sono gesti, quaggiú, né l'amabile retorica della natura generante o del lavoro umano. Soltanto una distesa uniforme di terra abbandonata, e in alto il paese bianco. Sul cielo grigio, una piccola nuvola bassa, sopra le case, aveva la vaga forma di un angelo.

I miei compagni tornarono dal fiume a mani vuote. Si misero attorno alla mia tela meravigliati di vedere Grassano, nato cosí dal nulla. Avevo sempre visto che, poiché non hanno i pregiudizi della mezza cultura, i contadini sono, in generale, capaci di vedere la pittura: avevo l'abitudine di chiedere il loro parere sulle cose che avevo fatto. Mentre continuavo a lavorare, gli amici accesero un fuoco, per far scaldare le provviste che avevano portato, e si mangiò, lí, seduti in terra, guardando il mio quadro sul cavalletto, a cui avevamo legato delle grosse pietre perché il vento non lo portasse via. Dopo mangiato, cominciò a piovere, e non ci restò che tornare. Il quadro era ormai pressoché finito, lo si caricò sul mulo, avvolto in una coperta, e sotto la pioggia leggera ci mettemmo in cammino.

In paese ci aspettava una straordinaria novità: era arrivata allora, su un carro tirato da un cavallo magro, una compagnia di attori. Si sarebbero fermati qualche giorno, avrebbero recitato, ci sarebbe stato il teatro! Il carro, coperto da un tendone cerato, era là sulla piazza, con le scene e il sipario arrotolati. Gli attori si affaccendavano lí attorno, e andavano cercando, nelle case dei contadini, ospitalità, per non dover spendere nell'albergo di Prisco. La compagnia era costituita di una famiglia: il padre, capocomico, la madre, prima attrice, due figlie di meno di vent'anni, con i loro mariti, e qualche altro parente. Erano siciliani. Il capocomico entrò subito da Prisco, per farsi dare qualcosa di caldo per sua moglie, che aveva la febbre. Non avrebbe potuto recitare quella sera; forse neppure l'indomani, ma si sarebbero fermati qualche giorno. Era un uomo di mezza età; già un po' grasso, con le guance cascanti, e una mimica accentuata, che ricordava l'imitazione di Zacconi. Quando seppe che io ero un pittore, mi disse che sarebbe stata per lui una grande fortuna se io avessi potuto dipingergli qualche scena di cui aveva bisogno. Le sue attrezzature erano ridotte ormai a quasi nulla, a forza di essere portate sul carretto, alle piogge e ai soli. Mi raccontò che egli era stato anche in buone compagnie, e che poi, per campare, si era dato a quella vita randagia, con la moglie e le figlie, tutte ottime attrici. Giravano per le città di Sicilia: qui in Lucania non c'erano ancora mai stati. Si fermavano nei paesi piú grossi e piú ricchi, piú o meno tempo, a seconda degli incassi: ma si guadagnava poco, la vita era difficile, una delle sue figlie era incinta e presto non avrebbe potuto recitare. Gli dissi che avrei dipinto volentieri le scene: ma cercammo poi invano, in paese, la carta o la tela e i colori necessari, e non potei, con molto dispiacere, farne nulla. Mi invitò comunque alla rappresentazione, di lí a due giorni, e mi presentò la sua compagnia. Il padre era il solo della famiglia ad avere l'aria comune del vecchio attore: le donne non erano delle attrici, ma delle dee. La madre e le due figlie si assomigliavano. Parevano uscite dalla terra o discese da una nuvola: i loro enormi occhi neri erano quelli opachi e vuoti delle statue. I loro visi marmorei, tagliati dalle sopracciglia folte e nere e dalle rosse bocche carnose, stavano impassibili sui bianchi colli robusti. La madre era grande e opulenta, con la pigra sensualità di una Giunone arcaica; le figlie, sottili e ondulanti, sembravano ninfe dei boschi, avvolte, per finzione bizzarra, in cenci colorati.

Mi affrettai ad andare dai carabinieri, per avere il permesso di uscire la sera, per assistere alla recita. Il dottor Zagarella, podestà di Grassano, non amava, a differenza di don Luigino, fare il poliziotto, e lasciava che dei confinati si occupassero i carabinieri. Era un medico serio e colto, e, grazie a lui e a un altro dottore, il dottor Garaguso, che aveva fama di particolare competenza, Grassano era l'unico paese della provincia dove si facesse qualcosa per la lotta antimalarica, e con qualche buon risultato. Questi due medici erano un caso eccezionale e fortunato, in questi paesi dove quasi tutti i loro colleghi assomigliavano, piú o meno, ai due medicaciucci di Gagliano. Appunto perciò, mi ero proposto come uno degli scopi principali del mio viaggio, di visitarli per chiedere consigli alla loro specifica esperienza.

Sia l'uno che l'altro me ne dettero di preziosi, e mi mostrarono le loro statistiche. Da qualche anno si prendevano, a Grassano, misure sistematiche di profilassi; e anche di bonifica, pur senza avere, praticamente, alcun appoggio dalle autorità provinciali, né speciali sussidi. I casi di perniciosa erano quasi scomparsi; e, in questi ultimi due anni, erano enormemente diminuiti i nuovi malati. La malattia, quaggiú, è un flagello assai peggiore di quello che si possa pensare: colpisce tutti, e, mal curata, dura tutta la vita. Il lavoro ne è impedito, la razza indebolita e fiaccata, i poveri rispaimi vanno in fumo: ne derivano la miseria piú nera, la schiavitú senza speranza. La malattia nasce dalla miseria delle argille diboscate, dei fiumi abbandonati, di una agricoltura senza risorse, e genera a sua volta la miseria, in un circolo mortale. Per sradicarla occorrerebbero grandi opere; si dovrebbero arginare i quattro grandi fiumi di Lucania, il Bradano, il Basento, l'Agri e il Sinni, e i minori torrenti; si dovrebbero ricoprire d'alberi le pendici dei monti; ci dovrebbero essere dappertutto dei medici valenti, degli ospedali, dei mezzi di cura e di profilassi. Ma anche le misure piú limitate avrebbero la loro efficacia, come mi dicevano Zagarella e Garaguso. Soltanto, nessuno se ne occupa, e i contadini continuano ad ammalarsi e a morire.

Il tempo si era fatto autunnale. Pioveva, in quei tre giorni prima della recita, e non potevo andare a dipingere in campagna. Passeggiavo per il paese, visitavo i miei conoscenti, e restavo a lavorare nella mia camera. Prisco era stato a caccia, era tornato con tre volpi, di quelle volpi rosse di qui, e un uccello di fiume. Io dipinsi l'uccello, e le volpi, e feci il ritratto del Capitano. Un giorno, mentre dipingevo le volpi, avevo interrotto un momento il lavoro, e guardavo, dalla finestra, nella strada. Era l'ora della siesta; nell'albergo tutti riposavano, e c'era un perfetto silenzio. Sentii un rumore affrettato di piedi nudi scendere di volo la scala, e vidi Prisco, scalzo e in maniche di camicia, uscire con un gran salto nella via, entrare come un fulmine nella porta di faccia, e uscirne, sempre in silenzio, con un coltello in mano. Apersi la finestra, e sentii un grande strepito di voci. Là in faccia c'era una rimessa, dove si fermavano i carrettieri di passaggio. Prisco, che era in camera sua a fare la siesta, ma che usava sempre dormire con un occhio solo, e con l'orecchio teso, s'era accorto di qualcosa che non andava bene là in faccia, dove i carrettieri giocavano alla passatella. Aveva visto qualcosa luccicare, e, svelto come un gatto, senza infilarsi le scarpe e senza parlare, era arrivato in tempo per strappare il coltello di mano a uno che l'aveva levato per ferire.

La passatella è il gioco piú comune quaggiú: è il gioco dei contadini. Nei giorni di festa, nelle lunghe sere d'inverno, essi si trovano nelle grotte del vino, a giocarla. Ma spesso finisce male; se non sempre a coltellate come quel giorno, in litigi e baruffe. La passatella, piú che un gioco, è un torneo di oratoria contadina, dove si sfogano, in interminabili giri di parole, tutti i rancori, gli odî, le rivendicazioni represse. Con una partita breve di carte si determina un vincitore, che è il Re della passatella, e un suo aiutante. Il Re è il padrone della bottiglia, che tutti hanno pagato; e riempie i bicchieri a questo o a quello, secondo il suo arbitrio, lasciando a bocca asciutta chi gli pare. L'aiutante offre i bicchieri, e ha diritto di veto: può cioè impedire a chi si appresta a bere di portare il bicchiere alle labbra. Sia il Re che l'aiutante debbono giustificare il loro volere e il loro veto, e lo fanno, in contraddittorio, con lunghi discorsi, dove si alternano l'ironia e le passioni represse. Qualche volta il gioco è innocente e si limita allo scherzo di far bere tutto a uno solo, che sopporta male il vino, o di lasciare a secco proprio quello che si sa amarlo di piú. Ma il piú delle volte, nelle ragioni addotte dal Re e dall'aiutante, si rivelano gli odî e gli interessi, espressi con la lentezza, l'astuzia, la diffidenza e la profonda convinzione dei contadini. Le passatelle e le bottiglie si seguono una all'altra, per delle ore, finché i visi sono accesi per il vino, per il caldo, e per il destarsi delle passioni, aguzzate dall'ironia e appesantite dall'ubriachezza. Se ancora non scoppia la lite, è in tutti l'amarezza delle cose dette, degli affronti subíti. Prisco lo conosceva bene, quest'unico divertimento dei contadini, e stava attento.

Quando, dopo l'intervallo del coltello, ebbi finito di dipingere le volpi, uscii per fare due passi. Aveva cessato di piovere, e l'aria del paese era piena dell'odore di carne bruciata dei *gnemurielli* che erano posti su dei bracieri, in mezzo alla strada, e che si vendevano a due soldi l'uno. Mi avviai per una scaletta, su verso l'alto, e raggiunsi la casa dove avevo abitato negli ultimi giorni prima della mia partenza per Gagliano, quando, lasciato l'albergo di Prisco, avevo pensato di sistemarmi definitivamente. La mia casa consisteva di una grande stanza con due finestre, al primo piano, che mi aveva affittato una vedova napoletana. Sotto, al pianterreno, c'era una bottega di falegname. La moglie del falegname, Margherita, mi faceva le faccende, e mi voleva molto bene. Anche ora, quando mi vide arrivare di lontano, mi corse incontro per festeggiarmi. — Sei tornato? Resti qui con noi? — Le dispiacque di sapere che avrei dovuto ripartire. Margherita era una vecchia, con un grande gozzo bitorzoluto che le deformava il collo, e un viso pieno di bontà. Era considerata una delle donne piú intelligenti e piú colte del paese, perché aveva fatto fino alla quinta elementare, e ricordava perfettamente tutto quello che aveva imparato. Quando veniva nella mia camera, mi ripeteva infatti le poesie di quei suoi vecchi tempi di scuola: la Spedizione di Sapri, la Morte di Ermengarda. Le ripeteva stando in mezzo alla stanza, ritta in piedi, con le braccia rigide e pendenti lungo il corpo, recitandole come cantilene. Ogni tanto si interrompeva per spiegarmi il significato di qualche parola difficile. Margherita era affettuosa e gentile. Mi diceva spesso: — Non essere triste se la tua mamma è lontana. Hai perduto una mamma ma ne hai trovata un'altra. Io sarò la mamma tua —. Malgrado il suo gozzo, era veramente materna. Aveva avuto due figli, che ora erano grandi, e avevano già famiglia: uno era in America. Dei figliuoli mi parlava sempre, e volentieri, e mi mostrava le fotografie dei nipotini. Ma quando un giorno le chiesi se non ne avesse avuti altri, si mise a piangere di tenerezza al ricordo del suo terzo bambino, il prediletto, che era morto, e mi raccontò, fra le lagrime, la sua storia. Questo figlio era il piú bello di tutti. Aveva poco piú di un anno e mezzo, e parlava già bene, aveva dei bei riccioli neri e degli occhi vivaci: e capiva ogni cosa. Un giorno d'inverno, che c'era la neve sulla terra, Margherita l'aveva affidato a una sua comare e vicina, che l'aveva portato con sé in campagna, mentre andava a far legna. Alla sera la vicina tornò a casa sola, e disperata. Aveva lasciato il bambino, che camminava ben poco, per pochi minuti, mentre raccoglieva, nel sentiero del bosco, delle frasche: ma, tornata, il bambino non c'era piú. Aveva girato là attorno dappertutto, del bambino nessuna traccia. Certo doveva averlo preso un lupo o un'altra bestia del bosco, e non si sarebbe trovato mai piú. Margherita e suo marito, e tutti i contadini, e i carabinieri partirono subito, e per tutta la notte e nei giorni seguenti batterono tutta la campagna, metro per metro; ma il bambino non fu trovato, e la ricerca, dopo tre giorni, fu abbandonata. Il quarto giorno, alla mattina, Margherita, che girava sola e sconsolata per la campagna, incontrò, alla svolta di un sentiero, una donna grande e bella, col viso nero. Era la Madonna di Viggiano. Le disse: — Margherita, non piangere. Il tuo bambino è vivo. È laggiú nel bosco, in una fossa da lupi. Va' a casa, fatti accompagnare, e lo troverai —. Margherita corse, e, seguita dai contadini e dai carabinieri, giunse nel luogo indicato dalla Madonna. Nella fossa da lupi, in mezzo alla neve, giaceva il suo bambino, tranquillamente addormentato, tutto rosa e tiepido in mezzo a quel freddo. La madre lo abbracciò, lo svegliò. Tutti piangevano, anche i carabinieri. Il bambino raccontò che era venuta una donna col viso nero, e che per quattro giorni l'aveva tenuto con sé, e gli aveva dato il latte, lí in quella fossa, e l'aveva tenuto caldo. Quando furono tornati a casa, Margherita disse a suo marito: — Questo bambino non è come gli altri. La Madonna di Viggiano gli ha dato il latte, nella fossa da lupi. Chissà che cosa sarà di lui. Andiamo a Grottole, dall'indovinante. A Grottole, — diceva Margherita, — c'era allora un indovinante, che indovinava forte. Ci andammo, pagammo una lira, e quello disse tutto quel che era successo, come se l'avesse visto. Ma poi si scurí in viso, e disse che il bambino sarebbe morto all'età di sei anni, cadendo da una scala. E purtroppo cosí fu. A sei anni cadde da una scala, il mio povero bambino, e morí —. Margherita piangeva.

Altri bambini erano stati rapiti per l'aria, e ritrovati per merito della Madonna nera. Uno di pochi mesi scomparve, e si trovò poi, sopra uno dei due alberi che stanno a lato della cappella di sant'Antonio, a una decina di chilometri dal paese, a mezza strada fra Grassano e Grottole. Era stato un demonio a portarlo lassú, e sant'Antonio ad averne cura. Ma il solo di cui conoscessi anch'io la famiglia, era il bambino di Margherita.

Venne finalmente la serata della recita. Aveva cessato di piovere, le stelle brillavano mentre mi avviavo verso il fondo del paese. Non esistevano sale o saloni che potessero servire di teatro: si era scelto una specie di cantina o di grotta seminterrata, e ci avevano portato delle panche, dalla scuola, sul pavimento di terra battuta. In fondo, avevano costruito un piccolo palco, chiuso da un vecchio sipario. Lo stanzone era pieno zeppo di contadini, che aspettavano con meraviglia l'inizio della rappresentazione. Si recitava *La Fiaccola sotto il Moggio*, di Gabriele d'Annunzio. Naturalmente, mi aspettavo una gran noia da questo dramma retorico, recitato da attori inesperti, e aspettavo il piacere della serata soltanto dal suo carattere di distrazione e di novità. Ma le cose andarono diversamente. Quelle donne divine, dai grandi occhi vuoti e dai gesti pieni di una passione fissata e immobile, come le statue, recitavano superbamente; e, su quel palco largo quattro passi, sembravano gigantesche. Tutta la retorica, il linguismo, la vuotaggine tronfia della tragedia svaniva, e rimaneva quello che avrebbe dovuto essere, e non era, l'opera di d'Annunzio, una feroce vicenda di passioni ferme, nel mondo senza tempo della terra. Per la prima volta, un lavoro del poeta abruzzese mi pareva bello, liberato da ogni estetismo. Mi accorsi subito che questa sorta di purificazione era dovuta, piú ancora che alle attrici, al pubblico. I contadini partecipavano alla vicenda con interesse vivissimo. I paesi, i fiumi, i monti di cui si parlava, non erano lontani di qui. Cosí li conoscevano, erano delle terre come la loro e davano in esclamazioni di consenso sentendo quei nomi. Gli spiriti e i demonî che passano nella tragedia, e che si sentono dietro le vicende, erano gli stessi spiriti e demonî che abitano queste grotte e queste argille. Tutto diventava naturale, veniva riportato dal pubblico alla sua vera atmosfera, che è il mondo chiuso, disperato e senza espressione dei contadini. In quella serata, spogliata la tragedia, dagli attori e dal pubblico, di tutto il dannunzianesimo, restava soltanto un contenuto grezzo ed elementare, che i contadini sentivano proprio. Era un'illusione, ma mostrava la verità. D'Annunzio era uno dei loro: ma era un letterato italiano, e non poteva non tradirli. Egli era partito di qui, da un mondo senza espressione, e aveva voluto sovrapporgli la veste brillante della poesia contemporanea, che è tutta espressività, sensualità, senso del tempo. Aveva perciò degradato quel mondo a puro strumento retorico, quella poesia a vuoto formalismo linguistico. Il suo tentativo non poteva essere che un tradimento e un fallimento. Da quel connubio ibrido non poteva che nascere un mostro. Le attrici siciliane e i contadini di Grassano avevano, spontaneamente, fatta la strada opposta; avevano eliminata quella veste posticcia, e ritrovato a modo loro il nocciolo paesano; e di questo si commovevano ed entusiasmavano. I due mondi malamente fusi nella vuotezza estetizzante, tornavano a scindersi, poiché ogni loro contatto è impossibile, e sotto quell'onda di inutili parole riappariva, per i contadini, la Morte vera e il Destino.

Il giorno dopo, ero invitato a colazione dal signor Orlando, fratello di un noto giornalista che abitava a New York. Era un uomo alto, serio e malinconico. Viveva ritirato in un suo palazzetto, in una parte isolata del paese, e, avversario degli attuali potenti, si teneva lontano il piú possibile dalle questioni locali. Io avevo disegnato la copertina di un libro di suo fratello sull'America: questo era stato il pretesto della nostra conoscenza, ed egli mi aveva usato ogni sorta di cortesie. Aveva ancora gli antichi costumi lucani: sua moglie non mangiò a tavola con noi, e ci lasciò soli. Parlammo dei contadini, della malaria, dell'agricoltura, dei vari aspetti della questione meridionale. Io avevo visto quel giorno un confinato, un piccolo ragioniere torinese, già impiegato ai sindacati, e mandato qui, a quello che egli diceva, come capro espiatorio per degli scandalosi furti di fondi nelle casse sindacali ad opera dei gerarchi suoi superiori. Egli aveva trovato da lavorare tenendo i libri di conti di una delle piú grosse proprietà di Grassano, e me li mostrò. In questa grande tenuta non si coltivava che grano, secondo le direttive del governo. Nelle annate buone, malgrado il concime e il lavoro, non si raggiungeva che un raccolto di nove volte il seme; nelle altre annate la messe era di molto inferiore; a volte dava soltanto tre o quattro volte la semenza. Era dunque una follia economica questo insistere sul grano. Queste terre non consentirebbero che la coltura del mandorlo e dell'olivo; e soprattutto, dovrebbero tornare ad essere foreste e pascoli. I contadini erano pagati con salari di fame. Ricordavo, nel giorno del mio arrivo, in piena mietitura, le lunghe file di donne, che salivano dai campi in riva al Basento su per l'interminabile strada, fino in paese, con in testa un sacco di grano, come dei dannati dell'inferno, sotto il sole feroce. Per ogni sacco portato fino in paese ricevevano una lira. E giú, nei campi, c'era la malaria. Ma, dicevamo con Orlando, il luogo comune che l'unica causa dei mali di qui sia il latifondo, e che basti spezzare il latifondo per redimere, come suol dirsi, la terra, non ha fondamento. Le condizioni dei piccoli proprietari di Gagliano non sono migliori, anzi sono forse ancora peggiori di quelle dei contadini senza terra di qui. Che cosa fare dunque nelle presenti condizioni? — Niente, — diceva Orlando con la sua profonda tristezza meridionale, ripetendo la stessa sconsolata parola del migliore e piú umano pensatore di questa terra, Giustino Fortunato, che amava chiamarsi « il politico del niente ». Io pensavo a quante volte, ogni giorno, usavo sentire questa continua parola, in tutti i discorsi dei contadini. — *Ninte*, — come dicono a Gagliano. — Che cosa hai mangiato? — Niente. — Che cosa speri? — Niente. — Che cosa si può fare? — Niente —. La stessa, e gli occhi si alzano, nel gesto della negazione, verso il cielo. L'altra parola, che ritorna sempre nei discorsi è *crai*, il *cras* latino, domani. Tutto quello che si aspetta, che deve arrivare, che deve essere fatto o mutato, è *crai*. Ma *crai* significa mai.

La sconsolatezza di Orlando, che era quella di tutti i meridionali che pensano con serietà ai problemi del loro paese, derivava, come in tutti, da un radicale complesso di inferiorità. Per questo può forse dirsi che è impossibile ad essi capire completamente la loro terra e i suoi problemi, poiché partono, senza avvedersene, da un confronto, che non dovrebbe essere fatto, tutt'al piú, se non dopo. Se si considera la civiltà contadina una civiltà inferiore, tutto diventa sentimento di impotenza o spirito di rivendicazione: e impotenza e rivendicazione non hanno mai creato nulla di vivo.

I pochi giorni di Grassano passarono cosí, fra la pittura, il teatro e gli amici, in un lampo, e dovetti ripartire. Una mattina presto, con un tempo grigio e incerto, l'automobile mi aspettava davanti alla porta. Salutato rumorosamente da Prisco e dai suoi figli e da Antonino e Riccardo, dissi addio a quel paese, dove non sono tornato piú.

# 19

Gagliano mi riprese e richiuse, come l'acqua verde di un pantano raccoglie la rana, indugiatasi sulla proda ad asciugarsi al sole. Mi pareva ancora piú lontano e solitario di prima; nessun suono mi giungeva dal mondo di fuori: qui non passavano attori né mercanti. La strega mi aspettava sull'uscio di casa, come al solito, con il suo gran corpo nero senza età. Don Luigino mi aspettava sulla piazza, contento di riavermi in suo potere. I malati mi aspettavano nelle loro casupole, piú numerosi per quella settimana di abbandono. E ricominciò la serie dei giorni uguali, come prima.

Il tempo si fece freddo. Dal fondo dei burroni il vento saliva con i suoi vortici gelidi, soffiava continuo, come venisse da tutte le parti, penetrava nelle ossa, e si perdeva, ruggendo, nelle gole dei camini. La notte, solo nella mia casa, lo ascoltavo: era un grido senza interruzione, un urlo, un lamento, come se tutti gli spiriti della terra si lagnassero insieme della loro sconsolata prigionia. Vennero le piogge, lunghe, abbondanti, senza fine: il paese si coprí di nebbie biancastre che stagnavano nelle valli: le cime dei colli sorgevano da quello sfatto biancore, come isole su un informe mare di noia. Le argille cominciarono a sciogliersi, a colare lente per i pendii, scivolando in basso, grigi torrenti di terra in un mondo liquefatto. Nella mia stanza, il suono metallico delle gocce che cadevano sulla terrazza risuonava come su una pelle tesa, e si univa ai ringhi e ai sibili del vento: ero come sotto una tenda in un deserto. Dalle finestre entrava una luce fosca e incerta: le colline parevano addormentarsi dolorosamente in quello squallore. Soltanto Barone correva lieto all'aperto, nell'acqua, come un folletto, annusando gli odori della terra bagnata, e rientrava saltellante, scuotendosi la pelliccia inzuppata. La violenza del vento contrario ricacciava il fumo del camino nelle camere: il fumo acre e odoroso dei ceppi di ginepro e di brugo, delle some che una contadina mi portava, sul suo asino, dal bosco. Dovevo gelare, o lagrimare. Con gli occhi che mi bruciavano, lasciavo passare le ore, in quella acquosa atmosfera di dissoluzione. Poi venne la neve, le mani delle donne si arrossarono per il gelo, sopra i veli bianchi apparvero le grandi mantiglie di lana nera; e una immobilità piú ferma, un silenzio piú fitto del consueto parve addensarsi sulle distese solitarie dei monti.

Una sera che un vento selvaggio aveva portato qualche squarcio di sereno, udii squillare la tromba del banditore, e rullare il tamburo; la strana voce del becchino ripeteva, davanti a tutte le case, con la sua unica nota alta e strascicata, il suo appello. — Donne, è arrivato il sanaporcelle! Domattina, alle sette, tutte al Timbone della Fontana con le vostre porcelle. Donne, è arrivato il sanaporcelle! — La mattina il tempo era incerto, ma fra le nuvole basse appariva qualche lembo di cielo. La neve era quasi tutta sciolta: restava, a chiazze, qua e là, nei luoghi dove il vento l'aveva accumulata. Uscii presto di casa, e mi avviai.

Il Timbone della Fontana era un largo spiazzo, quasi piano, fra i monticelli di argilla, nei pressi dell'antica sorgente, un po' fuori del paese, a destra della chiesa. Quando ci arrivai, nella luce ancora grigia lo vidi già pieno di folla. Quasi tutte le donne, giovani e vecchie, erano là; e molte tenevano al guinzaglio, come un cane, la loro scrofa: le altre le accompagnavano, e venivano ad assistere alla sanatura. Veli bianchi e scialli neri ondeggiavano al vento: un gran sussurrío, un frastuono di voci, di grida, di risa, di grugniti, si spargeva nell'aria tagliente. Le donne erano tutte eccitate, rosse in viso, piene di apprensione e di appassionata attesa. I ragazzi correvano, i cani abbaiavano, tutto era movimento. In mezzo al Timbone stava ritto un uomo alto quasi due metri, e robusto, col viso acceso, i capelli rossi, gli occhi azzurri e dei gran baffi spioventi, che lo facevano assomigliare a un barbaro antico, a un Vercingetorige, capitato per caso in questi paesi di uomini neri. Era il sanaporcelle. Sanare le porcelle significa castrarle, quelle che non si tengono a far razza, perché ingrassino meglio, e abbiano carni piú delicate. La cosa, per i maiali, non è difficile, e i contadini la fanno da soli, quando le bestie sono giovani. Ma alle femmine bisogna togliere le ovaie, e questo richiede una vera operazione di alta chirurgia. Questo rito è dunque eseguito dai sanaporcelle, mezzi sacerdoti e mezzi chirurghi. Ce ne sono pochissimi: è un'arte rara, che si tramanda di padre in figlio. Quello che io vidi, era un sanaporcelle famoso, figlio e nipote di sanaporcelle; e passava di paese in paese, due volte all'anno, a eseguire la sua opera. Aveva fama d'essere abilissimo: era ben raro che una bestia gli morisse dopo l'operazione. Ma le donne trepidavano ugualmente, per il rischio e l'amore per l'animale familiare.

L'uomo rosso si ergeva possente in mezzo allo spiazzo, e affilava il coltello. Teneva in bocca, per aver libere le mani, un grosso ago da materassaio; uno spago, infilato nella cruna, gli pendeva sul petto; e aspettava la prossima vittima. Le donne esitavano attorno a lui: ciascuna spingeva la vicina o l'amica a portare per prima la sua bestia, con grandi esclamazioni e deprecazioni. Anche le scrofe pareva sapessero la sorte che le aspettava, e puntavano i piedi, o tiravano sulle corde per fuggire, e strillavano come ragazze impaurite, con quelle loro voci cosí umane. Una giovane donna si fece innanzi con la sua bestia, e due contadini che facevano da aiutanti afferrarono subito la maialina rosea, che si dibatteva e gridava di spavento. Tenendola ben ferma per le zampe, che legarono a dei paletti conficcati in terra, la sdraiarono a pancia all'aria. La scrofa urlava, la giovane si fece il segno della croce, e invocò la Madonna di Viggiano, fra il mormorío di partecipe consenso di tutte le altre donne; e l'operazione cominciò. Il sanaporcelle, rapido come il vento, fece un taglio col suo coltello ricurvo nel fianco dell'animale: un taglio sicuro e profondo, fino alla cavità dell'addome. Il sangue sprizzò fuori, mescolandosi al fango e alla neve: ma l'uomo rosso non perse tempo: ficcò la mano fino al polso nella ferita, afferrò l'ovaia e la trasse fuori. L'ovaia delle scrofe è attaccata con un legamento all'intestino: trovata l'ovaia sinistra, si trattava di estrarre anche la destra, senza fare una seconda ferita. Il sanaporcelle non tagliò la prima ovaia, ma la fissò con il suo grosso ago, alla pelle del ventre della scrofa; e, assicuratosi cosí che non sfuggisse, cominciò con le due mani a estrarre l'intestino, dipanandolo come una matassa. Metri e metri di budella uscivano dalla ferita, rosate viola e grige, con le vene azzurre e i bioccoli di grasso giallo, all'inserzione dell'omento: ce n'era sempre ancora, pareva non dovesse finir piú. Finché a un certo punto, attaccata all'intestino, compariva l'altra ovaia, quella di destra. Allora, senza usare il coltello, con uno strattone, l'uomo strappò via la ghiandola che era uscita allora, e quella che aveva appuntata alla pelle; e le buttò, senza voltarsi, dietro a sé, ai suoi cani. Erano quattro enormi maremmani bianchi, con le grandi code a pennacchio, i rossi occhi feroci, e i collari a punte di ferro, che li proteggono dai morsi dei lupi. I cani aspettavano il lancio, e prendevano al volo, nelle loro bocche, le ovaie sanguinanti e poi si chinavano a leccare il sangue sparso per terra. L'uomo non si interrompeva. Strappate le ghiandole, rificcò, pezzo a pezzo, spingendolo con le dita, l'intestino dentro il ventre, ricacciandolo a forza quando quello, gonfio d'aria come un pneumatico, stentava a rientrare. Quando tutto fu rimesso a posto, l'uomo rosso si cavò di bocca, di sotto i gran baffi, l'ago infilato e con un punto, e un nodo da chirurgo, chiuse la ferita. La scrofa, liberata dai ceppi, restò un attimo come incerta, poi si rizzò in piedi, si scrollò, e strillando si mise a correre per lo spiazzo inseguita dalle donne, mentre la giovane padrona, liberata dall'ansia, cercava nella tasca, sotto la sottana, le due lire di compenso per il sanaporcelle. L'operazione non era durata in tutto che tre o quattro minuti; e già un'altra bestia era afferrata dagli aiutanti, e coricata con la schiena a terra, pronta al sacrificio. La scena di prima si ripeté: e, una dopo l'altra, per tutta la mattina, senza interruzione, le scrofe furono sanate. Il giorno era chiaro ormai, con un gran vento freddo, che portava qua e là degli stracci di nuvole. L'odore del sangue gravava nell'aria: i cani erano ormai sazi di quella carne ancor viva. La terra e la neve erano rosse; le voci delle donne si erano fatte piú alte, le scrofe sanate e quelle ancora da sanare strillavano insieme, ogni volta che una era buttata in terra, rispondendosi e commiserandosi, come un coro di lamentatrici. Ma la gente era allegra, nessuna bestia pareva dovesse morire. Era ormai mezzogiorno; il meraviglioso sanaporcelle si rizzò in tutta la sua statura, e disse che avrebbe rimandato al pomeriggio quelle poche bestie che restavano da sanare. Le donne cominciarono ad andarsene, con i loro animali al guinzaglio, commentando: il sanaporcelle, seguíto dai suoi cani, contando le monete del suo guadagno, si avviò alla casa della vedova per mangiare; e anch'io me ne andai dietro a lui. Per qualche giorno, in paese, non si parlò d'altro: si trepidava al pensiero che qualche complicazione potesse far morire qualcuna delle scrofe sanate: ma tutto andò bene, i cuori si rassicurarono e ogni apprensione sparí. Il sanaporcelle era partito la sera stessa per Stigliano, coperto di benedizioni, con i suoi baffi rossi da sacerdote druidico, e il coltello del sacrificio.

La notte scendeva ormai prestissimo; le serate, accanto al fuoco che strideva e sfriggeva e soffiava e fumava, erano lunghe e tristi, mentre Barone tendeva l'orecchio agli urli del vento e al richiamo lontano dei lupi. Il lavoro dei contadini si riduceva sempre piú: nei giorni di cattivo tempo era inutile andare nei campi: restavano a casa, vicino ai loro fuochi stenti, o s'incontravano nelle grotte del vino, a giocare interminabili passatelle. Anche don Luigino, per fortuna, era appassionato di questo gioco popolare e oratorio: si chiudeva in cantina per dei pomeriggi interi, con l'altro maestro, l'avvocato P., l'eterno studente di Bologna, quattro o cinque altri proprietari, e magari, per dimostrare il suo spirito democratico, e per far numero, la guardia comunale, o il barbiere americano; e non ne usciva che a sera tarda, reggendosi a stento sulle gambe, e con gli occhi lustri. Si poteva ormai traversare la piazza senza pericolo di incontrarlo. Ma gli mancava, da qualche giorno, il suo miglior compagno di giochi, il suo braccio secolare, il partecipe necessario e inseparabile della sua potenza. Il brigadiere dei carabinieri, finito di racimolare, a quel che si diceva, una quarantina di migliaia di lire in quel paese ormai troppo sfruttato, aveva chiesto di essere trasferito in un'altra sede piú ricca.

Il nuovo brigadiere era l'opposto di quello che se n'era andato. Era giovanissimo, un biondino con gli occhi azzurri, di Bari, e sembrava un ragazzo. Usciva allora dalla scuola: questo era il suo primo servizio; ci metteva dell'onesto zelo, convinto e desideroso di servire la Giustizia. Era pieno di idealismo e di disinteresse, si sentiva davvero il protettore della vedova e dell'orfano, e non tardò ad accorgersi di essere capitato in una miserabile tana di lupi e di volpi. Quando, in pochi giorni, ebbe finito di conoscere tutti i signori del paese, e si rese conto delle loro liti e passioni, e del loro odio per i contadini, e della miseria, e capí che egli avrebbe potuto far ben poco contro quella rete di ragno dell'abitudine, dell'impunità e della rassegnazione, il suo cuore giovanile si riempí di amarezza. M'incontrava nella piazza, e mi guardava sconsolato. — Dio mio, dottore! che paese! — mi diceva. — Di persone per bene ce ne sono due sole: lei ed io —. Lo confortavo come potevo: — Siamo piú di due, brigadiere. Del resto, due giusti soli sarebbero bastati a salvare Sodoma e Gomorra dall'ira del cielo. Ma qui ci sono molti giusti tra i contadini, li conoscerà a poco a poco. E poi, c'è don Cosimino.

Don Cosimino stava dietro il suo sportello, alla Posta, tutto avvolto in una tunica di tela nera che gli copriva la gobba, e ascoltava i discorsi di tutti, guardava con i suoi occhi arguti e melanconici, e sorrideva col suo sorriso pieno di amara bontà. Aveva preso l'abitudine, di sua iniziativa, di consegnare di nascosto, a me e agli altri confinati, la posta in arrivo, prima che passasse censura. — C'è una lettera, dottore, — mi sussurrava dallo sportello; — venga piú tardi, quando non ci sia nessuno —. E mi passava la lettera, nascosta, per prudenza, sotto un giornale. Egli avrebbe dovuto prendere tutta la nostra posta in arrivo e spedirla a Matera, alla censura: di qui poi, dopo una settimana, sarebbe tornata per esserci distribuita. Io leggevo subito, grazie a don Cosimino, le cartoline, e gliele restituivo senz'altro, perché le mandasse alla questura: le lettere le portavo a casa, le aprivo con cura, e, se l'operazione era riuscita senza che la busta si rompesse o ne restassero tracce, le riportavo a don Cosimino l'indomani: cosí non si correva rischi che la censura si stupisse di restar senza lavoro. Nessuno aveva pregato quell'angelo gobbo di questo favore: l'aveva fatto spontaneamente, per naturale bontà. Le prime volte, mi spiaceva quasi di prendere le lettere, per timore di comprometterlo: era lui a mettermele in mano, e mi forzava ad accettarle, con una sorta di sorridente autorità. Le lettere in partenza dovevano passare anch'esse da Matera per essere censurate: anche qui c'era la noia dell'enorme ritardo; e don Cosimino non poteva, con la massima buona volontà, essere di alcun aiuto. In quei giorni avvenne nella censura un cambiamento. La questura, che forse aveva troppo lavoro, incaricò del controllo sulla posta in partenza, il podestà: il che accrebbe l'autorità e la gloria di don Luigino. Anziché consegnare le lettere chiuse a don Cosimino perché le mandasse a Matera, si dovevano ora portare, aperte, al podestà, che le leggeva e s'incaricava di spedirle direttamente a destinazione. Questa novità avrebbe dovuto portare una maggior rapidità nella posta, e forse era fatta proprio a questo scopo; ma il bene che ne derivava era minore della noia di essere controllati sul luogo, di dover far sapere tutti i fatti propri e intimi a un uomo curioso e infantile, e che si incontrava per strada dieci volte al giorno. Don Luigino avrebbe potuto esercitare il suo ufficio *pro forma*: dare un'occhiata alle lettere, e sbarazzarsene al piú presto; ma non c'era da sperarlo. La censura postale era per lui un nuovo onore, un nuovo e insperato mezzo di soddisfare il suo latente sadismo e la sua fantasia da romanzo giallo. Era in quei giorni arrivato un nuovo confinato: un grosso mercante d'olio di Genova, mandato qui non per ragioni politiche, ma piuttosto per gelosia di mestiere o per concorrenza in affari. Era un vecchio, abituato a una vita comoda, seriamente malato di cuore, un brav'uomo, insieme pratico e sentimentale, che i disagi e la lontananza dalla famiglia rendevano, in quei primi tempi, veramente angosciato. Egli aveva dovuto lasciare sospesi, da un momento all'altro, tutti i suoi affari, che erano molti e complicati, e doveva perciò dare un'infinità di disposizioni. Scrisse dunque delle lettere, col solito frasario e le solite abbreviazioni convenzionali dei commercianti: « *A preg. / vs. / del 7 corr. / ecc.* » e un'infinità di cifre, di date, di numeri di assegni e di scadenze. Erano le piú innocenti lettere del mondo; ma don Luigino non conosceva il gergo degli affari, ed era tutto caldo della sua nuova autorità. Egli immaginò subito che quelle frasi tronche e quei numeri fossero un cifrario segreto: pensò di essere sulle fila di chissà quale importantissimo complotto. Non spedí le lettere, e per molti giorni cercò invano di decifrarle, per scoprirne gli inesistenti significati reconditi, e intanto fece sorvegliare il buon mercante d'olio; mandò le lettere alla questura di Matera, e infine non poté piú trattenersi, e fece al vecchio genovese una scenataccia violenta, piena di oscure minacce. Soltanto dopo molti giorni si calmò, ma non credo si sia mai del tutto persuaso che i suoi sospetti erano infondati. Per me, la cosa era molto diversa. Gli consegnavo le mie lettere; don Luigino le portava a casa, e le leggeva con attenzione. Nei giorni seguenti, ogni volta che mi incontrava, lodava le mie qualità letterarie. — Come scrive bene, don Carlo! È un vero scrittore. Mi leggo le sue lettere a poco a poco: è una delizia. Quella di tre giorni fa, me la sto copiando; è un capolavoro —. Don Luigino copiava tutte le mie lettere, non so se davvero per ammirazione stilistica o per zelo poliziesco, o per tutte e due le cose insieme: questo lavoro richiedeva molto tempo, e la mia corrispondenza non partiva mai.

Dicembre avanzava, era tornata la neve, i campi dormivano abbandonati, i contadini non uscivano dal paese, le strade erano insolitamente animate. Quando calava la sera, sotto il fumo grigio dei camini, mosso e stracciato dal vento, per le vie buie, si sentiva un sussurrare, un rumore di passi, uno scambio alterno di voci, e i ragazzi, correndo a frotte, lanciavano nell'aria nera i primi rauchi suoni dei *cupi-cupi*.

Il cupo-cupo è uno strumento rudimentale, fatto di una pentola o di una scatola di latta, con l'apertura superiore chiusa da una pelle tesa come un tamburo. In mezzo alla pelle è infisso un bastoncello di legno. Soffregando con la mano destra, in su e in giú, il bastone, si ottiene un suono basso, tremolante, oscuro, come un monotono brontolío. Tutti i ragazzi, nella quindicina che precede il Natale, si costruivano un cupo-cupo, e andavano, in gruppi, cantando su quell'unica nota di accompagnamento, delle specie di nenie, su un solo motivo. Cantavano delle lunghe filastrocche senza senso, non prive di una certa grazia; ma soprattutto portavano, davanti alle porte delle case dei signori, serenate e complimenti improvvisati. In compenso, le persone lodate nel canto devono regalare una strenna, dei fichi secchi, delle uova, delle focacce, o qualche moneta. Appena scendevano le ombre, cominciavano i ritornelli, sempre uguali. L'aria era piena di quei suoni lamentosi e strascicati, di quelle voci infantili, sull'accento ritmico e grottesco dei cupi-cupi.

Sentivo di lontano:

Aggio cantato alla lucente stella
Donna Caterina è una donna bella
Sona cupille si voi sunà.

Aggio cantato dal fondo del core
Il dottor Milillo è 'nu professore
Sona cupille si voi sunà.

Aggio cantato sovra 'na forcina
E donna Maria è 'na regina
Sona cupille si voi sunà.

E cosí via, dinanzi a tutti gli usci, con un frastuono melanconico. Vennero anche da me, e cantarono una interminabile canzoncina, che finiva:

Aggio cantato sovra 'nu varcone
E don Carlo è 'nu varone
Sona cupille si voi sunà.

Questi poveri canti, e il suono del cupo-cupo, risonavano nelle strade oscure, come il rumore del mare dentro il cavo di una conchiglia; si alzavano sotto le fredde stelle invernali, e si spegnevano nell'aria natalizia, piena dell'odore delle frittelle e di una melanconica festività. — Una volta venivano in paese, in questi giorni, i pastori, — mi diceva la Giulia. — Suonavano in chiesa, per Natale, con le loro zampogne, «Gesú Bambino è nato». Ma da molti anni hanno cambiato strada, e non ci passano piú, da queste parti —. Veramente, un pastore venne, poco prima di Natale, con un suo ragazzo, e la zampogna, ma si fermò un giorno solo, per salutare certi suoi compagni, e non andò in chiesa. Lo trovai in casa dei suoi amici, dalla vecchia Rosano, la contadina madre del muratore, quella che era venuta a trovarmi da sola. C'era conversazione da lei, quella sera, e io, che passavo per la strada, fui invitato a entrare, e a bere il vino e a mangiare le focacce. Avevano sgombrato la stanza, e una ventina di giovani contadini e contadine, nipoti e parenti della vecchia, ballavano al flebile suono della zampogna. Era una specie di tarantella, i danzatori non si toccavano che la punta delle dita, girandosi attorno, come in una specie di ruota, o di corteggiamento cadenzato. Poi tutti si fermarono, e si fecero in mezzo alla stanza, tenendosi per mano, un giovane contadino e la sua fidanzata, la figlia della vecchia, una ragazza alta e robusta, dal viso rosato, che vedevo spesso passare per le strade con degli enormi pesi in equilibrio sul capo, sacchi di cemento, secchi pieni di mattoni, e perfino dei lunghi e grossi travi da soffitto, che portava come fossero fuscelli, senza reggerli con le mani: lavorava per suo fratello, il muratore. Tutti tacquero, e restarono a guardare; e la zampogna intonò una nuova nasale, singhiozzante, belante, animalesca tarantella. I due fidanzati avevano un senso naturale della danza; come di una sacra rappresentazione; cominciarono con passi guardinghi avvicinandosi e volgendosi repentinamente le spalle, aggirandosi in cerchi senza incontrarsi, battendo il piede in cadenza, con occhiate e gesti di ritrosía e di rifiuto; poi andarono accelerando i passi, sfiorandosi al passaggio, prendendosi per le mani, e ruotando come trottole; poi, su un ritmo sempre piú rapido, i cerchi si strinsero, finché cominciarono a urtarsi, nel loro piroettare, con gran colpi dei fianchi; e si trovarono infine uno di faccia all'altro, danzando con le mani alla vita, come se la pantomima della schermaglia amorosa e dei simulati rifiuti fosse finita, e dovesse ora cominciare una danza d'amore. Ma qui tutti batterono le mani, la zampogna tacque e i ballerini, col respiro grosso, i visi rossi e gli occhi lucenti si sedettero con la compagnia. I bicchieri di vino passarono in giro, si parlò ancora un poco, al lume oscillante del fuoco del camino; poi lo zampognaro partí. Fu questo, che io sappia, l'unico ballo a Gagliano in tutto l'anno che ci restai.

E venne la vigilia di Natale. La terra era piena di neve e di abbandono. Il vento portava il funebre suono della campana, che pareva scendere dal cielo. Gli auguri e le benedizioni piovevano, al mio passaggio, dagli usci delle case. I bambini giravano a gruppi, per l'ultima questua dei cupi-cupi. I contadini e le donne andavano attorno, portando i regali alle case dei signori; qui è d'uso antico che i poveri rendano omaggio ai ricchi, e rechino i doni, che vengono accolti come cosa dovuta, con sufficienza, e non ricambiati. Anch'io dovetti ricevere, quel giorno, bottiglie di olio e di vino, e uova, e canestrelli di fichi secchi, e i donatori si meravigliavano che io non li accettassi come una decima obbligatoria, ma che me ne schermissi, e facessi, in cambio, come potevo, qualche dono. Che strano signore ero io dunque, se non valeva per me la tradizionale inversione della favola dei Re Magi, e si poteva entrare a casa mia a mani vuote? Che quei potenti fossero venuti dall'Oriente, seguendo la stella, per portare le loro ricchezze al figlio di un falegname, era un segno della prossima fine del mondo. Ma qui, dove Cristo non era venuto, non s'erano mai visti neppure i tre Re.

Don Luigino mandò generosamente ad avvertire che quella sera, in segno di festa, avremmo potuto restar fuori di casa fino a tardi, ed assistere, se volevamo, alla messa di mezzanotte. A mezzanotte precisa io ero davanti alla chiesa, nella folla di contadini, di donne e di signori; e battevamo i piedi nella neve frusciante. Il cielo si era rasserenato, brillava qualche stella, Gesú Bambino stava per nascere. Ma la campana non suonava, la porta della chiesa era chiusa col catenaccio, e di don Trajella non si vedeva traccia. Aspettammo una mezz'ora davanti a quella porta sbarrata, sempre piú impazienti. Che cosa era successo? Il prete era malato, o forse, come strillava don Luigino, era ubriaco? Alla fine il podestà si decise a mandare un ragazzo a casa del parroco, a chiamarlo. Di lí a qualche minuto si vide scendere dal vicolo don Trajella, con dei grandi stivaloni da neve, e una grossa chiave in mano: si avvicinò all'uscio, mormorando qualche scusa per il ritardo, diede un giro di chiave, spalancò la porta, e corse ad accendere i ceri sull'altare. Entrammo allora tutti in chiesa, e la messa cominciò, una povera messa affrettata, senza musiche e senza canti. Quando la messa fu finita, all'*Ite missa est*, don Trajella scese dall'altare, e, traversando le panche dove eravamo seduti, salí sul pulpito per pronunziare la sua predica.

— Fratelli carissimi! — cominciò. — Carissimi fratelli! Fratelli! — e qui subito si interruppe, e cominciò a frugare in tutte le tasche, balbettando fra i denti parole incomprensibili. Inforcò gli occhiali, se li tolse, li rimise sul naso, tirò fuori il fazzoletto, si asciugò il sudore, alzò gli occhi al cielo, li rivolse in basso all'uditorio, sospirò, si grattò la testa in segno di sommo imbarazzo, lanciò degli *oh!* e degli *ah!*, congiunse le mani, le disgiunse, mormorò un *pater*, e finalmente tacque, con l'aspetto di un uomo disperato. Un mormorio corse nella folla. Che cosa avveniva? Don Luigino si fece rosso in viso, e cominciò a stridere: — È ubriaco! La sera di Natale! — Fratelli carissimi! — ricominciò don Trajella dal pulpito, — ero venuto qui, con animo pastorale, per parlare un poco con voi, che siete il mio gregge dilettissimo, in occasione di questa Santa Festa; per portarvi la mia parola di Pastore amoroso, *solliciti et benigni et studiosi pastoris*. Avevo preparato una predica veramente, mi sia concesso di dirlo con ogni umiltà, bellissima: l'avevo scritta, per leggerla, perché non ho molta memoria. L'avevo messa in tasca. E ora, ahimè, non la trovo piú, l'ho perduta; e non mi ricordo piú di nulla. Come fare? Che cosa potrò dire a voi, miei fedeli, che aspettate da me la parola? Ahimè, le parole mi mancano! — E qui don Trajella tacque di nuovo, e rimase immobile, con gli occhi al soffitto, come assorto. In basso, tra le panche, i contadini aspettavano, incerti e incuriositi: ma don Luigino non si trattenne piú, si alzò rabbioso: — È uno scandalo, è una profanazione della Casa di Dio. Fascisti, a me! — I contadini non sapevano chi guardare. Don Trajella, come scuotendosi dall'estasi, si era inginocchiato, rivolgendosi verso un crocifisso di legno, attaccato sul bordo del pulpito, e, con le mani unite in preghiera, diceva: — Gesú, Gesú mio, vedi in quale imbarazzo mi trovo, per i miei peccati. Aiutami tu, mio Signore! Fammi uscire da questo malo passo, Gesú! — Ed ecco, come toccato dalla grazia, il prete balzò in piedi; con una rapida mossa della mano afferrò un foglio di carta nascosto ai piedi del crocifisso, e gridò: — Miracolo! miracolo! Gesú mi ha ascoltato! Gesú mi ha soccorso! Avevo perduto la mia predica, e mi ha fatto trovare di meglio! Che cosa valevano le mie povere parole? Ascoltate, invece delle mie, le parole che vengono di lontano! — E cominciò a leggere il foglio del crocifisso. Ma don Luigino non l'ascoltava. Lanciato ormai in un freddo accesso d'ira e di sacra indignazione, continuava a gridare: — Fascisti, a me! È un sacrilegio! Ubriaco, in chiesa, la notte di Natale! A me! — E, facendo segno ai sette o otto balilla e avanguardisti della sua scuola perché lo seguissero, intonò « Faccetta nera, bella abissina ».

Il podestà e i ragazzi cantavano, ma don Trajella pareva non udirli, e continuava la sua lettura. Il foglio miracoloso era una lettera che veniva dall'Abissinia, di quel sergente gaglianese, allevato dai preti, che tutti conoscevano. — È la parola di uno di voi, di un figlio di questo paese, della piú cara di tutte le mie pecorelle. La mia povera predica non valeva nulla, al confronto. Gesú, che me l'ha fatta trovare qui, ha fatto il miracolo. Sentite: « Si avvicina il Santo Natale, e il mio pensiero vola a Gagliano, e a tutti gli amici e i compagni di laggiú, che immagino radunati nella nostra piccola chiesetta ad ascoltare la Santa Messa. Qui noi combattiamo per portare la nostra Santa Religione a queste popolazioni infedeli, combattiamo per convertire alla vera Fede questi pagani, per portare la pace e la beatitudine eterna », ecc. ecc. — La lettera continuava per un pezzo su questo tono, e finiva con saluti per tutti, e particolarmente per molti del paese, che venivano chiamati a nome. I contadini ascoltavano compiaciuti l'ultraterreno messaggio africano. Don Trajella prese di qui lo spunto per la sua orazione, destreggiandosi tra i concetti di guerra e di pace. — Il Natale è la festa della pace, e noi siamo in guerra: ma, come dice cosí bene la lettera, questa guerra non è una guerra, ma un'azione di pace, per il trionfo della Croce che è la sola vera pace per gli uomini; — e cosí via. La predica si perdeva nel pandemonio: don Luigino e i suoi ragazzi da « Faccetta nera » erano passati a « Giovinezza » e finita « Giovinezza » avevano riattaccato « Faccetta nera ». Visto che i contadini non lo seguivano, e che il prete parlava, fingendo di non accorgersi del chiasso, il podestà si avviò alla porta, gridando: — Fuori dalla chiesa! Questo posto è profanato! Fascisti, a me! — e seguíto dai suoi balilla e avanguardisti, e da qualcuno dei suoi amici, uscí, e si mise, col suo codazzo, a girare attorno alla chiesa, cantando alternativamente « Faccetta nera » e « Giovinezza », e cosí continuò per tutta la durata della predica. Don Trajella intanto tirava diritto, ed era il solo, nella chiesa, a non parere a disagio: aveva soltanto, contro il solito, due macchie rosse ai pomelli, nel viso pallidissimo. — *Pax in terra hominibus bonae voluntatis*, figli miei dilettissimi. *Pax in terra*, questo è il messaggio divino, che noi dobbiamo ascoltare con particolare compunzione e devozione in questo anno di guerra. Il divino Infante è nato proprio in quest'ora per portare questa parola di pace. *Pax in terra hominibus*, e perciò noi dobbiamo purificarci, per sentircene degni, dobbiamo fare un esame di coscienza, dobbiamo chiederci se abbiamo fatto il nostro dovere, per essere degni di ascoltare con purezza di cuore il Verbo di Dio. Ma voi siete malvagi, siete peccatori, voi non venite mai in chiesa, non fate le devozioni, cantate canzonacce, bestemmiate, non battezzate i vostri figli, non vi confessate, non vi comunicate, non avete rispetto per i ministri del Signore, non date a Dio quello che è di Dio, e perciò la pace non è con voi. *Pax in terra hominibus*: voi non sapete il latino. Che cosa vuol dire? *Pax in terra hominibus* vuol dire che oggi, la vigilia di Natale, voi avreste dovuto portare un capretto in dono, secondo l'usanza, al vostro pastore. Invece non l'avete fatto, perché siete dei miscredenti; e poiché non siete *bonae voluntatis*, non avete la volontà buona, cosí non avete la pace, e la benedizione del Signore. Pensateci dunque, portate al vostro parroco il capretto, pagategli i debiti per i suoi terreni, che glieli dovete dall'anno passato, se volete che Dio vi guardi con misericordia, vi tenga la sua mano sul capo, e ispiri la pace nei vostri cuori; se volete che la pace torni nel mondo, e finisca la guerra che vi fa trepidare per la sorte dei vostri cari e della nostra Patria diletta —. E cosí via di questo passo, con scherzi, rivendicazioni, e citazioni latine. « Faccetta nera » risonava dalla porta, sottolineando i passaggi dell'orazione, mentre il ragazzo campanaio, a un cenno del prete, si era attaccato alla campana, cercando di coprire, con quegli squilli da morto, i canti del podestà. In questo chiasso, fra la generale costernazione, la predica ebbe finalmente termine. Don Trajella scese dal pulpito, e senza voltarsi a destra né a sinistra uscí dalla chiesa, e noi tutti lo seguimmo. Fuori, don Luigino continuava a cantare. Un contadino col mantello nero aspettava davanti alla chiesa, tenendo per la cavezza un mulo sellato. Era venuto da

Gaglianello per prendere il prete, che doveva dire anche là la messa di Natale. Don Trajella chiuse la porta della chiesa, si mise la chiave in tasca, e, aiutato dal contadino, si arrampicò sul mulo e partí. Doveva fare due ore di strada, sul sentiero tra i burroni, nella neve. A Gaglianello Gesú Bambino nacque, quell'anno, verso le quattro del mattino. Don Trajella ripeté là il suo miracolo, e poiché non c'era, in quella frazione sperduta, né podestà né signori, tutto andò benissimo, e i contadini furono entusiasti della predica, e, una volta tanto, il povero prete venne trattato con i dovuti onori, ebbe da bere quanto volle, si ubriacò, questa volta davvero, e non tornò a Gagliano che tre giorni dopo. Io, che ero rimasto con gli altri davanti alla chiesa, mi sottrassi in fretta alla compagnia, che commentava l'accaduto. Tutti i signori, tranne il dottor Milillo che scuoteva la testa, disgustato del nipote, davano ragione al podestà, e si intendevano per denunciare il prete alle autorità. — Finalmente ce ne sbarazzeremo! — strillava don Luigino, — questa è la volta buona! — Nessuno saprà mai se don Trajella avesse preparato il miracolo, con la stendhaliana messa in scena del ritardo, e della perdita della predica scritta, e dell'imbarazzo sul pulpito, soltanto per un pio fine di edificazione, per fare, con quella astuzia oratoria, maggior effetto sull'animo degli ascoltatori, o se non avesse anche, nello stesso tempo, voluto prendersi argutamente gioco dei suoi nemici, e magari anche di se stesso, e divertirsi alle spalle di quella gente che lo odiava e da cui si sentiva perseguitato. Certo, non era ubriaco, o, se anche aveva bevuto un po' piú del solito, questo gli aveva aggiunto, anziché tolto, lucidezza e presenza di spirito. Ma don Luigino era convinto che il prete era ubriaco, che il discorso era stato veramente smarrito, e che tutto ciò era uno scandalo; e questa fu la rovina del povero vecchio prete. L'indomani mattina, per quanto fosse festa, e Natale, già partivano le denunzie: lettere al prefetto, alla questura e al Vescovo. Vennero poi, qualche tempo dopo, due preti di Tricarico mandati dal Vescovo per fare un'inchiesta. Credo che tutti coloro che essi interrogarono deposero contro il prete: io solo cercai di scusarlo, ma non avevo alcuna autorità. E il Vescovo si decise a imporre a don Trajella di andare ad abitare nella sua vera sede, a

Gaglianello, e gli vietò di presentarsi al concorso per la parrocchia di Gagliano. Ma questo avvenne poi.

Quella mattina, il cielo era grigio e freddo, e i contadini dormirono fino a tardi. I camini fumavano piú del solito: forse qualche pezzo di carne di capretto cuoceva nelle pentole, fra gli alari. Era la piú grande festa dell'anno, un giorno lieto di pace simulata e di supposta ricchezza. Era soprattutto il giorno nel quale si possono dire e fare cose impossibili in ogni altro tempo dell'anno. La Giulia arrivò a casa mia tutta ripulita, con lo scialle smacchiato, il velo stirato di fresco, e il bambino meno stracciato del solito, che trascinava i grossi scarponi di un altro ragazzo piú vecchio di lui di qualche anno. Io la aspettavo con impazienza: c'era tutta una parte, e la piú importante, della sua sapienza stregonesca, che avrebbe potuto comunicarmi soltanto quest'oggi. La Santarcangelese mi aveva insegnato ogni specie di sortilegi e di formule magiche, per fare innamorare e per guarire le malattie: ma aveva sempre rifiutato di farmi sapere gli incanti di morte, quelli che possono far ammalare e morire. — Soltanto a Natale si possono dire, e in grandissimo segreto, e con giuramento di non ripeterli a nessun altro, se non in quello stesso giorno, che è un giorno santo. In tutti gli altri giorni dell'anno, è peccato mortale —. Ma dovetti lo stesso pregarla e ripregarla, e insistere perché mi mettesse nel segreto: la Giulia si schermiva perché, in fondo, anche di Natale la cosa non è del tutto innocente. Dovetti solennemente giurarle che poteva fidarsi della mia discrezione, e che il diavolo non avrebbe riso di noi; finalmente si indusse a iniziarmi alle terribili formule che, per sola virtú di parola, attaccano un uomo, a poco a poco, in ogni sua parte viva, e lo colpiscono e lo disseccano e inaridiscono, fino a portarlo alla tomba. Riferirò qui qualcuno di quegli spaventosi esorcismi, che sarebbero forse di tanta utilità, in questi tempi, al lettore? Ahimè, no. Non è Natale, e sono legato da un giuramento.

Arrivammo alla fine dell'anno. Volli attendere la mezzanotte, secondo l'usanza. Ero solo, nella mia cucina, davanti a un fuoco che sfriggeva e soffiava e cigolava, mentre fuori urlava la tempesta di vento e di neve. Avevo un bicchiere di vino, ma a che cosa avrei potuto brindare?

Il mio orologio si era fermato, e nessun rintocco di fuori poteva giungermi e indicarmi il passare del tempo, dove il tempo non scorre. Cosí finí, in un momento indeterminato, l'anno 1935, quest'anno fastidioso, pieno di noia legittima, e cominciò il 1936, identico al precedente, e a tutti quelli che sono venuti prima, e che verranno poi, nel loro indifferente corso disumano. Cominciò con un segno funesto, una eclisse di sole.

L'eclisse era un segno del cielo. Un sole malato di peste guardava col suo occhio velato un mondo che aveva iniziato la sua guerra di dissoluzione. C'era un peccato, sotto; non soltanto quello che si commetteva in quei giorni, i massacri coi gas asfissianti che facevano scuotere la testa ai contadini, che sanno che ogni colpa si sconta; ma un peccato piú fondamentale, di quelli per cui tutti pagano, gli innocenti con i colpevoli. Il sole si oscurava per avvertircene: — Un triste futuro ci aspetta, — dicevano tutti.

I giorni erano freddi e smorti; il sole si levava pallido, come a fatica, sui monti bianchi. Cacciati dal gelo e dalla fame, i lupi si avvicinavano al paese. Barone li sentiva da lontano, con un suo senso misterioso, ed entrava in uno stato d'inquietudine e di agitazione straordinaria. Correva per la casa ringhiando, il pelo gli si rizzava; grattava la porta con le unghie per chiedere di uscire. Gli aprivo, ed egli spariva nella notte, e fino al mattino non lo rivedevo piú. Non ho mai capito se in quella sua esaltazione per i lupi ci fosse odio, o terrore, o piuttosto amore e desiderio, se quelle fughe notturne erano cacce, o convegno di amici antichissimi nella foresta. Certo, in quelle notti, la tramontana portava il rumore della canea, degli abbaiamenti strani, qua e là per le valli. Barone tornava al mattino, stanco per essere stato chissà dove, bagnato e sporco di fango. Si sdraiava vicino al fuoco, e mi guardava, con un solo occhio aperto, di sotto in su.

Qualche lupo attraversò anche il paese: si trovavano, il mattino, le sue peste sulla neve. Una sera ne vidi uno io stesso, dalla mia terrazza: un grosso cane magro, che uscí improvvisamente dal buio, si fermò un momento alla luce di una lampada dondolante per il vento, alzò il muso ad annusare l'aria, e a passo lento e tranquillo ritornò a dileguarsi nell'ombra.

Era un buon tempo, quello, per i cacciatori. Qualcuno partí, per prendere parte alle battute al cinghiale, oltre Accettura; si diceva che ce ne fossero molti: ma a Gagliano quell'anno non se ne prese nessuno. I piú, profittando del riposo dei campi, uscivano con le loro giacche di velluto e il fucile ben lustro, a caccia di volpi e di lepri, e tornavano spesso con il carniere pieno. Con l'osso della zampa posteriore destra del lepre, svuotato del midollo con un ferro rovente, si fanno dei bocchini per i sigari, che i vecchi fumano con religiosa precauzione, perché il freddo dell'aria non li incrini, fino a che diventino di un bel nero lucido. Un vecchio contadino, che avevo curato di non so piú che male, volle regalarmi il suo bocchino, di un colore venerabile, per essere stato fumato da lui per vent'anni. Quando si seppe in paese che avevo gradito questo regalo, tutti andarono a gara a offrirmi quegli ossicini, già forati o ancora grezzi: e cominciai anch'io, con perseveranza, ad annerirli, fumando i miei poveri sigari Roma su e giú per la strada del paese.

Non arrivavano i giornali né la posta, per la neve che chiudeva le strade: l'isola fra i burroni aveva perso ogni contatto con la terra. Il mutarsi dei giorni era un semplice variare di nuvole e di sole: il nuovo anno giaceva immobile, come un tronco addormentato. Nell'uguaglianza delle ore, non c'è posto né per la memoria né per la speranza: passato e futuro sono come due stagni morti. Tutto il domani, fino alla fine dei tempi, tendeva a diventare anche per me quel vago «crai» contadino, fatto di vuota pazienza, via dalla storia e dal tempo. Come talvolta il linguaggio inganna, con le sue interne contraddizioni! In questa landa atemporale, il dialetto possiede delle misure del tempo piú ricche che quelle di alcuna lingua; di là da quell'immobile, eterno crai, ogni giorno del futuro ha un suo proprio nome. Crai è domani, e sempre; ma il giorno dopo domani è *pescrai* e il giorno dopo ancora è *pescrille*; poi viene *pescruflo*, e poi *maruflo* e *maruflone*; ed il settimo giorno è *maruflicchio*. Ma questa esattezza di termini ha piú che altro un valore di ironia. Queste parole non si usano tanto per indicare questo o quel giorno, ma piuttosto tutte insieme come un elenco, e il loro stesso suono è grottesco: sono come una riprova della inutilità di voler distinguere nelle eterne nebbie del crai. Certo anch'io cominciavo a non attendermi nulla da nessuno dei futuri marufli o marufloni o maruflicchi. Nulla interrompeva la solitudine delle mie sere nella cucina fumosa, se non a volte la visita dei carabinieri di ronda, che venivano ad assicurarsi *pro forma* se c'ero, e a bere un bicchiere di vino. Il padrone di casa mi aveva avvertito che sarei stato spesso disturbato dal rumore del trappeto, il frantoio che era sotto alle mie stanze; ci si entrava dall'orto, per una porticina di fianco agli scalini che portavano in casa. Avrebbe lavorato anche di notte, il trappeto, mi aveva detto. Quando girava la vecchia mola di pietra, trascinata in tondo da un asino bendato, la casa tremava, e un rombo continuo saliva dal pavimento. Ma il raccolto delle olive quell'anno fu cosí scarso, che il trappeto macinò in tutto per due o tre giorni, e poi rimase zitto e fermo come prima, e le mie sere non furono piú disturbate.

Soltanto una volta, dopo cena, arrivarono da me il brigadiere e l'avvocato P. per giocare a carte. Dissero che mi sapevano solo, e immaginavano che sarei stato contento di un po' di compagnia: pensavano di venire spesso, e che avremmo passato insieme delle belle ore. Io tremavo al pensiero che la cosa potesse diventare una abitudine quotidiana, che mi costringesse a passare il mio tempo nelle noiose insulsaggini del gioco delle carte: in quel tempo preferivo star solo a leggere o a lavorare.

*To rede and dryve the night away*
*For me thoughte it better play*
*Then plyen either at chesse or tables.*

Tuttavia apprezzando la loro buona intenzione, feci buon viso a cattivo gioco, e passammo la sera ad un interminabile ramino. Non tornarono piú. Don Luigino aveva saputo subito di questa visita da qualcuno dei suoi accoliti. A me non disse nulla: ma fece al brigadiere una terribile scenata, sulla piazza, accusandolo di fraternizzare con i confinati, e minacciando di denunciarlo e di farlo trasferire. Cosí nessuno, oltre i malati, e i contadini (che erano liberi di frequentarmi, perché non erano considerati, veramente, degli uomini), osò piú venirmi a trovare, tranne il dottor Milillo, che amava gli atteggiamenti indipendenti, e, nella sua qualità di vecchio zio, non aveva nulla da temere dal nipote.

Ero, cosí, libero di me, e del mio tempo. Se non avevo la compagnia dei Signori, avevo quella dei bambini. Ce n'erano moltissimi, di tutte le età, e usavano battere al mio uscio ad ogni ora del giorno. Quello che li aveva attratti, dapprincipio, era Barone, questo essere infantile e meraviglioso. Poi li aveva colpiti la mia pittura, e non finivano di stupirsi delle immagini che apparivano, come per incanto, sulla tela, e che erano proprio le case, le colline e i visi dei contadini. Erano diventati miei amici: entravano liberamente in casa, posavano per i miei quadri, orgogliosi di vedersi dipinti. Si informavano di quando sarei andato a dipingere nella campagna; e arrivavano in frotta a prendermi a casa. Ce n'era sempre, allora, una ventina, e tutti consideravano massimo onore portarmi la cassetta, il cavalletto, la tela: e per questo onore si disputavano e si picchiavano, finché io non intervenivo, come un dio inappellabile, a scegliere e giudicare. Il preferito andava con la cassetta, l'oggetto piú pesante, e perciò piú degno e ambito, fiero e felice come un paladino, con un passo di gloria. Uno, un ragazzo di otto o dieci anni, Giovanni Fanelli, pallido, con dei grandi occhi neri e un collo lungo e sottile, dalla pelle bianca come quella di una donna, si era piú di tutti entusiasmato per la pittura. Tutti i bambini mi chiedevano in regalo i vecchi tubi di colore vuoti, e i vecchi pennelli spelati, e se ne servivano per i loro giochi. Giovanni ne ebbe anch'egli la sua parte, ma ne fece tutt'altro uso: senza dirmi nulla, in segreto, si era messo a fare il pittore. Era attentissimo a tutto quello che facevo: mi vedeva preparare la tela con l'imprimitura, tirarla sui telai: queste operazioni, poiché io le facevo, gli parevano tanto essenziali all'arte come il fatto del dipingere. Egli cercò dunque degli stecchi di legno, e riuscí a connetterli insieme: su questi telai asimmetrici e irregolari, tese qualche pezzo di vecchia camicia trovata chissà dove, e ci impiastrò su non so che pappa, a simboleggiare l'imprimitura. Arrivato a questo punto, gli pareva di aver fatto il piú. Coi fondi dei tubi vuoti e i rimasugli della mia tavolozza, e i pennelli frusti, dipingeva su quelle sue tele, cercando di imitare la corsa e il modo della mia pennellata. Era un bambino timido, arrossiva facilmente, e non avrebbe osato, per quanto ne avesse un gran desiderio, farmi vedere le sue opere. Avvertito dagli altri, le vidi. Non erano le solite pitture infantili, né delle imitazioni. Erano cose informi, macchie di colore non prive d'incanto. Non so se Giovanni Fanelli sia diventato o potesse diventare un pittore: ma certo non vidi mai in nessuno quella sua fiducia in una rivelazione che dovesse venire da sola, dal lavoro; quel suo credere nella ripetizione della tecnica come di una infallibile formula magica, o come di un lavoro della terra, che, arata e seminata, porta il suo frutto.

Questi ragazzi, gli stessi che a Natale giravano in frotte al suono dei cupi-cupi, o che si incontravano per le vie, pronti a fuggire, come stormi di uccelli, non avevano un capo, come a Grassano il Capitano. Erano vivaci, intelligenti e tristi. Quasi tutti erano vestiti di cenci malamente rattoppati, con le vecchie giacche dei fratelli maggiori, dalle maniche troppo lunghe rimboccate sui polsi; scalzi o con delle grosse scarpe da uomo bucate. Pallidi tutti, gialli per la malaria, magri, con gli sguardi intenti, neri e vuoti, profondissimi. Ce n'era di tutti i caratteri, ingenui e astuti, candidi e malvagi, ma tutti pieni di movimento, con gli occhi accesi come di febbre: tutti vivi di una vita precoce, che si sarebbe poi spenta con gli anni, nella monotona prigione del tempo. Mobili e silenziosi, me li vedevo comparire attorno da ogni parte, pieni di una muta fedeltà, e di desiderî non espressi. Tutto quello che io possedevo o facevo, li riempiva di estatica ammirazione. I piú piccoli oggetti che io buttavo, fino alle scatole vuote o ai pezzi di carta, erano per loro tesori che si disputavano in lotte accanite. Correvano a farmi, non richiesti, ogni sorta di servigi: andavano pei campi, e tornavano la sera a portarmi dei mazzetti di asparagi selvatici, o dei funghi del legno, insipidi e tigliosi, che, in mancanza di altri migliori, quaggiú si usano mangiare. Andavano lontano, verso Gaglianello, e mi riportavano i frutti amari dell'arancio selvatico, da una pianta che era laggiú, la sola di tutto il paese, perché li dipingessi. Mi erano amici, ma pieni di pudore, ritrosía e diffidenza, avvezzi naturalmente al silenzio, e a nascondere il loro pensiero; immersi in quel fuggente misterioso mondo animale nel quale vivevano, come piccole capre svelte e fugaci. Uno di essi, Giovannino, un ragazzo bianco e nero, con degli occhi rotondi e un viso stupito sotto il cappello da uomo, figlio di un pastore, non si separava mai da una sua capra fulva, con gli occhi gialli, che lo seguiva dappertutto come un cagnolino. Quando veniva a casa mia con gli altri bambini, anche la capra Nennella entrava nella mia cucina, annusando, desiderosa di sale. Barone aveva imparato a rispettarla: quando si usciva a dipingere, Nennella seguiva saltellando la fila dei ragazzi, mentre il cane correva innanzi abbaiando di felice intrattenibile libertà. Quando ci fermavamo, Giovannino restava a guardarmi lavorare, abbracciando il collo di Nennella, finché la capra si liberava con un balzo e correva lontano a brucare qualche cespuglio di ginestra. Io poi mandavo via i ragazzi, perché non mi infastidissero, e quelli si allontanavano a malincuore, e tornavano verso sera, quando già gli sciami delle zanzare mi fischiavano attorno, e gli ultimi raggi del sole arrivavano lunghi e rosati, per vedere il quadro finito, e riportarlo trionfalmente a casa. Ora che la neve copriva la terra, questi cortei infantili erano finiti: ma i bambini mi venivano a cercare in casa, restavano a scaldarsi al fuoco della cucina, o mi chiedevano di salire a giocare sulla terrazza. Tre o quattro soprattutto mi erano quasi sempre attorno. Il piú piccolo era il figlio della Parroccola, che abitava in un tugurio a pochi metri da casa mia. Aveva forse un cinque anni, una grossa testa rotonda, col naso corto e la bocca carnosa, su un corpicino esile. La Parroccola, sua madre, cosí chiamata perché anch'essa aveva un grosso testone, che la faceva assomigliare al bastone pastorale del parroco, era una delle streghe contadine del paese: la piú modesta di tutte, la piú brutta e la piú bonaria. Quel suo faccione, con il largo naso piatto, le due enormi narici aperte, la boccaccia sgangherata, i capelli radi, la pelle ruvida e giallastra, era davvero mostruoso; e di corpo era piccola e tozza, infagottata negli stracci sotto il velo. Ma era una buona donna. Campava facendo la lavandaia, e non negava, al bisogno, le sue grazie, in un suo letto grande come una piazza, a qualche carabiniere o a qualche giovanotto. La vedevo ogni giorno sull'uscio, di faccia a casa mia; e le dicevo, per scherzo, che mi piaceva, e che speravo non mi avrebbe rifiutato. La Parroccola arrossiva di piacere, per quanto poteva arrossire quella sua pelle spessa come una buccia, e mi diceva: — Non faccio per te, don Carlo. *Io so' zambra!* — La Parroccola era *zambra*, cioè rozza e contadina; ma, con quel suo viso da orchessa, tuttavia gentile. Il bambino era il solo dei suoi che avesse con sé: gli altri erano morti o lontani; e le somigliava.

Un altro dei miei fedeli era Michelino, un ragazzo di una decina d'anni, avido, astuto e melanconico, con degli occhi neri e opachi, eredità di antichissimi pianti, che parevano l'immagine vera di quel paese desolato. Ma piú di tutti mi cercavano i figli del sarto, specialmente il piú piccolo, Tonino, un ragazzino minuto, svelto, arguto e timido, con una piccola testa bruna rasata e degli occhietti vivi come capocchie di spilli. Il padre, che li amava molto, cercava di tenerli un po' meglio degli altri, per il suo orgoglio di buon artigiano, di sarto di New York. Ma come fare, se egli era tornato in patria, e tutto gli era andato male, e non aveva denaro, piú di quello che avessero i contadini? I suoi ragazzi venivano su come gli altri, ed egli pensava con amarezza, tirando la sua gugliata, che non c'era ormai piú nessuna speranza di poterne fare dei galantuomini, e neppure i mezzi per curare a dovere le loro tonsille sempre gonfie e le loro vegetazioni adenoidi. E anche Tonino, che pure era vispo come un monachicchio, aveva già in sé un riflesso della delusione paterna.

Tutti questi bambini avevano qualcosa di singolare; avevano qualcosa dell'animale e qualcosa dell'uomo adulto, come se, con la nascita, avessero raccolto già pronto un fardello di pazienza e di oscura consapevolezza del dolore. I loro giochi non erano i soliti dei bambini del popolo delle città, simili in tutti i paesi: i fruschi soli erano i loro compagni. Erano chiusi, sapevano tacere, e, sotto l'ingenuità infantile, c'era l'impenetrabilità del contadino, sdegnosa di impossibili conforti, il pudore contadino, che difende almeno l'anima in un mondo desolato. Erano, in generale, molto piú intelligenti e precoci dei ragazzi cittadini della loro età: rapidi nell'intuire, pieni di desiderio di apprendere e di ammirazione per le cose ignote del mondo di fuori. Un giorno che mi videro scrivere mi chiesero se avessi potuto insegnarglielo: a scuola non imparavano nulla, col sistema delle bacchette, dei sigari e delle chiacchiere dal balcone, e dei discorsi patriottici. Andavano tutti a scuola, l'istruzione è obbligatoria, ma, con quei maestri, ne uscivano analfabeti. Cosí presero di loro iniziativa l'abitudine di venire qualche volta la sera a scrivere nella mia cucina. Rimpiango di non aver dato loro, per la mia naturale ripugnanza a tutto ciò che è insegnamento diretto, piú tempo e piú cura: un buon maestro non avrebbe mai potuto trovare una migliore scolaresca, né piú ricca di una quasi incredibile buona volontà.

Venne il carnevale, inaspettato e anacronistico. Non ci sono, a Gagliano, per questo, né feste né giochi: sí che m'ero dimenticato della sua esistenza. Me ne ricordai un giorno, quando, mentre passeggiavo nella via principale, oltre la piazza, vidi sbucare dal fondo e correre velocissimi in salita, tre fantasmi vestiti di bianco. Venivano a grandi salti, e urlavano come animali inferociti, esaltandosi delle loro stesse grida. Erano le maschere contadine. Erano tutte bianche: in capo avevano dei berretti di maglia o delle calze bianche che pendevano da un lato, e dei pennacchi bianchi; il viso era infarinato; erano vestiti di camicie bianche, e anche le scarpe erano coperte di bianco. Portavano in mano delle pelli di pecora secche e arrotolate come bastoni, e le brandivano minacciosi, e battevano con esse sulla schiena e sul capo tutti quelli che non si scansavano in tempo. Sembravano demonî scatenati; pieni di entusiasmo feroce, per quel solo momento di follia e di impunità, tanto piú folle e imprevedibile in quell'aria virtuosa. Mi ricordai della notte di san Giovanni a Roma, quando i giovani vanno in giro picchiando con delle grosse teste d'aglio: ma quella è una notte di felicità collettiva e fallica, di baldoria dinanzi agli enormi piatti di lumache, con i fuochi, i canti, le danze e gli amori nel tepore benigno del cielo estivo. I battitori di Gagliano erano invece soli, e solitari in una sforzata e cupa follia; si compensavano degli stenti e della schiavitú con un simulacro di libertà, pieno di eccesso e di ferocia vera. I tre fantasmi bianchi picchiavano senza misericordia chi veniva a tiro, senza distinguere, poiché una volta tanto tutto era lecito, fra Signori e contadini, e tenevano tutta la strada in salti obliqui, presi dal furore, gridando invasati, scotendo nei balzi le bianche penne, come degli *amok* incruenti, o dei danzatori di una sacra danza del terrore. Velocissimi, come erano comparsi, scomparvero in alto, dietro la chiesa. Allora anche i bambini cominciarono ad andare in giro con il viso impiastricciato di nero, e i baffi dipinti con i turaccioli bruciati. Un giorno ne capitarono da me, cosí conciati, una ventina: e quando dissi che sarebbe stato facile mascherarsi con delle vere maschere, mi pregarono di farle. Mi misi all'opera, e feci, con dei cilindri di carta bianca con dei buchi per gli occhi, una maschera per ciascuno, assai piú grande del viso, che restava tutto coperto. Non so perché, ma forse per il ricordo delle funebri maschere contadine, o spinto, senza volerlo, dal genio del luogo, le feci tutte uguali, dipinte di bianco e di nero, e tutte erano teste di morto, con le cavità nere delle occhiaie e del naso, e i denti senza labbra. I bambini non si impressionarono, anzi ne furono felici, e si affrettarono a infilarle, ne misero una anche al muso di Barone, e corsero via, spargendosi in tutte le case del paese. Era ormai sera, e quella ventina di spettri entravano gridando nelle stanze appena illuminate dai fuochi rossi dei camini, e dai lumini a olio ondeggianti. Le donne fuggivano atterrite: perché qui ogni simbolo è reale, e quei venti ragazzi erano davvero, quella sera, un trionfo della morte.

Le giornate cominciavano, lentamente, ad allungarsi: la corsa dell'anno si era invertita; la neve aveva lasciato il posto alle piogge e alle giornate serene. La primavera non era piú molto lontana e io pensavo che si sarebbe dovuto provvedere in tempo, prima che il sole riportasse le zanzare, a fare tutto quello che era possibile per combattere la malaria. Anche con i mezzi limitati di cui si poteva disporre in paese, si sarebbe potuto ottenere parecchio; ci si sarebbe dovuti rivolgere alla Croce Rossa per avere il verde di Parigi per disinfettare quelle poche acque ferme nelle vicinanze dell'abitato; fare qualche lavoro per incanalare la fontana vecchia; far provvista di chinino, di atebrina e plasmochina, e di cioccolatini per i bambini, per non trovarci sprovveduti con la bella stagione, e cosí via. Erano tutte cose semplici, e che, secondo la legge, sarebbero state obbligatorie. Cominciai a parlarne e a riparlarne al podestà: ma mi accorsi ben presto che don Luigino approvava i miei consigli, ma si guardava bene dal far nulla. Pensai allora, per costringerlo a una responsabilità, di scrivergli tutto quello che si sarebbe dovuto fare; preparai una specie di memoriale di una ventina di pagine, con i particolari piú precisi di tutti i lavori da eseguire, sia per quello che toccava al comune, sia per quello che si doveva chiedere a Roma; e lo consegnai a Magalone. Il podestà lesse il memoriale, se ne disse felice, mi lodò, e con un bel sorriso mi annunciò che, poiché doveva andare il giorno seguente a Matera, lo avrebbe mostrato al prefetto, che avrebbe potuto aiutarci. Don Luigino andò a Matera, e al ritorno corse a dirmi che Sua Eccellenza era stata entusiasta del mio lavoro, che tutto quello che chiedevo per la lotta antimalarica si sarebbe provveduto; e che, di riflesso, ne sarebbe venuto anche un bene per me e per gli altri confinati. Don Luigino era raggiante, e fiero di avermi con sé. Tutto pareva dunque per il meglio.

Tre o quattro giorni dopo il ritorno del podestà, arrivò un telegramma della questura di Matera, nel quale mi si vietava di occuparmi di medicina e di esercitare in Gagliano; pena la prigione. Non ho mai saputo se questo improvviso divieto fosse il solo risultato pratico del mio memoriale e del mio eccesso di zelo, come pensavano molti contadini: — Dobbiamo tenercela la malaria: se tu ce la vuoi togliere, ti manderanno via —; o se invece, come pensavano altri, derivasse dalle manovre dei medici del paese; o se forse non fosse generato soltanto dal timore della questura che io diventassi troppo popolare: poiché la mia fama di medico miracoloso andava crescendo; e spesso venivano dei malati anche da paesi lontani, per consultarmi. Il telegramma mi fu portato dai carabinieri, la sera.

L'indomani mattina, all'alba, quando nessuno in paese sapeva ancora del divieto, un uomo a cavallo batté alla mia porta. — Vieni subito, dottore, — mi disse. — Mio fratello sta male. Siamo giú, al Pantano, a tre ore di strada di qui. Ho portato il cavallo —. Il Pantano è una regione, verso l'Agri, lontana e isolata: c'è una masseria, la sola di tutte queste terre, dove dei contadini vivono sul campo, lontano dal paese. Risposi all'uomo che mi era impossibile venire, perché non potevo uscire dall'abitato, e perché non potevo piú neppure fare il medico. Lo consigliai di rivolgersi al dottor Milillo o al dottor Gibilisco. — A quei medicaciucci! Meglio nulla —. Scosse la testa e partí.

Scendeva un nevischio gelido, misto a pioggia. Rimasi in casa tutta la mattina, preparando una lettera per la questura, dove protestavo per il divieto, chiedevo che venisse annullato, e che, in attesa di nuove disposizioni, mi si considerasse almeno autorizzato a non abbandonare in tronco i malati attualmente in cura, e mi si permettesse di continuare a occuparmi, nell'interesse della popolazione, delle misure da prendersi per la lotta antimalarica. Questa lettera non ebbe mai risposta.

Stavo alzandomi da tavola, verso le due del pomeriggio, quando l'uomo del cavallo tornò. Era stato fino al Pantano; suo fratello andava peggio, stava veramente male, bisognava a tutti i costi che io cercassi di salvarlo. Gli dissi di venire con me, e uscimmo insieme per chiedere al podestà una autorizzazione speciale. Don Luigino non era in casa: era andato da sua sorella a prendere il caffè: lo trovammo là, sdraiato su una poltrona. Gli esposi il caso: — È impossibile. Gli ordini di Matera sono tassativi. Non posso prendermi questa responsabilità. Resti con noi, dottore, prenda una tazza di caffè —. Il contadino, un uomo intelligente e deciso, non si arrese, e insistette. Donna Caterina, la mia protettrice, si schierò dalla nostra parte. Il divieto di Matera mandava all'aria tutti i suoi progetti, dava mano libera al suo nemico Gibilisco; ed essa non cessava di deplorarlo e di esclamare: — Queste sono le lettere anonime: ne hanno scritte chissà quante! Gibilisco è stato a Matera la settimana scorsa. Laggiú non sanno che lei è una benedizione per il paese: ma lasci fare a me: abbiamo anche noi dell'influenza in prefettura: il divieto non durerà. Che peccato! — e cercava di consolarmi col caffè e coi dolci. Ma il problema era piú urgente, e, per quanto donna Caterina fosse nostra alleata, don Luigino non ci sentiva. — Non posso, ho troppi nemici. Se la cosa si risapesse perderei il posto. Devo obbedire agli ordini della questura —. Don Andrea, il vecchio maestro, approvava, tra un pisolino e un furto di pasticcini: la discussione si prolungava, senza concludere. Al podestà, che amava gli atteggiamenti popolarizzanti, dispiaceva di rifiutare in presenza del contadino, ma la paura la vinceva su tutto. — E poi ci sono gli altri medici. Provi a chiamare quelli. — Non sono buoni a nulla, — diceva il contadino. — Ha ragione, — gridava donna Caterina, — lo zio è troppo vecchio; e quell'altro, non parliamone. E poi, con questo tempo, e senza strade, non ci vorranno andare —. Il contadino si alzò. — Vado a cercarli, — disse, e partí.

Rimase fuori quasi due ore, e intanto il consiglio di famiglia continuò, senza risultato. Per quanto appoggiato da donna Caterina, non mi riusciva di vincere la paura del podestà: il caso era per lui troppo nuovo, e pesante di responsabilità. Poi, il contadino tornò, con due fogli di carta in mano, e sul viso la soddisfazione di un successo guadagnato con molta lotta. — I due medici non possono venire, sono malati. Mi sono fatto fare da tutti e due una dichiarazione scritta. Ora deve lasciar venire don Carlo. Guardi pure —. E mise i due fogli sotto gli occhi di don Luigino. Il contadino era riuscito, a costo di chissà quali fatiche oratorie, e forse di minacce, a far scrivere a entrambi che, dato il tempo cattivo, e la loro età e salute, non potevano materialmente recarsi fino al Pantano: cosa che, del resto, per il vecchio dottor Milillo, era vera. Ora gli pareva che nulla piú potesse impedirmi. Ma il podestà non era convinto, e continuava a discutere. Mandò a chiamare il segretario comunale, cognato della vedova, che era un brav'uomo e pensava che si dovesse lasciarmi andare. Arrivò il dottor Milillo, di malumore per la prova di sfiducia, ma non contrario alla mia andata. — Soltanto, si faccia pagare prima. Correre fino al Pantano. Nemmeno per duecento lire —; ma il tempo passava, arrivavano altre tazzine di caffè e altre focaccine e si era allo stesso punto. Pensai allora di suggerire che si chiamasse il brigadiere;

forse, se egli avesse voluto prendersi personalmente la responsabilità del mio viaggio, il podestà avrebbe, senza troppo compromettersi, potuto consentire. E cosí avvenne. Il brigadiere, sentito il caso, disse subito che io partissi, che si fidava di me, e non mi avrebbe fatto scortare; che la vita di un uomo doveva passare innanzi a ogni altra considerazione. Fu un momento di sollievo generale: anche don Luigino si disse felice della decisione, e per manifestarmi la sua buona volontà mi mandò a cercare un mantello e degli stivaloni che, secondo lui, mi sarebbero stati necessari in quelle forre. Intanto era calata la sera. Dovettero autorizzarmi a dormire fuori, alla masseria, e a non tornare che l'indomani. E finalmente, tra i saluti e le raccomandazioni di tutti, potei mettermi in cammino col contadino, e il cavallo, e Barone.

Il tempo si era rasserenato. Il nevischio e la pioggia erano cessati. Un vento gagliardo andava spazzando il cielo, e la luna appariva rotonda e chiara fra le nubi rotte e correnti. Appena fuori del selciato ripido del paese, verso il Timbone della Madonna degli Angeli, il mio compagno, che aveva portato sinora il cavallo per la briglia, si fermò perché io montassi in sella. Da molti anni non salivo a cavallo, e di notte, per quei burroni, preferivo le mie gambe. Dissi che usasse egli la bestia, che io sarei andato a piedi e di buon passo. Mi guardò stupito, come se il mondo fosse sottosopra. Lui, un cafone, a cavallo, e io, un signore, a piedi. Non sia mai! Faticai a persuaderlo: infine si indusse a malincuore a seguire il mio consiglio. Cominciò allora una vera corsa verso il Pantano. Io scendevo a grandi passi per il sentiero precipitoso, il cavallo mi seguiva dappresso, e sentivo dietro a me il suo caldo respiro, e lo schiocco degli zoccoli nel fango. Andavo come inseguito, per quei luoghi ignoti, animato dall'aria notturna, dal silenzio, dal moto, coll'animo pieno di leggerezza. La luna riempiva il cielo e pareva si versasse sulla terra. Su una terra remota come la luna, bianca in quella luce silenziosa, senza una pianta né un filo d'erba, tormentata dalle acque di sempre, scavata, rigata, bucata. Le argille precipitavano verso l'Agri, in coni, grotte, anfratti, piagge, variegate bizzarramente dalla luce e dall'ombra, e noi cercavamo, senza parlare, la nostra via in quel labirinto, lavorato dai secoli e dai terremoti. Su quel paesaggio spettrale mi pareva di volare, senza peso, come un uccello.

Dopo piú di due ore di quella corsa, salí verso di noi, nel silenzio, l'abbaiare lungo di un cane. Uscimmo dalle argille, e ci trovammo su un prato in pendío, e sul fondo ci apparve, tra terreni ondulati, il biancore della masseria. Nella casa, lontana da ogni paese, il mio compagno e il fratello malato abitavano soli con le loro due mogli e i bambini. Ma sull'uscio ci aspettavano tre cacciatori di Pisticci, che erano arrivati il giorno avanti per cacciare le volpi verso il fiume, e s'erano fermati per assistere il loro amico. Anche le due donne erano di Pisticci, e sorelle: alte, con grandi occhi neri e visi nobili, bellissime nel costume del loro paese, con la gonna lunga a balze bianche e nere, e il capo avvolto da veli e da nastri bianchi e neri, che le facevano assomigliare a strane farfalle. Mi avevano preparato i cibi migliori, il latte e il formaggio fresco, e me li offrirono appena arrivato, con quella non servile ospitalità antica, che mette gli uomini alla pari. Mi avevano aspettato tutto il giorno, come un salvatore: ma mi accorsi subito che non c'era piú nulla da fare. Era una peritonite con perforazione, il malato era ormai in agonia, e neppure un'operazione, se anche io avessi saputo e potuto farla, l'avrebbe piú salvato. Non restava che calmare i suoi dolori con qualche iniezione di morfina e aspettare.

La casa era fatta di due camere, che comunicavano per una larga apertura. Nella seconda stava il malato, col fratello e le donne che lo vegliavano. Nella prima stanza il fuoco era acceso in un grande camino; attorno al fuoco sedevano i tre cacciatori. Appoggiato all'angolo opposto, mi era stato preparato un letto, altissimo e soffice. Io andavo ogni tanto dal malato, e poi rimanevo a conversare a bassa voce coi cacciatori accanto al fuoco. Quando fummo nel mezzo della notte, mi arrampicai sul mio letto, per riposare, senza spogliarmi. Ma non presi sonno.

Restavo sdraiato lassú, come su un palco aereo. Appesi al muro, tutt'intorno al letto, erano i corpi delle volpi uccise di fresco. Sentivo il loro odore selvatico, vedevo i loro musi arguti all'ondeggiare rossastro delle fiamme, e muovendo appena la mano, toccavo il loro pelame che sapeva di grotta e di bosco. Dalla porta mi giungeva il lamento continuo del moribondo: — Gesú aiutami, dottore aiutami, Gesú aiutami, dottore aiutami, — come una litanía di angoscia ininterrotta, e il sussurro delle donne in preghiera. Il fuoco del camino oscillava, guardavo le lunghe ombre muoversi come mosse da un vento, e le tre figure nere dei cacciatori, coi cappelli in capo, immobili davanti al focolare. La morte era nella casa: amavo quei contadini, sentivo il dolore e l'umiliazione della mia impotenza. Perché allora una cosí grande pace scendeva in me? Mi pareva di essere staccato da ogni cosa, da ogni luogo, remotissimo da ogni determinazione, perduto fuori del tempo, in un infinito altrove. Mi sentivo celato, ignoto agli uomini, nascosto come un germoglio sotto la scorza dell'albero: tendevo l'orecchio alla notte e mi pareva di essere entrato, d'un tratto, nel cuore stesso del mondo. Una felicità immensa, non mai provata, era in me, e mi riempiva intero, e il senso fluente di una infinita pienezza.

Verso l'alba il malato si avviò alla fine. Le invocazioni e il respiro si cambiarono in un rantolo, e anche quello si affievolí a poco a poco, con lo sforzo di una lotta estrema, e cessò. Non aveva ancor finito di morire che già le donne gli abbassavano le palpebre sugli occhi sbarrati, e cominciavano il lamento. Quelle due farfalle bianche e nere, chiuse e gentili, si mutarono d'improvviso in due furie. Si strapparono i veli e i nastri, si scomposero le vesti, si graffiarono a sangue il viso con le unghie, e cominciarono a danzare a gran passi per la stanza battendo il capo nei muri e cantando, su una sola nota altissima, il racconto della morte. Ogni tanto si affacciavano alla finestra, gridando in quell'unico tono, come ad annunciare la morte alla campagna e al mondo; poi tornavano nella stanza e riprendevano il ballo e l'ululato, che sarebbe continuato senza riposo per quarantott'ore, fino all'interramento. Era una nota lunga, identica, monotona, straziante. Era impossibile ascoltarla senza essere invasi da un senso di angoscia fisica irresistibile: quel grido faceva venire un groppo alla gola, pareva entrasse nelle viscere. Per non scoppiare a piangere mi congedai in fretta ed uscii, con Barone, alla luce del primo mattino.

La giornata era serena: i prati e le argille spettrali della sera mi si stendevano innanzi, nudi e solitari nell'aria ancora grigia. Ero libero in quelle distese silenziose: sentivo ancora in me la felicità della notte. Dovevo pure rientrare in paese, ma intanto vagavo per quei campi, roteando allegro il bastone, e fischiando al mio cane, che era eccitato forse da qualche invisibile selvaggina. Decisi di allungare un poco la strada per passare a Gaglianello, la frazione che finora non avevo mai potuto visitare.

È un grosso gruppo di case, su un poggio brullo, non molto alto sul fiume malarico. Ci vivono quattrocento persone, senza strada, né medici, né levatrice, né carabinieri, né funzionari di nessun genere: ma anche laggiú arriva, ogni tanto, l'Ufficiale Esattoriale col suo berretto con le iniziali rosse: U. E. Vidi, con stupore, che ero aspettato. Si sapeva che ero stato al Pantano, si sperava che passassi di là al ritorno. I contadini e le donne erano nella strada, per farmi buona accoglienza: i piú strani malati si erano fatti portare sugli usci, perché io li vedessi. Pareva una corte dei miracoli. Nessun dottore era passato di lí, da chissà quanti anni: vecchie malattie, non curate se non con incantesimi, si erano accumulate in quei corpi, crescendo bizzarramente, come funghi su un legno marcio. Passai quasi tutta la mattina girando per quei tuguri, tra quei malarici scarniti, quelle fistole annose, quelle piaghe incancrenite, distribuendo almeno consigli, poiché non potevo scrivere ricette, e bevendo il vino dell'ospitalità. Mi volevano trattenere tutto il giorno, ma dovevo rientrare: mi accompagnarono un tratto, pregandomi di ritornare. — Chissà; se potrò, verrò, — dissi loro: ma non ci sono tornato mai piú. Lasciai i miei nuovi amici di Gaglianello sul sentiero, e cominciai a risalire, tra i burroni, verso casa.

Il sole era alto e brillante, l'aria tiepida; il terreno tutto a gobbe e monticciuoli, tra cui la via serpeggiava in continui giri e salite e discese brevi, impediva allo sguardo di spaziare lontano. A una svolta mi apparve il brigadiere, che, con un carabiniere, mi veniva incontro, e con loro continuai la strada. Sui cespugli di ginestra saltellavano gli uccelli, dei grossi merli neri, che si levavano in volo al nostro passaggio. — Vuol tirare, dottore? — mi disse il brigadiere, e mi passò il suo moschetto. Del merlo che colpii non rimasero che le penne che scesero lente per l'aria;

il corpo doveva essere andato in pezzi, a quel colpo a palla, cosí sproporzionato, e non ci fermammo a cercarlo.

Appena arrivato a Gagliano, mi accorsi, dal viso dei contadini, che qualcosa stava fermentando in paese. Durante la mia assenza, tutti avevano saputo del divieto di esercire, e del tempo perduto, il giorno prima, per poter andare al Pantano. La notizia della morte del contadino era già arrivata, come per non so quale misteriosa telegrafia. Tutti, in paese, conoscevano il morto, e l'amavano. Era il primo e solo morto, in tanti mesi, tra coloro che avevo curati. Tutti pensavano che, se io avessi potuto andar subito, lo avrei certamente salvato: e che la sua fine era dovuta soltanto al ritardo, e alle esitazioni del podestà. Quando io dicevo che probabilmente, anche arrivando qualche ora prima, senza mezzi, senza pratica chirurgica, con scarse possibilità di trasportarlo in tempo non fosse che a Sant'Arcangelo, non avrei potuto far molto, scuotevano la testa increduli: io ero, per loro, un guaritore miracoloso; e nulla mi sarebbe stato impossibile, se fossi giunto in tempo. L'episodio era per loro soltanto una conferma tragica della malvagità che aveva ispirato il divieto che mi avrebbe, d'ora innanzi, impedito di soccorrerli. I contadini avevano dei visi che non avevo ancora mai visto loro: una torva decisione, una disperazione risoluta faceva piú neri i loro occhi. Uscivano di casa armati, con i fucili da caccia, e le scuri. — Noi siamo dei cani, — mi dicevano. — Quelli di Roma vogliono che moriamo come cani. Avevamo un cristiano bono, per noi: quelli di Roma ce lo vogliono togliere. Bruceremo il municipio, e ammazzeremo il podestà.

L'aria della rivolta soffiava sul paese. Un profondo senso di giustizia era stato toccato: e quella gente mite, rassegnata e passiva, impenetrabile alle ragioni della politica e alle teorie dei partiti, sentiva rinascere in sé l'anima dei briganti. Cosí sono sempre le violente ed effimere esplosioni di questi uomini compressi; un risentimento antichissimo e potente affiora, per un motivo umano; e si dànno al fuoco i casotti del dazio e le caserme dei carabinieri, e si sgozzano i Signori; nasce, per un momento, una ferocia spagnola, una atroce, sanguinosa libertà. Poi vanno in carcere, indifferenti, come chi ha sfogato in un attimo quello che attendeva da secoli.

Se avessi voluto, quel giorno, avrei potuto trovarmi (e per un momento l'idea mi sorrise, ma, nel '36, non era ancora giunto il tempo) a capo di qualche centinaio di briganti, e tenere il paese o darmi alla campagna. Invece mi sforzai di calmarli; e non ci riuscii che con molta fatica. I fucili e le scuri furono riportati nelle case: ma i visi non si spianarono. Quelli di Roma, lo Stato, li aveva colpiti troppo a fondo, aveva fatto morire uno di loro; i contadini avevano sentito col peso della morte la mano lontana di Roma, e non volevano essere schiacciati. Il loro primo impulso era stato la vendetta immediata, sui simboli e sugli emissari di Roma. Se io li dissuadevo dalla vendetta, che altro potevano fare? Ahimè, come sempre, nulla. Niente. Ma a questo eterno niente, questa volta, non si rassegnavano.

Il giorno seguente, sbollita in parte quell'ira e quel desiderio di sangue, i contadini vennero, a gruppi, da me. Si erano trattenuti dallo sterminio: quei momenti di liberazione nell'odio vendicatore, una volta passati senza sfogo, non possono prolungarsi. Ma ora volevano almeno ottenere che io continuassi legittimamente a essere il loro medico, e avevano deciso di fare una petizione, firmata da tutti, a questo scopo. La loro avversità per lo Stato, estraneo e nemico, si accompagna (e la cosa potrà parere strana, e non lo è) a un senso naturale del diritto, a una spontanea intuizione di quello che, per loro, dovrebbe essere veramente lo Stato: una volontà comune, che diventa legge. La parola «legittimo» qui è una delle piú usate, ma non nel senso di cosa sanzionata e codificata, ma in quello di vero, di autentico. Un uomo è legittimo se agisce bene; un vino è legittimo se non è fatturato. Una petizione firmata da tutti pareva ad essi davvero legittima, e perciò tale da dover avere anche un potere reale. Avevano ragione: ma dovetti spiegar loro quello che, del resto, sapevano meglio di me: che essi avevano a che fare con una forza del tutto illegittima, che non si poteva combattere con le sue stesse armi; che, se per la violenza essi erano troppo deboli, lo erano ancora di piú per un diritto disarmato; che il solo risultato della petizione sarebbe stato di farmi immediatamente trasferire in un altro paese. Facessero dunque la petizione, se lo ritenevano bene, ma non si illudessero di ottenerne null'altro che la mia partenza. Capirono fin troppo bene. — Finché gli affari del nostro paese, la nostra vita e la nostra morte, saranno in mano a quelli di Roma, saremo dunque sempre come bestie, — dissero. La petizione fu abbandonata. Ma la cosa stava loro troppo a cuore perché potesse passare cosí, senza protesta. E poiché non avevano potuto esprimersi con la violenza, né col diritto, si espressero con l'arte.

Vennero un giorno da me due giovani a chiedermi in prestito, con aria misteriosa, una mia tunica bianca da medico. Non chiedessi a che cosa dovesse servire: era un segreto; ma l'avrei saputo il giorno seguente; me l'avrebbero riportata la sera. L'indomani, mentre passeggiavo sulla piazza, vidi la gente accorrere verso la casa del podestà, davanti alla quale s'era radunata una piccola folla. Ci andai anch'io, e mi fu fatto largo. Vidi allora che, dentro a un cerchio di uomini, donne e bambini, spettatori appassionati, era cominciata, senza palco né scene, sui sassi della strada, una rappresentazione teatrale. Ogni anno, come seppi poi, in questi primi giorni di quaresima, i contadini avevano l'usanza di recitare una loro commedia improvvisata. Qualche volta, ma assai di rado, era di soggetto religioso, qualche altra ricordava le gesta dei paladini o dei briganti: il piú delle volte erano scene comiche e buffonesche tratte dalla vita quotidiana. Quest'anno, l'animo ancora commosso dalle recenti vicende, i contadini avevano immaginato un dramma satirico, a sfogo poetico dei loro sentimenti.

Gli attori erano tutti uomini, anche quelli che facevano parti femminili: giovani contadini miei amici, ma che non potevo riconoscere sotto le loro straordinarie truccature. Il dramma era ridotto a una semplice scena, che gli attori improvvisavano. Un coro di uomini e donne annunziò l'arrivo di un malato; ed ecco il malato, portato su una barella, col viso dipinto di bianco, gli occhi cerchiati di nero, e segni neri sulle guance, incavate come quelle di un morto. Il malato era accompagnato dalla madre piangente, che non diceva altro che: — Figlio mio, figlio mio, — ripetendolo di continuo, per tutto il tempo della rappresentazione come un monotono, triste accompagnamento. Accanto al malato, chiamato dal coro, appariva un uomo vestito di bianco, e su cui riconobbi la mia tunica, che si apprestava a guarirlo: ma ecco comparire, ad impedirglielo, un vecchio dagli abiti neri e dal pizzo caprino. I due medici, il bianco e il nero, lo spirito del bene e quello del male, contendevano, come l'angelo e il demonio, attorno a quel corpo giacente nella barella, e si lanciavano battute satiriche e pungenti. Già l'angelo aveva la meglio, e obbligava a tacere il suo nemico, quando arrivò di corsa un romano, dal viso mostruoso e feroce, che forzò l'uomo bianco ad andarsene. L'uomo nero, il professor Bestianelli (corruzione di Bastianelli, che è celebre anche fra questi contadini) rimase padrone del campo. Da una borsa trasse un coltellaccio, e cominciò l'operazione. Diede un taglio sui vestiti del malato, e, con rapida mossa della mano, trasse fuori dalla ferita una vescica di intestino di maiale che vi era nascosta. Si voltò trionfante verso il coro, che mormorava proteste e parole di orrore, con la vescica fieramente brandita, gridando: — Ecco il cuore! — Con un grosso ago bucò quel cuore, e ne uscí uno zampillo di sangue, mentre la madre e le donne del coro cominciavano il lamento per il morto, e il dramma finiva.

Non ho mai saputo chi fosse l'autore: forse non ce n'era uno, ma parecchi, tutti gli attori insieme. Le battute che improvvisavano si riferivano alla questione che agitava gli animi in quei giorni: ma la finezza contadina faceva sí che le allusioni non fossero mai troppo dirette, e che rimanessero comprensibili e penetranti, senza diventare mai pericolose. E, sopra tutto, al di là della satira e della protesta, il gusto dell'arte li aveva trascinati: ciascuno viveva la sua parte; e la madre piangente sembrava una disperata eroina di tragedia greca, o una Maria di Iacopone; il malato aveva il vero viso della morte; il nero ciarlatano spillava il sangue dal cuore con un diletto feroce; il romano era un mostro orribile, un drago statale; e il coro assisteva e commentava, con disperata pazienza. Era, quello schema classico, un ricordo di un'arte antica, ridotto al povero residuo dell'arte popolare, o uno spontaneo, originario rinascere, un linguaggio, naturale in queste terre, dove la vita è tutta una tragedia senza teatro?

Appena finita la recita, il morto si alzò dalla barella, gli attori scesero svelti pel vicolo, e si avviarono alla casa del dottor Gibilisco. Qui la rappresentazione ricominciò; e, nel corso della giornata, fu ripetuta molte volte, davanti alla casa del dottor Milillo, alla chiesa, alla caserma dei carabinieri, al municipio, sulla piazza, e qua e là per le strade, a Gagliano di Sopra e a Gagliano di Sotto, finché venne la sera, la tunica dell'angelo mi fu trionfalmente riportata, e ciascuno tornò alle sue case.

## 23

Lo sfogo poetico non calmò gli animi, né abolí i risentimenti. I contadini ritenevano il divieto una cosa assurda, e si rifiutarono di tenerne conto. Mi cercavano come prima, per farsi curare: soltanto, venivano da me la sera, a buio, e si guardavano attorno, prima di battere al mio uscio, per assicurarsi che la strada fosse deserta, e non ci fossero spie. Rimandarli senza occuparmi di loro mi era praticamente impossibile, tanto insistevano, e tanto pesava la ragione maggiore della necessità. Della loro assoluta segretezza e solidarietà ero certo: si sarebbero fatti ammazzare piuttosto che tradirmi. Ma tuttavia la mia arte medica si trovava per forza ad essere molto ridotta: dovevo limitarmi a dei consigli; distribuivo io stesso le medicine piú comuni di cui avevo fatto provvista; per le altre non potevo scrivere ricette, o le facevo soltanto per quelli che le mandavano a qualche parente, a Napoli, perché le facesse spedire. Non potevo piú fare fasciature, né quei piccoli interventi chirurgici che, essendo visibili, avrebbero rivelato a tutti il nostro segreto. Questa necessità di nascondersi teneva gli animi accesi. La noia era scomparsa dal paese: il divieto era cascato come un sasso di fantasia nell'acqua morta della vita monotona dei signori. Il dottor Gibilisco trionfava. Fosse egli stato, o no, il *deus ex machina* (che non ho mai saputo), la sua gioia era completa. I sentimenti del vecchio dottor Milillo erano piú complessi e contradditorî. Dal punto di vista del suo orgoglio e del suo interesse professionale, si rallegrava di aver perso la mia concorrenza: ma, da buono ex-nittiano e antico liberale, non poteva fare a meno di disapprovare apertamente l'arbitrio della questura. Egli era, in fondo, il piú fortunato, perché godeva insieme di due diversi piaceri: quello materiale del suo vantaggio, e quello morale di poter esprimere onestamente la sua deplorazione, e la sua amicizia. Per donna Caterina l'avvenuto era una grave sconfitta: i suoi progetti andavano in fumo; la sua passione dominante era umiliata di fronte ai suoi nemici. Faceva fuoco e fiamme. — Se quello scemo di mio fratello, — arrivava a dire, — che è sempre troppo debole, non si muove, andrò io stessa a Matera, a parlare al prefetto —. Era la mia principale alleata. Don Luigino, lui, non sapeva come comportarsi. Spinto dalla sorella, e dall'opinione popolare, avrebbe voluto agire, far valere le sue aderenze, «per il bene del paese»: ma temeva, pigliando partito, di inimicarsi le autorità, e questo lo tratteneva dal far nulla, se non dallo schierarsi, almeno a parole, nella fazione di donna Caterina. I signori erano dunque divisi, come guelfi e ghibellini; e gli uni si trovavano a far lega col popolo, mentre gli altri restavano soli, ma con l'appoggio potente del Sacro Romano Impero di Matera. Don Luigino si barcamenava, tra quei venti contrari: era il podestà, il tutore della legge, qualunque essa fosse: ma della legge aveva uno strano concetto. Una sera mandò una sua fantesca a chiamarmi: la sua bambina aveva mal di gola, doveva essere certamente una difterite. Gli feci rispondere che non sarei andato, perché mi era vietato. Mi rimandò la sua ambasceria: da lui potevo andare, perché egli, come podestà, era superiore ai regolamenti. Gli dissi che gli avrei guardato la bambina, a condizione di poter trattare nello stesso modo, col suo consenso, qualunque contadino ne avesse bisogno. Curassi intanto la bambina, e poi si sarebbe visto: darmi una esplicita autorizzazione non poteva, ma chiudere un occhio, sí. La difterite della bambina non era, naturalmente, che una delle tante malattie immaginarie del padre. Cosí si stabilí quel *modus vivendi*, che durò poi sempre, per cui io facevo il medico a mezzo, con un mezzo consenso non esplicito, e soltanto fin dove la cosa potesse essere tenuta segreta. Avrei preferito smettere del tutto, e non pensare piú ad altro che ai quadri: ma era impossibile, finché fossi rimasto a Gagliano. Naturalmente, questa situazione illegale e nascosta aveva i suoi inconvenienti: tanto che ci fu ancora qualche episodio che minacciò di riaccendere i furori cosí faticosamente sopiti.

Una sera arrivò da Gaglianello un giovane, accompagnato da altri contadini, con un braccio legato. Si era ferito con un falcetto fra due dita: quando gli tolsi il legaccio il sangue schizzò violento contro il muro: era tagliata l'arteria interdigitale: bisognava cercarne il moncone con una pinza, e legarla: ma non potevo fare io stesso questa piccola operazione, perché si sarebbe risaputo. Mandai dunque il giovane dal dottor Milillo, e gli scrissi un biglietto, offrendomi come assistente all'intervento: credevo cioè che egli si prestasse a coprirmi col suo nome, e a lasciarmi fare quello di cui temevo non fosse capace. Ma il vecchio quasi si offese, e mi mandò a rispondere che sapeva far da sé, e non aveva bisogno di aiuti. L'indomani per tempo, vidi tornare da me il giovane della sera, su un asino, accompagnato dal fratello maggiore. Era pallido come la cera; aveva perso sangue tutta la notte. Guardai la sua mano: il vecchio chirurgo si era accontentato di dare un punto a caso alla pelle: non aveva neppure cercato l'arteria tagliata. Quello che sarebbe stato facile la sera prima, era ora difficile: e io personalmente non potevo intervenire, vietato, nell'opera altrui. Poiché i contadini non volevano tornare da Milillo né da Gibilisco, non restava loro che prendere la macchina, la 509 dell'americano, e farsi portare al piú presto a Stigliano o piú lontano, in cerca di un chirurgo migliore. E cosí fecero: ma prima di salire sull'automobile, il fratello maggiore, un uomo deciso e ardito, raccolse una folla di contadini, e, sulla piazza e davanti al municipio, gridò a lungo le sue lagnanze per lo stato di cose attuale, e imprecò e minacciò contro i signori e il podestà, e quelli di Roma. Fu una scena memorabile: i contadini lo approvavano; e si ebbe un'altra giornata torbida.

La Giulia non dava nessuna importanza al divieto. — Fai quello che vuoi, — mi diceva, — che ti possono fare? E poi, se non ti lasciano fare il medico, tu curerai lo stesso. Dovresti fare lo stregone. Ora hai imparato tutto, sai tutto. E quello non te lo possono impedire.

In quei mesi, in verità, tra gli insegnamenti della Giulia, delle altre donne che mi venivano per casa, e quello che vedevo ogni giorno nelle famiglie dei contadini e al letto dei malati, ero diventato maestro in tutto quello che concerne la magía popolare, e le sue applicazioni alla medicina: e avrei potuto davvero seguire il consiglio della Santarcangelese: che ella mi dava, del resto, seriamente, coi cattivi, languidi e freddi occhi posati su di me: — Dovresti fare lo stregone —. Con eguale serietà, Giulia mi diceva, quando mi sentiva cantare: — Peccato che non hai fatto il prete: hai una cosí bella voce —. Per lei, il prete era un attore, che cantava per tutti, in modo degno, le lodi di Dio. Prete, medico e mago: per la Giulia avrei assommato tutte le virtú del Rofé orientale, del guaritore sacro.

La magía popolare cura un po' tutte le malattie; e, quasi sempre, per la sola virtú di formule e di incantesimi. Ve ne sono di particolari, specifiche per un male determinato, e di generiche. Alcune sono, a quel che credo, di origine locale; altre appartengono al *corpus* classico dei formulari magici, capitate quaggiú chissà quando e chissà per che vie. Di questi amuleti classici, il piú comune era l'abracadabra. Visitando i malati, mi accadeva molto spesso di vedere, in generale appeso al collo con una cordicella, un fogliolino di carta, o una piccola piastrina di metallo, con su scritta, o incisa, la formula triangolare:

A
A B
A B R
A B R A
A B R A C
A B R A C A
A B R A C A D
A B R A C A D A
A B R A C A D A B
A B R A C A D A B R
A B R A C A D A B R A

I contadini, dapprincipio, cercavano di nascondere questo amuleto, e quasi si scusavano con me di portarlo: perché sapevano che i medici hanno l'abitudine di disprezzare queste superstizioni, e di tuonare contro di esse, in nome della ragione e della scienza. E fanno benissimo là dove la ragione e la scienza possono assumere lo stesso carattere magico della volgare magía: ma qui, esse non sono ancora, e forse non saranno mai, divinità ascoltate e adorate.

Perciò io rispettavo gli abracadabra, ne onoravo l'antichità e la oscura, misteriosa semplicità, preferivo essere loro alleato che loro nemico, e i contadini me ne erano grati, e forse ne traevano davvero vantaggio. Del resto, le pratiche magiche di quaggiú sono tutte innocue: e i contadini non ci vedono nessuna contraddizione con la medicina ufficiale. L'abitudine di dare a ogni malato, per ogni malattia, anche quando non è necessario, una ricetta, è una abitudine magica: tanto piú se la ricetta era scritta, come un tempo, in latino, o almeno con calligrafia incomprensibile. La maggior parte delle ricette basterebbe a guarire i malati, se, senza essere spedite, fossero appese al collo con una cordicella, come un abracadabra.

Di oggetti a virtú generica, oltre agli abracadabra, ce n'erano moltissimi e svariatissimi: segni cabalistici, astrologici, immagini di santi, Madonne di Viggiano, monete, denti di lupo, ossi di rospo, e cosí via: tutto un armamentario tradizionale. Piú originali sono le cure delle singole malattie. I vermi dei bambini si incantano, per sola virtú di parole. Si dice:

Lunedí santo
Martedí santo
Mercoledí santo
Giovedí santo
Venerdí santo
Sabato santo
Domenica è Pasqua
Ogni verme in terra casca!

E poi, tornando indietro:

Sabato santo
Venerdí santo
Giovedí santo
Mercoledí santo

Martedí santo
Lunedí santo
Domenica è Pasqua
Ogni verme in terra casca!

Questa doppia formula, ascendente e discendente, va pronunziata tre volte di seguito davanti al malato. E i vermi, incantati, muoiono, e il bambino guarisce. È certamente una formula antichissima, contaminazione di uno scongiuro romano arcaico, che ci resta fra i primi documenti della lingua latina, con un elemento cristiano.

L'itterizia si chiama, qui, il « male dell'arco » : la malattia dell'arcobaleno, perché per essa l'uomo cambia di colore, e in lui, come nello spettro del sole, prevale il color giallo. Come si prende il male dell'arco? L'arcobaleno cammina per il cielo, e appoggia sulla terra i suoi due piedi, muovendoli qua e là per la campagna. Se avviene che i piedi dell'arco calpestino dei panni posti ad asciugare, chi indosserà quei panni prenderà, attraverso la virtú che vi è stata infusa, i colori dell'arco, e si ammalerà. Si dice anche (ma la prima ipotesi patogenetica è la piú diffusa e credibile) che bisogna guardarsi dall'orinare contro l'arcobaleno: il getto arcuato del liquido somigliando e riflettendo l'iride arcuata del cielo, l'uomo intero diventerà una specie d'iride gialla. Per combattere l'itterizia, il malato deve essere portato, alla prima alba, su un colle fuori del paese. Un coltello dal manico nero deve essergli appoggiato sulla fronte, dapprima verticalmente, poi orizzontalmente, in modo che ne venga una specie di croce. Nello stesso modo, appoggiando diversamente il coltello, devono farsi delle croci su tutte le giunture del corpo; mentre si pronuncia, ad ogni croce, un semplice scongiuro. L'operazione va ripetuta tre volte, senza omettere nessuna giuntura; e per tre mattine consecutive. L'arco allora si ritira, di colore in colore, e il viso del malato ritorna bianco.

La formula contro l'erisipela non serve da sola: ma soltanto associata all'argento. I contadini conservano in casa un vecchio scudo, per quest'uso; e non ho mai visto nessuno di questi malati, quaggiú assai frequenti, senza incontrare, appoggiata sulla pelle gonfia e rossa, la grossa moneta.

Ci sono formule per saldare le ossa, per i mali di denti, di ventre, di testa; per scaricare i dolori su qualcun altro, o su qualche animale, o pianta, o oggetto; per liberarsi del malocchio, e dagli incanti. Ma qui, dalla medicina, si passa insensibilmente al suo contrario, ai modi per fare ammalare e morire, oppure all'altra e cosí importante branca della magía popolare, all'arte di costringere all'amore, o di liberare dall'amore. Di quest'ultimo ramo fui certamente, come ho detto, molte volte spettatore, e forse ancor piú di frequente, oggetto e vittima. e se, lí per lí, non mi accorsi di nulla, chi potrebbe esser certo che da quei filtri ed incanti non mi sia venuta poi, molto piú tardi, tanta infelice capacità di passione? Intanto dovevo piuttosto difendermi dagli assalti diretti di qualche strega, come la Maria C., che mi mandava a chiamare, fingendo che la sua bambina fosse malata, quando il marito (che era stato già in prigione per assassinio per gelosia) era nei campi. Era la stessa che aveva fatto morire di male misterioso il marito della vedova: la piccola, dicevano tutti, era figlia di quel morto: una bella bambina dall'aria civile. La madre era tale da fare davvero paura: piccolissima e tozza, aveva una fronte bassa tanto, che l'attaccatura dei capelli, bluneri e lisci, in due grandi bande separate da una riga diritta, quasi toccava le sopracciglia, anch'esse folte e scure. Sotto, c'era un piccolo viso di animale selvatico, dal naso corto, con le narici aperte, e una piccola bocca carnosa, dai bianchi denti aguzzi. Ma quel viso pallido, in tutto quel nero di capelli e di ciglia, era riempito dagli occhi, pieni di follia, enormi, lontani, larghi nelle tempie, chiarissimi, azzurro-verdi, che facevano pensare a un lago dai bordi pericolosi di sabbie mobili, tra putridi alberi tropicali.

— Dovresti fare lo stregone; ormai sai curare anche alla nostra maniera —. Io continuavo celatamente a fare il medico: avendo cura però di non contraddire le pratiche magiche. Qui, dove tutti i rapporti fra le cose sono influssi e magía, anche la medicina ha potere soltanto per il suo contenuto magico, pur restando corretta e rigorosa e scientifica, né sposandosi ad atteggiamenti misteriosi. Il chinino, purtroppo, ha perduto ogni potere, perché appartiene, per i contadini, a una scienza screditata, incomprensiva e pretensiosa. Ci voleva molta autorità per farlo accettare, e preso cosí a malincuore, agiva poco: preferivo sostituirlo con medicine nuove, piú potenti in sé e piú ricche d'influenza; come l'atebrina e la plasmochina, che mi servirono sempre meravigliosamente, perché agivano insieme e come sostanze chimiche e come influenze magiche.

Tolto il chinino, tutte le medicine erano accolte dai contadini con fiducia: soltanto, non si trovavano, o erano troppo care; o servivano a un abituale sfruttamento da parte di medici e di farmacisti. Nelle vecchie farmacie polverose di questi paesi, dove pur esse esistano, non si sa mai se la medicina preparata corrisponde alla ricetta, o non sia, nel migliore dei casi, un intruglio di polveri inerti. È meglio dunque ricorrere sempre alle specialità, che sono care; e anche cosí la cosa non va senza inconvenienti. Il figlio della Parroccola era malato. Aveva una pustola maligna: il carbonchio è qui assai frequente, in questo mondo pieno di animali; e ne vidi moltissimi casi. Lo visitai verso sera: avevo finito la mia piccola scorta di siero, e in paese non ce n'era. Dissi alla madre di non perdere tempo, di andare, per le scorciatoie, a Sant'Arcangelo, a cercare il siero in farmacia. — Hai denaro? — le chiesi. — Ho trenta lire. Mi hanno pagato ora i carabinieri, per il mio lavoro di lavandaia —. Sapevo che le fiale costavano otto e settantacinque l'una: il denaro dunque bastava. — Prendine tre, cosí staremo tranquilli —. Il carbonchio è una brutta malattia che guarisce soltanto col siero, dato senza economia. Era sera: la Parroccola non osava mettersi per strada la notte. — Ci sono gli spiriti sul sentiero, non mi lasceranno passare —. Ma partí lo stesso, molto prima dell'alba, e seppe correre, con quelle sue gambe tozze, con la fretta di una madre ansiosa. Dieci chilometri l'andata, dieci chilometri il ritorno: la mattina era a casa. Ma le fiale erano due sole. Me ne stupii, ed essa mi raccontò che il farmacista le aveva chiesto quanto denaro aveva. — Trenta lire. — Allora puoi prendere due fiale. Sai leggere? Costano quindici lire l'una. C'è scritto sopra —. C'era scritto sopra « 8,75 ». Di questi mezzi si serve il diritto feudale della piccola borghesia di questi paesi. Per fortuna, le due fiale bastarono.

La Parroccola era poverissima: non possedeva nulla, altro che il suo gran letto, e le sue misere grazie di *zambra*.

Avrebbe dovuto avere medici e medicine gratuite: avrebbe dovuto essere nell'elenco dei poveri. Questo elenco esisteva, nascosto in qualche scaffale del municipio: ma, in questo paese di generale e completa miseria, era brevissimo: forse quattro o cinque nomi. Con i pretesti piú vari, non si riconosceva a nessuno la qualità di povero: altrimenti, chi avrebbe pagato il debito tributo a medici e farmacisti, autori essi stessi non controllati dell'elenco? Anche questo era uno dei mali antichi, sanzionati dall'uso, inevitabili, legati allo Stato, contro cui non c'è modo di difendersi. — Se si sapesse leggere e scrivere, non ci potrebbero cosí derubare. Ora ci sono le scuole, ma non ci si insegna nulla. Quelli di Roma preferiscono che noi si resti come bestie —. Tuttavia questi contadini taglieggiati, quelli stessi che facevano un giorno di strada a piedi, da Senise, per venire a vendere due lire di « lacci », o che una volta portarono fin da Metaponto una cesta di arance bellissime, costate ai coltivatori qualche morto della perniciosa maligna delle rive del mare, si spogliarono dell'oro nella « giornata della fede ». Di ori, veramente, ce n'erano ben pochi in paese: razziati a poco a poco, dai mercanti d'oro, che girano ogni anno per i villaggi piú remoti, soprattutto nei mesi di maggio e di giugno, poco prima del raccolto del grano, quando i contadini hanno finito le scorte, sono indebitati, e non sanno come fare per tirare avanti. Fu fatto credere a tutti che consegnare l'oro era obbligatorio, che chissà quali pene sarebbero venute a chi non l'avesse dato; che anche il Papa aveva ordinato di dare tutto l'oro delle chiese: ed essi lo portarono, rassegnati a questa nuova vessazione, sull'altare della Patria. Anche la Giulia, anche la Parroccola si privarono del loro anello nuziale, ricordo dei loro antichi matrimoni, e dei mariti scomparsi di là dal mare.

Il marito della Giulia era partito, con il figlio, il primo dei diciassette che la Santarcangelese avrebbe avuto poi, per l'Argentina, e non se ne era poi mai saputo piú nulla. Ma un giorno la Giulia ricevette una lettera, e me la portò perché gliela leggessi. Era scritta in un linguaggio misto di italiano e di spagnolo, e veniva da Civitavecchia. Era quel primo figlio, perduto da quasi vent'anni, cresciuto a Buenos Ayres, che scriveva di essersi arruolato per andare in

Abissinia. Si era ricordato della madre. Non le parlava del padre: diceva che sperava di avere una licenza prima di partire dall'Italia, per venirla a conoscere e a salutare. La licenza non venne, il giovane mandò una sua fotografia, e scrisse di tanto in tanto dall'Africa. Io gli rispondevo, sotto dettato della Giulia. Giunse infine una lettera, dove egli diceva che la guerra sarebbe presto finita, e pregava sua madre di trovargli, a Gagliano, una ragazza per moglie. Stava a lei di sceglierla: appena tornato, l'avrebbe sposata. Anche su questo giovane, partito prima di ogni possibile ricordo infantile, l'America era passata, come sugli altri emigrati, senza lasciar traccia; ed egli sarebbe tornato ad un paese che non aveva mai visto, per sposare una donna ignota, scelta dalla madre strega, di cui sapeva soltanto il nome. La Giulia, che conosceva tutto il palese e il nascosto delle donne di Gagliano, scelse per suo figlio una contadina non bella, ma robusta e ritrosissima, che stava quasi di faccia a casa mia, e attese, con la sposa, il ritorno e le nozze.

24

Aprile fu un mese pazzo, di sole e piogge e nuvole vaganti. Qualcosa era per l'aria, come un tremito lontano, che forse annunciava altrove la primavera: ma non arrivavano fin qui quegli effluvi di una vita rinascente, quel turgore vegetale delle felici terre del nord, che si liberano della neve per respirare nel sole amoroso e nel verde. Il freddo era finito, soffiavano venti gagliardi, ma l'erba non cresceva sulle prode, né i fiori, né le viole. Nulla cambiava nel paesaggio: le argille si stendevano grige tutto attorno, come sempre: qualcosa mancava, la vita stessa dell'anno; e il senso di questa mancanza riempiva il cuore di tristezza. Col tempo migliore, le vie del paese erano tornate deserte: gli uomini erano tutto il giorno lontani, nei campi invisibili. I ragazzi sguazzavano, con le capre, nelle pozzanghere. Io passeggiavo in ozio, col mio vestito di velluto, o restavo a dipingere sulla mia terrazza, all'aperto. Dalle case mi giungevano alterne le voci delle donne, e gli strilli dei maialini giovani, quando quelle li lavavano e insaponavano e strigliavano, secondo il loro uso, come bambini rosati riluttanti all'acqua.

Tornavo a casa, una sera, ripercorrendo i noti saliscendi della strada fra Gagliano di Sopra e Gagliano di Sotto, e fermandomi qua e là a riguardare meccanicamente quei monti di cui sapevo a mente ogni macchia e ogni ruga, come visi di persone familiari che diventano quasi invisibili per troppo lunga conoscenza. Guardavo cosí, senza piú vedere nulla di determinato, in quell'aria grigia e in quel vento: mi pareva di aver perso ogni senso, di essere uscito dal tempo, di essere tutto avvolto dal mare di una passiva eternità, da cui non sarei piú potuto uscire. Mi ero seduto un momento vicino alla fontana che a quell'ora era deserta, e ascoltavo in me il cavo rumore di quel mare, senza pensare a nulla, quando mi raggiunse la postina, una vecchia malata, scarna, schiantata dalla tosse e dagli stenti, che si affannava tutto il giorno su per le stradette del paese, con la borsa delle lettere sul capo. Aveva un telegramma per me, molto ritardato dalla censura, che mi annunciava la morte di un mio stretto parente. Rientrai in casa; di lí a poco venni avvertito che la questura mi autorizzava, in seguito a richiesta urgente dei miei, a recarmi, ben scortato, per pochi giorni nella mia città, per gravi ragioni di famiglia. Avrei potuto partire all'alba, per prendere l'autobus di Matera: mi avrebbe accompagnato fin là don Gennaro, la guardia municipale.

Cosí fui strappato a quell'apatico fluire di giorni, e mi ritrovai di nuovo in moto, in una strada, su un treno, tra campi verdi. Quel viaggio fu per me cosí triste che mi è quasi uscito dalla memoria. Rividi ancora una volta da lontano il monte di Grassano, e quel paese cosí prosaicamente angelico: poi entrai nelle terre per me nuove, sempre piú brulle, desolate e deserte, tra il Basento, il Bradano e la Gravina, oltre Grottole e Miglionico, verso Matera. A Matera dovetti fermarmi alcune ore, perché si disponesse per la mia scorta. Vidi allora quella città, e capii come fosse giustificato l'orrore di mia sorella, che in me si accompagnava alla meraviglia per quella tragica bellezza. Montai infine sul treno, con un agente, e risalii, notte e giorno, tutta l'Italia. Restai pochi giorni nella mia città, seguíto costantemente da due poliziotti, che dovevano vegliare su di me anche la notte, ma che invece dormivano in una stanzetta che avevo improvvisato per loro in casa mia. Il mio soggiorno fu melanconico, a parte la ragione dolorosa del viaggio. Mi aspettavo il piú vivo piacere nel rivedere la città, nel parlare con i vecchi amici, nel ripartecipare per un momento a una vita molteplice e movimentata: ma ora sentivo in me un distacco che non sapevo superare, un senso di infinita lontananza, una difficoltà di adesione che mi impedivano di godere dei beni ritrovati. Molti mi sfuggivano per prudenza, altri evitavo io stesso di incontrare per non comprometterli: altri, piú coraggiosi o meno pericolanti, mi cercavano, senza timore dei miei custodi e del loro rapporto serale. Ma anche con questi mi riusciva difficile ritrovare un completo contatto. Mi pareva che una parte di me fosse ormai estranea a quel mondo d'interessi, di ambizioni, di attività e di speranza; quella loro vita non era piú la mia, e non mi toccava il cuore. Cosí, passati in un attimo quei brevi giorni, ripartii senza dispiacere, con due nuovi accompagnatori. Erano due agenti, che avevano brigato a lungo per avere questo incarico, perché speravano, guadagnando qualcosa sui giorni di viaggio, di trovare il tempo di visitare le loro famiglie. Uno di essi, un siciliano magro, aveva la moglie a Roma. Quando fummo là, e dovemmo restarci qualche ora in attesa della coincidenza, mi si raccomandò, che non lo tradissi, perché avrebbe voluto fermarsi con la moglie. Lo rassicurai: si godesse pure quei giorni: il suo compagno sarebbe bastato per sorvegliarmi. Mi salutò, e scomparve.

L'altro mi accompagnò invece fino a Gagliano. Era un giovane bruno, già un po' stempiato, piuttosto elegante. Mi disse, con molta vergogna per la sua attuale occupazione, di appartenere a una famiglia assai distinta di Montemurro, in val d'Agri: e seppi poi, a Gagliano, che tutto quello che mi aveva raccontato era vero. Suo padre era un cieco, celebre in tutta la provincia: ed era ricco. Teneva in affitto delle grandissime tenute, in paesi diversi e lontani della Lucania: tutti lo conoscevano, lui e un suo famoso cavallo, che lo conduceva per tutte le strade, a visitare quei poderi sparsi a cinquantine di chilometri l'uno dall'altro, solo e senza guida. Erano otto figli, e tutti i maggiori avevano studiato, e si erano laureati. Quando il padre morí, gli affari della famiglia andarono subito a rotoli. I fratelli avevano tutti dei buoni impieghi, ma il poliziotto, De Luca, che era l'ultimo, era ancora studente di liceo. Dovette sospendere gli studi, e non trovò meglio da fare, secondo l'uso, che entrare nella Polizia. Ma quel mestiere gli ripugnava: voleva dare la licenza liceale, trovare un altro impiego. Forse io avrei potuto aiutarlo? Cosí il mio custode mi confessava le sue miserie. A Roma c'erano i suoi fratelli, i suoi zii, tutti impiegati in qualche Ministero. Egli voleva visitarli, ma non poteva lasciarmi: mi pregò di accompagnarlo. Fu cosí che vidi i salotti di parecchie case d'impiegati; fui presentato a tutti come un suo amico personale, e dappertutto ebbi una tazza di caffè, e dovetti dare risposte evasive sulla mia persona. De Luca si vergognava anche dei suoi parenti; nessuno di essi sapeva né doveva sapere che faceva il poliziotto. Per loro, egli aveva un buon impiego in una città del nord, e io ero un suo collega.

Già il treno ci riportava, oltre la capitale, verso il sud. Era notte, e non mi riusciva di dormire. Seduto sulla dura panca, andavo ripensando ai giorni passati, a quel senso di estraneità, e alla totale incomprensione dei politici per la vita di quei paesi verso cui mi affrettavo. Tutti mi avevano chiesto notizie del mezzogiorno; a tutti avevo raccontato quello che avevo visto: e, se tutti mi avevano ascoltato con interesse, ben pochi mi era parso volessero realmente capire quello che dicevo. Erano uomini di varie opinioni e temperamenti: dagli estremisti piú accesi ai piú rigidi conservatori. Molti erano uomini di vero ingegno e tutti dicevano di aver meditato sul «problema meridionale» e avevano pronte le loro formule e i loro schemi. Ma cosí come queste loro formule e schemi, e perfino il linguaggio e le parole usate per esprimerli sarebbero stati incomprensibili all'orecchio dei contadini, cosí la vita e i bisogni dei contadini erano per essi un mondo chiuso, che neppure si curavano di penetrare. Erano, in fondo, tutti (mi pareva ora di vederlo chiaramente) degli adoratori, piú o meno inconsapevoli, dello Stato; degli idolatri che si ignoravano. Non importava se il loro Stato fosse quello attuale, o quello che vagheggiavano nel futuro: nell'uno e nell'altro caso era lo Stato, inteso come qualcosa di trascendente alle persone e alla vita del popolo; tirannico o paternamente provvidente, dittatoriale o democratico, ma sempre unitario, centralizzato e lontano. Di qui la impossibilità, fra i politici e i miei contadini, di intendere e di essere intesi. Di qui il semplicismo, spesso ammantato di espressioni filosofeggianti, dei politici, e l'astrattezza delle loro soluzioni, non mai aderenti a una realtà viva, ma schematiche, parziali, e cosí presto invecchiate. Quindici anni di fascismo avevano fatto dimenticare a tutti il problema meridionale; e, se ora dovevano riproporselo, non sapevano vederlo che in funzione a qualcosa d'altro, alle generiche finzioni mediatrici del partito o della classe, o magari della razza. Alcuni vedevano in esso un puro problema economico e tecnico, parlavano di opere pubbliche, di bonifiche, di necessaria industrializzazione, di colonizzazione interna, o si riferivano ai vecchi programmi socialisti « rifare l'Italia ». Altri non vi vedevano che una triste eredità storica, una tradizione di borbonica servitú, che una democrazia liberale avrebbe un po' per volta eliminato. Altri sentenziavano non essere altro, il problema meridionale, che un caso particolare della oppressione capitalistica, che la dittatura del proletariato avrebbe senz'altro risolto. Altri ancora pensavano a una vera inferiorità di razza, e parlavano del sud come di un peso morto per l'Italia del nord, e studiavano le provvidenze per ovviare, dall'alto, a questo doloroso stato di fatto. Per tutti, lo Stato avrebbe potuto fare qualcosa, qualcosa di molto utile, benefico, e provvidenziale: e mi avevano guardato con stupore quando io avevo detto che lo Stato, come essi lo intendevano, era invece l'ostacolo fondamentale a che si facesse qualunque cosa. Non può essere lo Stato, avevo detto, a risolvere la questione meridionale, per la ragione che quello che noi chiamiamo problema meridionale non è altro che il problema dello Stato. Fra lo statalismo fascista, lo statalismo liberale, lo statalismo socialistico, e tutte quelle altre future forme di statalismo che in un paese piccolo-borghese come il nostro cercheranno di sorgere, e l'antistatalismo dei contadini, c'è, e ci sarà sempre, un abisso; e si potrà cercare di colmarlo soltanto quando riusciremo a creare una forma di Stato di cui anche i contadini si sentano parte. Le opere pubbliche, le bonifiche, sono ottime cose, ma non risolvono il problema. La colonizzazione interna potrà avere dei discreti frutti materiali, ma tutta l'Italia, non solo il mezzogiorno, diventerebbe una colonia. I piani centralizzati possono portare grandi risultati pratici, ma sotto qualunque segno resterebbero due Italie ostili. Il problema di cui parliamo è molto piú complesso di quanto pensiate. Ha tre diversi aspetti, che sono le tre facce di una sola realtà, e che non possono essere intese né risolte separatamente. Siamo anzitutto di fronte al coesistere di due civiltà diversissime, nessuna delle quali è in grado di assimilare l'altra. Campagna e città, civiltà precristiana e civiltà non piú cristiana, stanno di fronte; e finché la seconda continuerà ad imporre alla prima la sua teocrazia statale, il dissidio continuerà. La guerra attuale, e quelle che verranno, sono in gran parte il risultato di questo dissidio secolare, giunto ora alla sua piú intensa acutezza, e non soltanto in Italia. La civiltà contadina sarà sempre vinta, ma non si lascerà mai schiacciare del tutto, si conserverà sotto i veli della pazienza, per esplodere di tratto in tratto; e la crisi mortale si perpetuerà. Il brigantaggio, guerra contadina, ne è la prova: e quello del secolo scorso non sarà l'ultimo. Finché Roma governerà Matera, Matera sarà anarchica e disperata, e Roma disperata e tirannica.

Il secondo aspetto del problema è quello economico: è il problema della miseria. Quelle terre si sono andate progressivamente impoverendo; le foreste sono state tagliate, i fiumi si sono fatti torrenti, gli animali si sono diradati, invece degli alberi, dei prati e dei boschi, ci si è ostinati a coltivare il grano in terre inadatte. Non ci sono capitali, non c'è industria, non c'è risparmio, non ci sono scuole, l'emigrazione è diventata impossibile, le tasse sono insopportabili e sproporzionate: e dappertutto regna la malaria. Tutto ciò è in buona parte il risultato delle buone intenzioni e degli sforzi dello Stato, di uno Stato che non sarà mai quello dei contadini, e che per essi ha creato soltanto miseria e deserto.

Infine c'è il lato sociale del problema. Si usa dire che il grande nemico è il latifondo, il grande proprietario; e certamente, là dove il latifondo esiste, esso è tutt'altro che una istituzione benefica. Ma se il grande proprietario, che sta a Napoli, a Roma, o a Palermo, è un nemico dei contadini, non è tuttavia il maggiore né il piú gravoso. Egli almeno è lontano, e non pesa quotidianamente sulla vita di tutti. Il vero nemico, quello che impedisce ogni libertà e ogni possibilità di esistenza civile ai contadini, è la piccola borghesia dei paesi. È una classe degenerata, fisicamente e moralmente: incapace di adempiere la sua funzione, e che solo vive di piccole rapine e della tradizione imbastardita di un diritto feudale. Finché questa classe non sarà soppressa e sostituita non si potrà pensare di risolvere il problema meridionale.

Questo problema, nel suo triplice aspetto, preesisteva al fascismo; ma il fascismo, pure non parlandone piú, e negandolo, l'ha portato alla sua massima acutezza, perché con lui lo statalismo piccolo-borghese è arrivato alla piú completa affermazione. Noi non possiamo oggi prevedere quali forme politiche si preparino per il futuro: ma in un paese di piccola borghesia come l'Italia, e nel quale le ideologie piccolo-borghesi sono andate contagiando anche le classi popolari cittadine, purtroppo è probabile che le nuove istituzioni che seguiranno al fascismo, per evoluzione lenta o per opera di violenza, e anche le piú estreme e apparentemente rivoluzionarie fra esse, saranno riportate a riaffermare, in modi diversi, quelle ideologie; ricreeranno uno Stato altrettanto, e forse piú, lontano dalla vita, idolatrico e astratto, perpetueranno e peggioreranno, sotto nuovi nomi e nuove bandiere, l'eterno fascismo italiano. Senza una rivoluzione contadina, non avremo mai una vera rivoluzione italiana, e viceversa. Le due cose si identificano. Il problema meridionale non si risolve dentro lo Stato attuale, né dentro quelli che, senza contraddirlo radicalmente, lo seguiranno. Si risolverà soltanto fuori di essi, se sapremo creare una nuova idea politica e una nuova forma di Stato, che sia anche lo Stato dei contadini; che li liberi dalla loro forzata anarchia e dalla loro necessaria indifferenza. Né si può risolvere con le sole forze del mezzogiorno: ché in questo caso avremmo una guerra civile, un nuovo atroce brigantaggio, che finirebbe, al solito, con la sconfitta contadina, e il disastro generale; ma soltanto con l'opera di tutta l'Italia, e il suo radicale rinnovamento. Bisogna che noi ci rendiamo capaci di pensare e di creare un nuovo Stato, che non può piú essere né quello fascista, né quello liberale, né quello comunista, forme tutte diverse e sostanzialmente identiche della stessa religione statale. Dobbiamo ripensare ai fondamenti stessi dell'idea di Stato: al concetto d'individuo che ne è la base; e, al tradizionale concetto giuridico e astratto di individuo, dobbiamo sostituire un nuovo concetto, che esprima la realtà vivente, che abolisca la invalicabile trascendenza di individuo e di Stato. L'individuo non è una entità chiusa, ma un rapporto, il luogo di tutti i rapporti. Questo concetto di relazione, fuori della quale l'individuo non esiste, è lo stesso che definisce lo Stato. Individuo e Stato coincidono nella loro essenza, e devono arrivare a coincidere nella pratica quotidiana, per esistere entrambi. Questo capovolgimento della politica, che va inconsapevolmente maturando, è implicito nella civiltà contadina, ed è l'unica strada che ci permetterà di uscire dal giro vizioso di fascismo e antifascismo. Questa strada si chiama autonomia. Lo Stato non può essere che l'insieme di infinite autonomie, una organica federazione. Per i contadini, la cellula dello Stato, quella sola per cui essi potranno partecipare alla molteplice vita collettiva, non può essere che il comune rurale autonomo. È questa la sola forma statale che possa avviare a soluzione contemporanea i tre aspetti interdipendenti del problema meridionale; che possa permettere la coesistenza di due diverse civiltà, senza che l'una opprima l'altra, né l'altra gravi sull'una; che consenta, nei limiti del possibile, le condizioni migliori per liberarsi dalla miseria; e che infine, attraverso l'abolizione di ogni potere e funzione sia dei grandi proprietari che della piccola borghesia locale, consenta al popolo contadino di vivere, per sé e per tutti. Ma l'autonomia del comune rurale non potrà esistere senza l'autonomia delle fabbriche, delle scuole, delle città, di tutte le forme della vita sociale. Questo è quello che ho appreso in un anno di vita sotterranea.

Cosí avevo detto ai miei amici, e andavo ora rimeditando mentre il treno, nella notte, entrava nelle terre di Lucania. Erano i primi accenni di quelle idee che dovevo poi sviluppare negli anni seguenti, attraverso le esperienze dell'esilio e della guerra. E in questi pensieri mi addormentai.

Mi risvegliò il sole alto, dopo Potenza, tra le scoscese pendici di Brindisi di Montagna. Qualcosa d'insolito era nell'aria, di cui non sapevo ancora rendermi conto. Entrammo nella valle del Basento, passammo le stazioncine solitarie di Pietra Pertosa, Garaguso e Tricarico, e non tardammo a raggiungere la nostra destinazione: la stazione di Grassano. Qui dovevamo scendere, e aspettare, come al solito, qualche ora, il passaggio della corriera postale. La stazione era deserta: rimasi a passeggiare avanti e indietro, sulla strada provinciale, con la mia guardia, conversando. Grassano mi risalutava dalla cima del monte, periodica amichevole apparizione: ma il suo aspetto era mutato. Mi resi conto allora delle ragioni di quell'aspetto strano del paesaggio che avevo veduto al mio risveglio dal finestrino del vagone. Il colle si alzava, come sempre, con le sue lente ondulazioni e le sue fratture improvvise, fino al cimitero e al paese: ma la terra, che avevo sempre veduta grigia e giallastra, era ora tutta verde, d'un verde innaturale e imprevedibile. La primavera era scoppiata d'un tratto, anche qui, durante i pochi giorni della mia assenza; ma quel colore, altrove cosí pieno di allegra armonia e di speranza, aveva qui qualche cosa di artificioso, di violento; suonava falso, come il rossetto sul viso bruciato dal sole di una contadina. Gli stessi verdi metallici mi accompagnarono attraverso la salita, verso Stigliano, come squilli stonati di una tromba in una marcia funebre. I monti tornarono a chiudersi alle mie spalle, come i cancelli di una prigione, quando scendemmo verso il Sauro, e riprendemmo la salita verso Gagliano. Sulle argille bianche, le piccole chiazze di verde, sparse qua e là, brillavano al sole ancora piú intense e piú strane, come delle grida; parevano lembi di maschere stracciate, sparse alla rinfusa.

Era quasi sera, quando giungemmo in paese. La mia guardia, De Luca, venne riconosciuta da tutti. Quello che mi aveva raccontato di sé e della sua famiglia era vero: il figlio del cieco dal cavallo sapiente era quasi un compaesano, e parecchi lo invitarono a mangiare qualcosa prima di ripartire. Ma egli aveva fretta: riuscí a farsi imprestare un cavallo, montò in sella e partí per Montemurro, dove sarebbe arrivato dopo aver cavalcato tutta la notte.

Gagliano, a rivederla dopo quella breve parentesi cittadina, mi parve piú piccola e piú triste che mai, nella sua immobile atmosfera borbonica. Ancora due anni quaggiú! Il senso della noia degli identici giorni futuri mi scese improvvisa sul cuore. Mi avviai verso casa, fra i saluti e i «ben tornato!» che mi giungevano dalle soglie. Barone, che avevo affidato alla Giulia, era in mezzo alla piazza, come un signore, e mi corse incontro felice e rumoroso. Credevo che avrei trovato la Giulia a casa; ma la casa era vuota, il fuoco spento, e non c'era nulla di pronto per la cena. Mandai un ragazzo a chiamarla: tornò dicendomi che non poteva venire, e che non l'aspettassi neppure l'indomani né dopo; ma non me ne fece dire il perché. Dovetti cosí risalire fin dalla vedova a mangiare qualcosa. Seppi poi da donna Caterina che durante la mia assenza il barbiere albino, amante della Giulia, era stato preso da un accesso di gelosia, Dio sa quanto poco fondata, e aveva minacciato la mia strega di tagliarle il collo col suo rasoio se fosse ancora tornata da me; e l'aveva talmente spaventata, che la donna non osava neppure vedermi né salutarmi. Soltanto molto piú tardi, passato il terrore, si indusse a fermarsi a parlare con me, quando mi incontrava per via, con uno strano sorriso misterioso, riservato e un po' compiaciuto; né mi disse mai nulla delle ragioni del suo abbandono.

Donna Caterina si fece in quattro per trovarmi una nuova donna. — Ce n'è una che è meglio di Giulia. In questi giorni ha da fare, ma spero di ottenere che venga —. Intanto le poche streghe del paese mi venivano a cercare; ma io decisi di aspettare la protetta di donna Caterina. Venne, fra quelle che rimandai, una vecchia, che mi parve avesse una sessantina d'anni, e che insistette particolarmente perché la prendessi con me. Seppi poi, con stupore, che aveva quasi novant'anni, che era l'amante del vecchio padre ottantaduenne di don Luigino e che si era incapricciata di me. Cosí, senza accorgermene, avevo corso il rischio di essere divorato dalla piú antica Parca che mi fosse mai accaduto di conoscere. Finalmente arrivò Maria, la donna mandata dalla sorella del podestà. Era una strega, come la Giulia, anzi molto piú della Giulia, e della strega classica, di quelle che si ungono e partono per l'aria a cavallo di una scopa, aveva l'aspetto. Non c'era in lei nulla della maestosa animalità della Santarcangelese. Aveva una quarantina d'anni, era abbastanza alta, e magra, con un viso asciutto, rugoso, un lungo naso affilato, e il mento appuntito e sporgente. Si muoveva rapida, nei lavori era abile e svelta. Pareva bruciata da un fuoco interno, da una specie d'insaziabile avidità, da una sensualità nervosa e diabolica. Mi lanciava occhiate piene di un oscuro fuoco: capii subito che non avrei trovato in lei l'antica passività della Giulia, e che avrei dovuto tenerla a distanza. Per tutto il tempo che rimase con me le diedi perciò pochissima confidenza. Era, del resto, una ottima donna.

Oltre alla fuga di Giulia, altre novità erano avvenute in paese durante la mia assenza. Don Giuseppe Trajella era partito, spedito definitivamente a morire fra le catapecchie malariche di Gaglianello. La notte di Natale aveva dato i suoi frutti, don Luigino aveva trionfato. Il Vescovo aveva fatto fare un concorso per la parrocchia di Gagliano, e proibito a Trajella di parteciparvi. Il suo successore, don Pietro Liguari, era già arrivato da Miglionico. Aveva trovato una casa confortevole sulla via principale, vicino alla piazza, e vi si era installato con la sua governante, e una straordinaria quantità di provviste da bocca. Lo incontrai sulla piazza, il giorno dopo il mio arrivo, e mi venne incontro con un sorriso cordiale. Era già informatissimo di me, si disse felice di conoscermi, e mi invitò a prendere il caffè a casa sua. Se si fosse voluto trovare qualcuno assolutamente opposto, nell'aspetto, nei modi e nell'animo al povero Arciprete misantropo, relegato nel villaggio sul fiume, non si sarebbe di certo potuto scegliere altro che don Pietro Liguari. Era un uomo di una cinquantina d'anni, di media statura, grosso e piuttosto grasso, di un grasso pallido e giallastro. Gli occhi erano neri, spagnoli, pieni di astuzia. Aveva un viso grande e complesso, con un naso un po' arcuato, labbra sottili, capelli neri. Dava l'impressione di averlo già visto, di assomigliare a qualcuno già conosciuto. Riflettendoci, l'impressione si giustificava. L'Arciprete aveva un viso tipico, il piú italiano possibile in quegli anni. Era un misto di attore, di prelato, e di barbiere, un incrocio di Mussolini e di Ruggero Ruggeri. Don Pietro Liguari era di questi paesi, e probabilmente di famiglia contadina: il suo viso era pieno di furberia e di finezza, e i suoi modi insinuanti. Incedeva con una certa solennità, l'abito era pulito, il fiocco rosso del cappello era fiammante, e al dito portava un anello con un rubino.

Quando entrai in casa sua fui colpito dalla grande quantità di salami, salsicce, prosciutti, provole, provoloni, trecce di fichi secchi, di peperoni, di cipolle e di agli che pendevano dalle travi del soffitto, dai barattoli di conserve e di marmellate, e dalle bottiglie d'olio e di vino che ingombravano le dispense. Nessuna delle case dei signori di Gagliano era certamente cosí ben fornita. Era venuta ad aprirci la governante, una donna sulla quarantina, alta e magra, con un viso severo e impenetrabile, tutta vestita di nero, con un collettino bianco, senza velo sul capo. Questa donna austera era, lo seppi poi, una contadina di Montemurro, ottima cuoca, e, secondo le male lingue, madre di quattro supposti figli di Arcipreti, che dovevano essere qua e là, in qualche collegio della provincia. Don Liguari mi fece fare il giro delle sue stanze, e ammirare le sue provviste. — Verrà qualche volta a far penitenza con me, — mi disse, mostrandomi del burro fresco, cosa che a Gagliano non esisteva, e che non avevo piú visto da che ci ero venuto. — La mia governante sa far bene la pasta. Vedrà. Ma ora sediamoci e prendiamo il caffè —. Quando avemmo vuotato le nostre tazzine, l'Arciprete cominciò a parlarmi del paese, a dirmi le sue impressioni e a chiedermi le mie. — C'è molto da fare qui, — mi disse, — molto da fare. Direi tutto da fare. La chiesa è in cattivo stato, il campanile deve essere costruito. I frutti delle nostre terre non ci vengono pagati, o poco per volta e in ritardo. Ma soprattutto c'è poca religione. C'è un gran numero di ragazzi che non sono nemmeno battezzati; e nessuno se ne dà cura, se non sono malati e in punto di morte. Alle funzioni non viene che qualche vecchia, alla messa della domenica la chiesa è quasi deserta. La gente non si confessa, non fa la comunione. Tutto questo deve cambiare, e cambierà presto, vedrà. Le autorità non se ne occupano, e fanno il possibile per peggiorare la situazione. Sono dei materialisti, e non parlano che di guerra. Credono di essere loro i padroni del paese, con il loro fascismo. Poverini! Non sanno che dopo la Conciliazione, i padroni non sono piú loro, ma noi, che siamo la sola autorità spirituale. La Conciliazione vuol dir questo: che ora tocca a noi la direzione delle cose, a noi preti. Se il podestà crede di poter essere lui a comandare, si illude! — Don Pietro Liguari qui tacque, quasi pentito di aver parlato troppo: ma aveva ben capito che con me poteva farlo, senza timore che io andassi a riferire le sue parole, e ci teneva a ingraziarmisi. Si mise perciò a parlarmi del problema dei confinati, e del dovere che egli sentiva, come prete, di venire in loro aiuto e conforto, senza distinzione di opinione politica o di fede religiosa. Tutto questo era molto bello, ma i suoi modi insinuanti, e il tono della sua voce, mostravano troppo chiaramente come egli, piú che dallo spirito di carità, fosse mosso da un interesse o da un calcolo. E finalmente, dopo questo lunghissimo esordio, venne al motivo per cui mi aveva chiamato. — Bisogna riportare questo popolo alla religione, altrimenti cadrà in mano degli atei che pretendono di comandare. Anche chi è di un'altra fede lo deve ammettere —. E qui mi mandò un'occhiatina significativa. — Del resto, tutti possono essere toccati dalla grazia. Ma per portare alla chiesa questi contadini, bisogna che le funzioni diventino piú attraenti, che colpiscano di piú la fantasia. La chiesa è povera e nuda, e la parola sola non attira abbastanza. Perché i contadini tornino a frequentare la Casa del Signore, ci vorrebbe della musica. Io ho fatto venire da Miglionico un *armonium*, l'ho fatto portare ieri in chiesa. È proprio quello che fa per noi. Ma c'è una difficoltà. Chi lo suona? In paese nessuno sa adoperare quello strumento. E allora ho pensato a lei, che sa fare di tutto, che è tanto istruito, ecc. Siamo tutti figli dello stesso Signore! — Le ragioni per cui temeva non accettassi non mi passarono neppure in mente. Dissi che avevo studiato il pianoforte, ma che da moltissimi anni non mettevo le mani su una tastiera. Avrei potuto provare, ma non mi sarei potuto impegnare a fargli regolarmente da organista, ma tutt'al piú aiutarlo una volta o due, per fargli piacere. Un po' di accompagnamento, se c'era chi cantava, l'avrei potuto fare: ma per suonare avrei dovuto farmi mandare la musica. Risalimmo fino in chiesa, per vedere lo strumento, che era stato messo di fianco all'altare, bene in vista, e che destava già la curiosità dei ragazzi. L'Arciprete era felice: aveva temuto che io non accettassi, e la mia insperata condiscendenza lo faceva piú ardito. Mi mostrò le pareti nude e screpolate della chiesa. — Qui ci vorrebbero delle pitture —. L'idea non mi sarebbe dispiaciuta. — Chissà, forse un giorno le affrescherò tutta la chiesa, — gli dissi. — Devo star qui ancora due anni, e avrò tutto il tempo di pensarci. Peccato che i muri sono cosí cattivi. Ma non vorrei ingelosire Mornaschi, che è un uomo cosí simpatico —. Il soffitto della chiesa era infatti decorato a fresco, con delle stelle d'oro su fondo azzurro, e delle fasce decorative che lo separavano dalle pareti. Questo lavoro era stato fatto, qualche anno prima, da un pittore milanese, il Mornaschi, un giovane biondo, che in quel tempo passava di paese in paese facendo qua e là lavori di decorazione per le chiese, fermandosi in ogni luogo fino a lavoro finito, e ricominciando poi altrove. Ma a Gagliano questa sua vita vagabonda ebbe termine. C'era venuto per fare il soffitto, ma gli si offrí un posto di impiegato delle imposte, e, lasciando l'incerto per il certo, l'arte per l'amministrazione, Mornaschi non era piú ripartito, e aveva abbandonati i pennelli. Era un uomo modesto, ritirato e cortese, il solo forestiero ospite stabile di Gagliano. Lo vedevo qualche volta, e con me fu sempre gentilissimo.

— Mornaschi potrà aiutarla, — disse l'Arciprete, che in pochi giorni, evidentemente, aveva imparato a conoscere tutto il paese. Era entusiasta delle meravigliose prospettive che gli si aprivano davanti, per ricondurre all'ovile il suo gregge indifferente. Ma anch'io, ahimè, ero una pecora perduta, e il buon prete, tratto dall'accesa fantasia, cominciò a vagheggiare qualcosa di ancora piú roseo, una solenne cerimonia, a cui avrebbe potuto, perché no? partecipare anche il Vescovo. Questo non lo disse allora, per quanto mi accorgessi che ne moriva dalla voglia. Don Liguari era astuto e diplomatico, e si limitò a qualche accenno insinuante, il primo dei moltissimi e piú espliciti che ebbe poi a farmi in seguito. Per allora mi disse soltanto che era un peccato che io vivessi cosí solo; che ero giovane, sí, ma che avrei dovuto pensare a prender moglie; e mentre uscivamo dalla chiesa, mi invitò a pranzo per la domenica seguente. — Venga, dottore, a far penitenza con un povero prete —. Le provviste che avevo viste accatastate nella sua cucina mi facevano sperare che la penitenza non sarebbe stata troppo severa. L'austera montemurrese, la materna governante, si dimostrò infatti una cuoca perfetta: da un anno non avevo mangiato cosí bene. C'erano soprattutto dei salamini fatti in casa, rossi, secondo l'uso di qui, di peperone spagnolo, che erano una delizia. Da allora l'Arciprete non mi si spiccicò piú d'intorno. Mi veniva a trovare a casa, e posò per un ritratto, che avrebbe voluto gli regalassi. Don Luigino era geloso di questa sua assiduità, ma don Liguari sapeva fare, e, certamente con qualche pretesto evangelico, lo tenne tranquillo. Un giorno, a casa mia, il prete vide una Bibbia, sul mio tavolino da notte, in edizione protestante. Fece un salto, inorridito, come se avesse visto un serpente. — Che libri legge mai, dottore! Lo butti via, per carità —. Aveva preso dei modi molto intimi, e ogni volta che mi vedeva, mi diceva, con una commovente aria materna: — Ci battezzeremo, poi ci sposeremo. Lasci fare a me.

Avevo ricambiato, una domenica, il suo invito, mettendo a contributo, perché la «penitenza» non fosse, questa volta, reale, tutta l'abilità della mia strega Maria. Avvenne che due giorni prima, il venerdí, morisse Poerio, quel vecchio barbuto che era malato da molti mesi e che, per quanto lo desiderasse, non aveva mai potuto consultarmi, perché era compare di san Giovanni del dottor Gibilisco. La domenica si fecero i solenni funerali, e ci intervennero anche l'Arciprete di Stigliano e un altro prete di laggiú. Dovetti dunque estendere l'invito anche a questi due, l'uno grasso e grosso e l'altro magro e piccolo. Erano entrambi dello stesso tipo di don Liguari, scaltri, abituati a vivere bene, abili ed esperti della vita dei contadini. Feci un ottimo pranzo con questi tre strani uccelli, che si lagnavano che non morissero che contadini poveri, e che di bei funerali come quello di oggi non ce ne fosse tutt'al piú che uno all'anno.

Intanto m'era arrivata un po' di musica da chiesa, ed ero andato qualche volta a esercitarmi sullo strumento. Quando mi parve di essere in grado, fidandomi sulla semplicità del pubblico, di accompagnare la funzione senza troppi errori, fissai con don Liguari per la domenica seguente: ma gli dissi che sarebbe stato per una volta sola. Avevo saputo che il barbiere cavadenti sapeva strimpellare un pianoforte, cosí ad orecchio, ed ero certo che se la sarebbe cavata meglio di me. Perciò, per quanto egli non amasse molto entrare in chiesa, avevo deciso di lasciare a lui l'incarico, dopo quella prima volta per la quale ero ormai impegnato.

La domenica, la chiesa era piena. L'Arciprete aveva sparso la voce che io avrei suonato, e nessuno volle mancare all'insolito spettacolo. Le donne, sotto i veli bianchi, si pigiavano fino alla porta: molte non avevano potuto entrare. Erano venute persone che da tempo immemorabile non entravano piú in chiesa. C'era perfino, con la sorella, donna Concetta, la figlia maggiore dell'avvocato S., il ricco proprietario melanconico, che incontravo spesso la sera, sulla piazza. Donna Concetta era in clausura da quasi un anno, per la morte del fratello: non usciva mai di casa, e non l'avevo mai vista. Per la funzione di oggi si era decisa a rompere il suo voto, e sedeva nella prima fila di panche. Era considerata la piú bella donna di Gagliano, ed era vero. Era una ragazza di diciott'anni, piccolina, con un viso tondo e perfetto di Madonna, dei grandi occhioni languidi, i capelli neri, lisci e abbondanti, ordinati con una riga diritta in mezzo, la pelle bianchissima, la boccuccia rossa, il collo sottile, e una gentile aria ritrosa.

Fu quella l'unica volta in cui la vidi, in mezzo alla folla velata; né sentii mai la sua voce. Ma i contadini avevano i loro progetti. — Tu sei gaglianese ormai, — mi dicevano spesso. — Devi sposare donna Concetta. È la zitella vacantía piú bella e piú ricca del paese. È fatta per te. E cosí non te ne andrai piú, resterai sempre con noi —. Perciò anch'io ero curioso di vedere la mia promessa sposa nascosta.

Le donne furono entusiaste della funzione. — Quanto sei bello! — gridavano al mio passaggio quando uscii. La fiducia dell'Arciprete nella potenza religiosa della musica si dimostrò però esagerata. Per quanto il barbiere accompagnasse assai meglio di me, la chiesa dopo quel giorno tornò ad essere quasi deserta. Don Liguari non si perdeva d'animo: girava tutto il giorno per le case dei contadini, battezzava i ragazzi, e, poco per volta, qualche cosa avrà forse ottenuto.

L'effimera, strana primavera era ormai finita. Il verde non era durato che una decina di giorni, come un'assurda apparizione. Poi quella poca erba era seccata sotto il sole e il vento ardente di un maggio improvvisamente estivo. Il paesaggio era tornato quello di sempre, bianco, monotono e calcinoso. Come quando ero arrivato, tanti mesi prima, sulla distesa delle argille silenziose l'aria ondeggiava per il caldo; e pareva che, da sempre, su quello stesso desolato mare biancastro oscillasse grigia l'ombra delle stesse nuvole. Conoscevo ogni anfratto, ogni colore, ogni piega della terra. Con il nuovo caldo, la vita di Gagliano pareva piú lenta che mai. I contadini erano nei campi, le ombre delle case si stendevano pigre sui selciati, le capre sostavano al sole. L'eterno ozio borbonico si stendeva sul paese, costruito sulle ossa dei morti: distinguevo ogni voce, ogni rumore, ogni sussurro, come una cosa nota da tempi immemorabili, infinite volte ripetuta, e che infinite altre volte sarebbe stata ripetuta in futuro. Lavoravo, dipingevo, curavo i malati, ma ero giunto a un punto estremo di indifferenza. Mi pareva di essere un verme chiuso dentro una noce secca. Lontano dagli affetti, nel guscio religioso della monotonia, aspettavo gli anni venturi, e mi pareva di essere senza base, librato in un'aria assurda, dove era strano anche il suono della mia voce.

Anche la guerra volgeva al termine. Addis Abeba era caduta. L'Impero era salito sui colli di Roma, e don Luigino aveva cercato di farlo salire anche su quelli di Gagliano, con una delle sue tristi adunate deserte. Non ci sarebbero piú stati dei morti, e si attendeva il ritorno dei pochi che erano laggiú. Il figlio della Giulia aveva scritto che presto sarebbe tornato, e gli si preparassero la sposa e le nozze. Don Luigino si sentiva cresciuto, come se qualcosa della corona imperiale fosse passato anche sulla sua testa. I contadini pensavano che, malgrado le promesse, non ci sarebbe stato posto per loro in quelle terre favolose e male acquistate; e non pensavano all'Africa quando scendevano alle rive dell'Agri.

Un mattino, verso mezzogiorno, passavo sulla piazza. Il

sole batteva lucente e nitido, il vento alzava mulinelli di polvere e don Cosimino, sull'uscio dell'ufficio postale, mi fece da lontano dei grandi gesti con la mano. Mi avvicinai, e vidi che mi guardava con affettuosi occhi allegri. — Buone notizie, don Carlo, — mi disse. — Non vorrei darle delle speranze che non si dovessero realizzare; ma è arrivato ora un telegramma da Matera, che dispone la liberazione del confinato genovese. Ho mandato ora a chiamarlo. Dice anche di rimanere in ascolto nel pomeriggio, che mi telegraferanno i nomi di altri confinati da liberare. Spero ci sarà anche il suo. Pare che sia per la presa di Addis Abeba —. Rimanemmo sulla porta dell'ufficio tutto il giorno. Ogni tanto si sentiva il ticchettío del telegrafo, e poi la testa di don Cosimino si affacciava allo sportello, con un sorriso raggiante, e l'angelo gobbo gridava un nome. Il mio fu l'ultimo: era già quasi sera. Tutti erano stati liberati, tranne i due comunisti, lo studente di Pisa e l'operaio di Ancona. Tutti i signori della piazza mi si fecero attorno per congratularsi con me della libertà che mi era stata elargita senza che la sollecitassi. Quella gioia inattesa mi si volse in tristezza, e mi avviai, con Barone, verso casa.

Tutti i confinati partirono l'indomani mattina. Io non mi affrettai. Mi dispiaceva partire, e trovai tutti i pretesti per trattenermi. Avevo dei malati che non potevo lasciare d'un tratto, delle pitture da finire; e poi un mucchio di cose da spedire, una infinità di quadri da imballare. Dovevo far fare delle casse, e una gabbia per Barone, troppo abile nello sciogliersi dal guinzaglio e troppo selvatico perché si potesse affidarlo cosí semplicemente a un treno. Rimasi ancora una decina di giorni.

I contadini venivano a trovarmi e mi dicevano: — Non partire. Resta con noi. Sposa Concetta. Ti faranno podestà. Devi restar sempre con noi —. Quando si avvicinò il giorno della mia partenza, mi dissero che avrebbero bucato le gomme dell'automobile che doveva portarmi via. — Tornerò, — dissi. Ma scuotevano il capo. — Se parti non torni piú. Tu sei un cristiano bono. Resta con noi contadini —. Dovetti promettere solennemente che sarei tornato; e lo promisi con tutta sincerità: ma non potei, finora, mantenere la promessa.

Infine mi congedai da tutti. Salutai la vedova, il becchino banditore, donna Caterina, la Giulia, don Luigino, la Parroccola, il dottor Milillo, il dottor Gibilisco, l'Arciprete, i signori, i contadini, le donne, i ragazzi, le capre, i monachicchi e gli spiriti, lasciai un quadro in ricordo al comune di Gagliano, feci caricare le mie casse, chiusi con la grossa chiave la porta di casa, diedi un ultimo sguardo ai monti di Calabria, al cimitero, al Pantano e alle argille; e una mattina all'alba, mentre i contadini si avviavano con i loro asini ai campi, salii, con Barone in gabbia, nella macchina dell'americano, e partii. Dopo la svolta, sotto il campo sportivo, Gagliano scomparve, e non l'ho piú riveduto.

Avevo un foglio di via, e dovevo viaggiare con i treni accelerati: perciò il viaggio fu lungo. Rividi Matera, e i suoi sassi, e il suo museo. Traversai la pianura di Puglia, sparsa di pietre bianche, come un cimitero, e Bari, e Foggia misteriosa nella notte, e risalii, a piccole tappe, verso il nord. Salii alla cattedrale di Ancona, e mi affacciai, per la prima volta dopo tanto tempo, sul mare. Era una giornata serena, e, da quella altezza, le acque si stendevano amplissime. Una brezza fresca veniva dalla Dalmazia, e increspava di onde minute il calmo dorso del mare. Pensavo a cose vaghe: la vita di quel mare era come le sorti infinite degli uomini, eternamente ferme in onde uguali, mosse in un tempo senza mutamento. E pensai con affettuosa angoscia a quel tempo immobile, e a quella nera civiltà che avevo abbandonato.

Ma già il treno mi portava lontano, attraverso le campagne matematiche di Romagna, verso i vigneti del Piemonte, e quel futuro misterioso di esilî, di guerre e di morti, che allora mi appariva appena, come una nuvola incerta nel cielo sterminato.

Firenze, dicembre 1943 - luglio 1944.

7954
1987

*Questo volume è stato ristampato nel mese di aprile 1987*
*presso Arnoldo Mondadori Editore S.p.A.*
*Stabilimento Nuova Stampa Mondadori - Cles (TN)*
*Stampato in Italia - Printed in Italy*

*Oscar Mondadori*
*Periodico trisettimanale: 7 ottobre 1968*
*Registr. Trib. di Milano n. 49 del 28-2-2965*
*Direttore responsabile: Alcide Paolini*
*Spedizione in abbonamento postale TR edit.*
*Aut. n. 55715/2 del 4-3-1965 - Direz. PT Verona*
*OSC*